Den Wind im Gesicht

Ramona Mitsching

Den Wind im Gesicht

Die Deutsche Nationalbibliothek verzeichnet diese Publikation in der Deutschen Nationalbibliografie; detaillierte bibliografische Daten sind im Internet über *http://dnd.d-nb.de* abrufbar.

Umschlaggestaltung: Horst Stöllger, pixzicato GmbH, Hannover
Lektorat: Birgitta Bolte, rohtext Lektorat, Rheine

Prolog

Mit Mitte vierzig feierte es sich nicht mehr folgenlos durch die Nacht. Daniela wusste nicht, ob diese Erkenntnis sie schockieren oder erheitern sollte. Vorsichtig horchte sie in sich hinein. Ihr Kopf schmerzte. Beine und Arme fühlten sich an, als würde ihr Körper fiebern. Nur mit Mühe gelang es ihr, aufzustehen und einen klaren Gedanken zu fassen.

Es war ein fröhliches Fest gewesen. Sie hatten gegessen und getanzt. Vielleicht ein bisschen mehr als sonst getrunken.

Das Feuerwerk nach Mitternacht am Strand war grandios gewesen. Den Sonnenaufgang hatten sie vom Rand der Dünen aus genossen. Nach langer Zeit waren sie vereint gewesen an einem Ort, der sie verband und an dem vor vielen Jahren alles begonnen hatte.

Ihre letzte Erinnerung galt Thomas.

Daniela stutzte. Sie meinte, sich zu erinnern, dass sie ihn mit nach Hause genommen hatte. Langsam, nur sehr langsam wurde ihr klar, was das bedeutete: Er musste hier irgendwo sein.

In diesem Moment nahm sie den Geruch wahr. Es duftete nach frisch gebrühtem Kaffee. Daniela beschloss, in ihrer Küche nachzuschauen.

Thomas machte einen wesentlich fitteren Eindruck als sie selbst. Sein „Guten Morgen!“ am späten Nachmittag klang sehr wach, als er auf sie zukam und sie auf die Wange küsste. Daniela schaute ihn an. Für ihre Begriffe schmunzelte er ziemlich zweideutig. Seine Frage, ob sie ein Ei essen wolle, klang beinahe übertrieben unschuldig.

Daniela ließ sich wortlos auf einen der Stühle fallen. Ihr Hirn arbeitete auf Hochtouren, während Thomas hantierte, als wäre er hier zu Hause. Einen kurzen Moment lang schwankte sie zwischen Missfallen und Wohlwollen. Dann hörte sie sich sagen: „Ja, gekocht, fünf Minuten bitte. Aber das weißt du ja."

1. Kapitel
Sommer 1992

Daniela mochte diese frühe Stunde am Morgen. Sie stand auf ihrem Balkon und blickte nach oben. Der Himmel war blau. Nicht die kleinste Wolke war zu sehen. Am liebsten würde sie ihre Strandtasche packen und in das nahe gelegene Seebad fahren. Im Rücken die wohlige Wärme des feinkörnigen Sandes fühlen, den frischen Seewind im Gesicht spüren, mit sich und der Welt im Reinen sein. So stellte sie sich einen entspannten Tag vor.

Daniela wusste, dieser Wunsch würde sich nicht erfüllen. Mehr als diese eine Stunde hatte sie nicht. Ein Tag voller Verpflichtungen stand ihr bevor. Die wenige Zeit aber würde sie nutzen. Ihren Frühstückstisch hatte sie auf dem Balkon gedeckt. Ein paar alte Fotoalben hatte sie gestern zu später Stunde herausgekramt und vorhin dazugelegt. Darin würde sie jetzt blättern.

Daniela setzte sich und griff nach der Tasse. Vorsichtig trank sie den ersten Schluck. Der Kaffee war noch heiß. Während sie in ihr Brötchen biss, schlug sie die erste Albumseite auf. Sie blickte in Kindergesichter.

Die Fotos waren fünfundzwanzig Jahre alt. Sie zeigten sie und ihre Freundin Sophia. Beide waren sie damals fünf Jahre alt.

Daniela betrachtete das erste Foto. Verschiedener als sie beide konnte man nicht sein. Es war auf den ersten Blick sichtbar.

Sophia trug ein Kleid. Daniela war trotz des Schwarz-Weiß-Fotos sicher: Die Schuhe der Freundin mussten rot sein.

Sophia liebte rote Schuhe. Die langen Haare hatte sie zu einem Pferdeschwanz gebunden. Neben ihr sah sie, mit kurzen Hosen und Turnschuhen bekleidet, aus wie ein Junge. Ihre kurzen Haare waren entweder nass vom Schwimmen oder verschwitzt.

Sie lehnte sich zurück und dachte nach. Sophia hatte als braves Kind gegolten. Beim Spielen brachte sie es fertig, sich nicht schmutzig zu machen. Daniela hingegen hatte so etwas nie geschafft. In ihren Hosen konnte sie rennen, springen, kriechen. Daniela entsann sich, dass sie sich immer bewegt hatte. Bewegung war der Name ihres Lieblingsspiels.

Sie hatte es ohne Rücksicht auf die eigene Unversehrtheit gespielt. An die Zahl der Pflaster auf ihren Knien konnte sie sich nicht mehr erinnern. Daniela wusste jedoch: Es waren viele gewesen. Erst wenn der Sommer zu Ende ging und die Hosenbeine länger wurden, verheilten die Wunden langsam. Im nächsten Jahr begann alles wieder von vorn.

Ob Kleid oder Hose, eines hatten Sophia und sie gemeinsam: ihre Liebe zum Meer. Ein Platz hinter der Düne war ihr zweites Zuhause. Das Schwimmen hatten sie im Wasser der Ostsee gelernt. Mit Blick zum Horizont hatten sie sich gefragt, wie es wohl weiter nördlich aussah. Das Land, in dem sie geboren waren, hatte seinen Bewohnern verordnet, es nur in eine Himmelsrichtung verlassen zu dürfen: nach Osten.

Täglich kam das weiße Fährschiff aus Schweden. Es glitt an ihnen vorbei. Kurze Zeit später verschwand es aus ihrem Sichtfeld. Wenige Stunden danach verließ es mit Transitfracht und einer Handvoll Passagieren an Bord den Hafen. Ein wenig ähnelte es einem Geisterschiff.

Als sie Kinder waren, hatten sie das Schiff bestaunt. Als Jugendliche war es für sie zum Symbol einer Welt geworden, die für sie unerreichbar schien. Die Chance, einmal an Bord gehen zu dürfen, lag bei Null. Dennoch hatten sie immer davon geträumt.

Wer nicht träumt, der lebt nicht. Darin waren Sophia und sie sich einig.

Daniela blätterte weiter. Sie schaute auf Fotos, die sie an der Hand ihrer Mütter auf dem Weg vom Bahnhof zum Strand zeigten.

Damals wie heute gab es nur den einen Weg. Man musste die Brücke überqueren. Dann kam man zum „Alten Strom“. Am Ende des Stroms stand der Leuchtturm. Daneben der Teepott. Ein Bauwerk aus jüngerer Zeit. Strom, Turm und Pott waren die Wahrzeichen von Warnemünde. Dem Seebad, das nördlich ihrer Heimatstadt Rostock lag. Entlang des Stroms führte der Weg, gesäumt von alten Kapitänshäusern, direkt zum Strand.

Auf dem Brückengeländer saßen die Möwen, aufgereiht wie an einer Schnur. Egal, wann man ankam. Sie begrüßten die Neuankömmlinge. Bis heute war es so geblieben. Daniela hielt inne.

Naturgemäß fehlten seit geraumer Zeit die schützenden Hände der Mütter. Sophia und sie beschritten längst eigene Wege. Gemeinsam hatten sie an der hiesigen Universität studiert. Sophia war nach dem Diplom geblieben. Zwischenzeitlich hatte sie promoviert. Sie war auf dem Weg zur Professorin gewesen. Daniela arbeitete währenddessen in einem der Rostocker Kombinate. Sie verrichtete einen Job, den sie liebte und gleichzeitig hasste.

Dann hatte sich alles verändert.

Sie klappte das Album zu. Die gemütliche Stunde war vorbei. Auf Daniela wartete ein anstrengender Tag.

Sie blinkte und nahm die Einfahrt zum Firmengelände. Der Parkplatz war kürzlich erst angelegt worden. Akkurat reihte sich Auto an Auto. Ihr Lack glitzerte in der Sonne. Nach nur drei Jahren in der jetzigen Zeitrechnung war der neue Wohlstand nicht zu übersehen.

Doch nicht alle durften dabei sein.

Schnell war eine erste Welle der Ernüchterung über sie hinweg gespült. Der Kälteanlagenbauer, für den sie arbeitete, war über Nacht in eine Aktiengesellschaft umgewandelt worden. Die neuen Eigentümer hatten es eilig. Auf einen Schlag wurde die Hälfte der Mitarbeiter entlassen. Gleichzeitig wurden Modernisierungsarbeiten in Auftrag gegeben.

Die Bauarbeiten gingen flott voran. Manche Tage war Daniela beinahe taub vom Lärm. Manchmal wunderte sie sich, wieso die Gebäude überhaupt noch standen. Nach und nach verschwanden jedoch die hässlichen Zeugen einer Zeit, die Daniela nicht vergessen würde.

Sie erinnerte sich genau, wie es hier sechs Jahre zuvor ausgesehen hatte. Damals war sie hergekommen, um ihren Arbeitsvertrag abzuholen.

Man hatte tatsächlich „abholen“ zu ihr gesagt. Sie verhandelten nicht. Ihre Gegenüber wollten nichts von ihr wissen. Sie legten ihr lediglich den Vertrag zur Unterschrift vor. In einem Nebensatz sagten sie, dass sie dann am ersten Arbeitstag im September ihr Abschlusszeugnis mitbringen solle.

Jedem Absolventen einer Universität wurde ein Arbeitsvertragsangebot unterbreitet. So man unterschrieben hatte, stand der Aufnahme der Tätigkeit nichts mehr im Weg. Bis zu diesem Zeitpunkt war man nur auf die Mitarbeiter der Personalabteilung getroffen – die hieß damals noch Kaderabteilung –, deren Aufgabe es war, den leidigen Papierkram zu erledigen. Die jeweilige Führungskraft im Fachbereich wusste nicht, wer oder was auf sie zukommen würde. Das persönliche Kennenlernen fand am ersten Arbeitstag statt. Für alle Absolventen war das Verfahren gleich.

Alleingelassen, mit weichen Knien und einem Lageplan in der Hand war sie auf der Suche nach ihrem Bürogebäude über ein Werksgelände gegangen, das sie niemals zuvor betreten hatte.

Sie würde nicht vergessen können, welche Eindrücke während ihres Ganges auf sie niedergeprasselt waren. Alles um sie herum hatte sie an die Kulisse für einen Nachkriegsfilm erinnert. Daniela ertappte sich bei dem Gedanken, nach Einschusslöchern suchen zu wollen. Plötzlich spürte sie, wie ihr der Schreck in die Glieder fuhr. Gut, dass sie lediglich gedacht und nichts laut ausgesprochen hatte. Sagen und an der falschen Stelle gehört zu werden, wäre verdammt gefährlich gewesen. Reichliche zwanzig Jahre reichten aus, dieses Grundwissen fest in sich verankert zu haben.

Ihr Weg war gepflastert von einer Farbe, die keine war. Ein dunkles Weiß? Doch eher ein helles Schwarz?

Dunkelgrau war nicht nur die Straße, die sie entlang gelaufen war. Dunkelgrau war auch alles andere um sie herum: Verfall und Dreck, wohin sie blickte. Bröckelnder Putz an Fassaden, geborstene Fensterscheiben. Je weiter sie auf dem Gelände vorankam, umso schlimmer wurde der Anblick. Ihr war klar, dass ihr Büro nicht anders aussehen konnte als das, was sie auf dem Weg dorthin bereits gesehen hatte. Dennoch hatte sie gehofft. Vergebens.

Fassungslos musterte sie die Büroeinrichtung. Direkt vor ihren Augen standen ein alter Wohnzimmerschrank und ein abgewetzter Stuhl. Der Schreibtisch dahinter musste ein Möbelstück aus einer anderen Zeit sein. Daniela glaubte, so etwas in fünfzig Jahre alten Filmen gesehen zu haben. Spontan dachte sie, es könne nicht mehr schlimmer kommen. Aber da hatte sie sich getäuscht. Gleich hinter der Tür entdeckte sie einen Schrank, dessen Füße durch Ziegelsteine ersetzt worden waren. Seine Türen hingen bedenklich schief in den Angeln.

Eine Stunde später hatte sie auch die Produktionsanlagen gesehen. Ihr Zustand war nicht besser. Verwundert stellte sie jedoch fest, dass keiner ihrer Kollegen sich an diesen Zuständen zu stören schien. Sie dachte nach und begriff: Es war besser, die Fassungslosigkeit schleunigst zu überwinden und sich den Umständen zu fügen. Man würde sie zwingen, die nächsten drei Jahre an diesem Ort zu verbringen. Ein Arbeitsplatzwechsel innerhalb der ersten sechsunddreißig Monate nach Studienabschluss war ausgeschlossen. Sinn oder Unsinn dieser Regelung waren Daniela zu keiner Zeit klar geworden. Ein Gesetz ihres Landes schrieb das Wechselverbot vor. Keiner der Absolventen war in der Lage, es zu umgehen.

Vor drei Jahren dann hatte sich die Situation der Absolventen geändert. Mit der Wiedervereinigung der beiden deutschen Staaten verlor das Gesetz seine Gültigkeit. Absolventen konnten fortan gehen, wohin sie wollten. Dass man sie nicht immer wollte, stand auf einem anderen Blatt geschrieben.

Daniela saß gedankenverloren in ihrem Auto. Dann schaute sie zur Uhr. Sie musste sich beeilen. In einer Stunde begann ihre erste Besprechung. Ein paar Minuten würde sie benötigen, um noch einmal die Unterlagen durchzublättern. Auf keinen Fall durfte sie zu spät kommen. Plötzlich bemerkte sie Stephan, der behutsam gegen die Seitenscheibe klopfte.

Sie stieg aus und begrüßte ihn. Gemeinsam gingen sie zum Eingang des Bürogebäudes.

„Sag mal, du hast eine Ewigkeit starr im Auto gesessen. Was war los?“, fragte er mit Besorgnis in der Stimme.

„Meine Gedanken waren auf Wanderschaft. Ich habe mich an die Zeit Ende der Achtzigerjahre erinnert. Daran, wie es hier aussah. Und an das Absolventenlenkungsgesetz. Bleiben müssen. Du erinnerst dich?“, fragte Daniela. „Oh ja“, antwortete Stephan und nickte. Er hatte in Dresden studiert und war über jene Absolventenlenkung hierher gekommen.

Inzwischen hatten sie das Foyer betreten. Sie nahmen den Weg zu den Fahrstühlen, obwohl sie auch die Treppe hätten benutzen können. Der Fahrstuhl verleitete jedoch dazu, die sechs Etagen nicht zu Fuß zu erklimmen.

Stephan drückte die Taste für den Lift, der sie direkt bis zum siebten Obergeschoss brachte. Er war so programmiert, dass er nur mit einer Codekarte funktionierte und unterwegs nicht hielt.

Die oberste war die Vorstandsetage. Mitarbeiter hatten hier nur Zutritt, wenn sie gerufen wurden. Stephan und sie waren Prokuristen.

Eine Etage tiefer, am Ende des Ganges, befanden sich ihre Büros. Im Normalfall fuhren sie nach oben, liefen nach hinten und stiegen eine Treppe hinab, die als Verbindung eingebaut worden war. Mit ihren Karten bedienten sie den Lift und öffneten die Türen zwischen den Geschossen. So waren sie jederzeit in der Lage, schnell und auf kürzestem Weg die Vorstandsbüros zu erreichen.

Daniela hatte sich für weiße Büromöbel mit einer glatt schimmernden Oberfläche entschieden. Und für einen minimalistischen Stil. Regale, Schränke, ein Schreibtisch mit Stuhl und eine Besucherecke mit einem zweisitzigen Ledersofa und zwei Sesseln. Das war alles. In einem Wandschrank versteckten sich ein Waschbecken mit Spiegel und eine winzige Küchenzeile. Hier bewahrte sie auf, womit sie ihr tägliches Überlebenselixier bereitete: eine Kaffee- und Espressomaschine.

Daniela wusch sich die Hände und griff nach dem Lippenstift. Dann stieg sie in die hochhackigen Pumps. So ausstaffiert, mit der Akte unter dem Arm, verließ sie ihr Büro. In wenigen Minuten würde die Zusammenkunft mit dem Vorstand beginnen.

Schwerdtfeger redete seit einer Stunde. Danielas Konzentration schwand. Stephan kämpfte gegen den Schlaf. Daniela musste ein Grinsen unterdrücken, als sie zu ihm hinüber schaute.

Gelangweilt wanderte ihr Blick durch den Raum.

Schwerdtfeger hatte schwarze Sitzmöbel und einen gläsernen Besprechungstisch für sein Büro ausgewählt. An den Wänden hing moderne Kunst. Schreibtisch und Schränke waren aus schwerem Holz gefertigt. Der Schreibtischstuhl aus schwarzem Leder. Alles wirkte ein bisschen düster.

Schwerdtfeger trug die zehnte Zusammenfassung der Ereignisse der letzten drei Monate vor. Die neunte hatten sie vor zwei Tagen gehört. Es gelang ihm zunehmend nur mäßig, seine Anspannung zu überspielen. Das Projekt, um das es hier ging, war überlebenswichtig für sie alle. An diesem Auftrag hingen ihre Jobs.

Daniela war mit dreißig Jahren die Jüngste in dieser Runde. Noch dazu war sie die einzige Frau. Sie gehörte seit sechs Jahren hierher. Hier wollte sie bleiben. Im Gegensatz zu damals, als sie die drei Jahre Pflicht in Monaten und Tagen heruntergezählt hatte.

Ihre amerikanischen Gesellschafter hatten nach der Firmenübernahme nicht nur die Belegschaft halbiert. Nach und nach entließen sie auch die alte Führungsriege. Drei Herren, jeweils im Alter um die fünfzig, waren an deren Stelle eingestellt worden und teilten sich nun die Aufgaben: Schwerdtfeger als Kaufmann, Hansgen als Vertriebschef, der Dritte als Produktionsverantwortlicher.

Daniela sah in Stephans Richtung. Jetzt blickte sie in ein hellwaches Gesicht. Irgendetwas musste sie verpasst haben. Sie konnte sehen, wie Stephans Wangenknochen arbeiteten.

Hansgen redete. Daniela hörte seine Stimme. Er sprach viel zu laut. Am liebsten hätte sie sich die Ohren zugehalten. Vorsichtig richtete sie ihren Blick auf seinen Körper. Hansgen war inzwischen aufgesprungen und gestikulierte wild mit allem, was sich dafür einsetzen ließ. Das Ganze sah ziemlich schwerfällig aus. Trotz Gardemaß von eins neunzig passten Körpergröße und Masse nicht zueinander. Außerdem stand er viel zu dicht neben ihr. Sein rechter Oberschenkel berührte sie an ihrer linken Seite. Hansgens gewaltiger Bauch versperrte ihr die seitliche Sicht. Sie schaute nach oben. Das schüttere Haar konnte einen Schnitt vertragen.

Schwerdtfeger mühte sich um das Wort. Vergeblich. Gegen Hansgen hatte er keine Chance. Im Bruchteil einer Sekunde war es ihm gelungen, einen Streit mit seinem Kollegen zu provozieren.

Daniela sah, wie Stephan mit den Fingern die Mitte seiner Stirn massierte.

Seine Botschaft hatte sie erreicht. Stephan und sie kannten sich seit drei Jahren. Inzwischen verstanden sie sich wortlos.

Daniela musterte den Hünen neben sich. Noch immer hatte er seine Position nicht verändert. Daniela beschloss zu handeln. Mit einem Ruck schob sie ihren Stuhl vom Tisch. Demonstrativ wandte sie ihren Körper zur entgegengesetzten Seite. Hansgen, der an ihr und dem Stuhl geklebt hatte, geriet ins Straucheln. Im letzten Moment gelang es ihm, sich zu fangen, um nicht der Länge nach hinzuschlagen.

Für einen Augenblick sah Daniela in Schwerdtfegers Gesicht ein amüsiertes Grinsen aufblitzen. Sodann folgte ein tadelnder Blick.

Stephan und sie hatten oft darüber debattiert, wie dieses neue Wirtschaftsleben funktionierte. Sie wussten inzwischen, dass sie sich im Wettbewerb gegen starke Konkurrenz durchsetzen mussten. Der Markt hatte sie nach der Wiedervereinigung weder erwartet noch brauchte er sie. Es gab nichts zusätzlich zu holen, sondern lediglich etwas umzuverteilen. Sie wollten hier vor ihrer Haustür eine riesige Anlage errichten. In den nächsten zwei Jahren mussten sie damit einen großen Teil ihres Geldes verdienen. Sie würden nicht nur technisch die Besten sein, sondern auch eine passende Finanzierung mitbringen müssen. Ab morgen würden in dieser Runde Externe sitzen: Juristen und Banker. Es ging um einen dreistelligen Millionenbetrag. Daniela fragte sich, was ihre Partner davon halten würden, zwei Vorstände wie diese zu erleben.

Über Hansgens Vita wussten sie wenig. Er selbst sprach von einer letzten Anstellung in einem Unternehmen an der holländischen Grenze. Wofür genau er dort verantwortlich gewesen war, blieb unklar. Ihrem Gesellschafter musste er mehr verraten haben. Ansonsten hätten man ihn wohl nicht engagiert.

Seinen Wohnsitz hatte Hansgen an einem Ort, den er nicht verriet. Schon donnerstags verschwand er von hier. Niemand wusste, wohin. Die Zahl der Aufträge, die er während des letzten Jahres akquiriert hatte, war spärlich. Dafür war sein Ruf nach Unterstützung durch weiteres Personal im Vertrieb umso lauter.

Jetzt aber griff er Schwerdtfeger an. Hansgen warf ihm vor, zu teuer zu kalkulieren. Daniela wusste, dass die Kollegen sorgsam jede einzelne Position verpreist hatten. Hansgen suchte einen Vorwand für Streit. Nichts weiter.

Noch während sie diesen Gedanken dachte, passierte etwas, womit an diesem Tisch in diesem Moment niemand gerechnet hatte.

Schwerdtfegers Miene verriet Zorn, als Hansgen ankündigte, ihnen allen jetzt und hier den neuen Mann vorzustellen, der es künftig richten solle.

Der, der in diesem Moment den Raum betrat, war zwei Jahre älter als Daniela. Er hatte Betriebswirtschaftslehre in München studiert. Erste Berufserfahrungen hatte er im väterlichen Betrieb gesammelt. Das sagte er hier zwar nicht, aber Daniela wusste es. Dafür klang das, was er sagte, ganz anders. Er suggerierte bedeutsame erste Jahre in der Praxis, unverzichtbares Know-how und gereifte Lebenserfahrung.

„Kennst du den?“ Stephan wich ihr nicht von der Seite. „Ja, den kenne ich. Jedoch nicht im Sinne von wirklichem Miteinander bekannt Sein, sondern eher von einer Begegnung, die ich mir gern erspart hätte.“

Holger hatte soeben zwanzig Minuten lang über sich gesprochen, ohne einen einzigen klaren Sachverhalt preiszugeben. Genau wie damals, als sie zum ersten Mal völlig unerwartet aufeinandergetroffen waren. Daniela hatte noch Tage später gegrübelt, wie ein solcher Typus Mann eine intelligente Frau für sich gewinnen konnte.

2. Kapitel
Herbst 1988

Nasskaltes Wetter empfing Daniela, als sie vor die Tür trat. Sie würde Mühe haben, ihre Frisur im Zaum zu halten. Die Friseurin hatte große Sorgfalt darauf verwendet, ihre Haare glatt zu föhnen. In Anbetracht der hohen Luftfeuchtigkeit konnte die Mühe allerdings vergebens gewesen sein. Daniela musste sich beeilen, wollte sie nicht mit einem Wuschelkopf dem Ereignis beiwohnen wollen. Wenigstens war der Weg zum alten Universitätsgebäude nicht allzu weit.

Selten gab es um diese Zeit Sonne. Dieser November hatte es jedoch in sich. Die Temperaturen glichen bereits denen der Wintermonate. Daniela fröstelte und beschleunigte ihren Schritt. Sie konnte das Gebäude schon sehen.

Daniela betrat den Vorraum zum kleinen Hörsaal der Wirtschaftswissenschaftlichen Fakultät. Sie schaute sich nach der Garderobe um und zog ihren Mantel aus. Es war kalt. Wahrscheinlich fehlten wieder einmal die Kohlen. Oder irgendein Ersatzteil für die alte Heizungsanlage. Nicht anders als während ihrer Studienzeit. An manch kalten Januartagen waren die Vorlesungen witterungsbedingt ausgefallen. Oft hatten sie ihre Jacken nicht abgelegt und selbst die Handschuhe angelassen. Im Februar waren Semesterferien und im März konnte man auf ein wenig Sonne hoffen.

Daniela hängte den Mantel an den Haken und betrat den Saal. Sie sah nach vorn und erblickte Sophia. Die Kälte würde sie heute nicht interessieren. Ihr würde auch ohne Heizung warm werden.

Daniela schmunzelte. Sie sah, wie Sophia an ihrer Frisur zupfte und erinnerte sich, dass sie selbst wenige Minuten zuvor besorgt um ihre Haare gewesen war. Daniela ging auf Sophia zu und umarmte sie. „Du siehst gut aus. Und du wirst erfolgreich sein“, flüsterte sie ihr ins Ohr und drückte sie noch einmal an sich.

Daniela hatte keine Zweifel an dem, was sie gerade gesagt hatte. Nach nur etwas mehr als zwei Jahren seit Abschluss ihres Studiums würde Sophia heute auf dieser nächsten Stufe brillieren. Die besonders Systemtreuen würden sagen, dass sie einen Beweis dafür lieferte, wie Frauen in ihrem Land gefördert wurden und Spitzenleistungen erbringen konnten. Niemand würde dem widersprechen. Jedenfalls nicht offiziell. Keiner traute sich zu sagen, dass es einem Wunder glich, unter solchen Bedingungen überhaupt Leistung erbringen zu können. Und was die Sache mit den Frauen betraf, da hatte Daniela andere Erfahrungen sammeln müssen.

Sie suchte sich einen Platz, von dem aus sie Sophia ins Gesicht schauen konnte. Den Inhalt der Doktorarbeit kannte sie. Mehr als nur einmal hatte sie die Arbeit gelesen und sich damit auseinandergesetzt. Vieles von dem, was Sophia gleich vortragen würde, konnte Daniela nach zwei Jahren Praxiserfahrung nicht bestätigen. Die Theoretiker und Ideologen aber wollten und mussten daran glauben. Die Wissenschaft hatte es hierzulande schwer, die Wahrheit zu suchen, zu finden und laut zu sagen.

Mehrfach hatten die beiden Freundinnen über einzelne Passagen gestritten. Gewonnen hatten immer die gängigen Literaturquellen.

Daniela wusste, Sophia hatte keine Wahl: Sie musste sich den Zwängen beugen. Hätte sie aufgeschrieben, was Daniela tagtäglich erlebte, säßen sie heute nicht hier. Von Mangel und Misswirtschaft wollte niemand etwas hören. Daniela hatte keine Ahnung, wie lange das alles noch gutgehen würde. Dennoch war heute nicht der Tag, um solche Fragen zu stellen. Sie wusste, dass Sophia sehr wohl in der Lage war, Wunsch und Wirklichkeit auseinanderzuhalten. Die Zeiten der roten Schuhe und Kleidchen waren vorüber. Aus dem braven Mädchen war eine erwachsene, wache Frau geworden.

Frank traf in letzter Minute ein. Weder Daniela noch Sophia waren überrascht. Frank war immer auf Achse, kam auf den letzten Drücker und hatte schon den nächsten Termin im Kopf. Er verkörperte das komplette Gegenteil von seiner Freundin Sophia, mit der er seit einiger Zeit zusammenlebte.

Daniela sah ihn an. Der Anzug, den er trug, war sein einziger. Sie hatte jedenfalls noch nie einen anderen an ihm gesehen. So, wie es aussah, fühlte er sich nicht wohl in dieser Garderobe.

Frank war Bauingenieur. Ein Praktiker. Hose und Pullover, derbe Schuhe und ein Helm waren für ihn taugliche Kleidungsstücke.

Und wenn man ihn ließe, wäre er ein Weltenbummler. Wären da nicht die Grenzen nach Westen. Immerhin: Seine Baustellen verteilten sich von Nord bis Süd, von Ost bis West. Allerdings in einer maximalen Entfernung von 550 Kilometern.

Frank hob die Arme und zeigte die gedrückten Daumen in Sophias Richtung. Als hätte der Vorsitzende des Prüfungsausschusses auf dieses Zeichen gewartet, eröffnete er das Verfahren.

Sophia wirkte ruhig und gelassen. Ihr Vortrag war souverän. Ab und zu sah Daniela ein verstecktes Kopfnicken auf der Seite der Prüfer. Die Sache lief.

Es gab keine Überraschungen. Zwei Stunden später – summa cum laude! Das höchste Prädikat wurde Sophia verliehen. Sie strahlte. Franks Umarmung wollte nicht enden. Die Gratulanten hatten sich in einer Warteschlange aufgestellt. Sophia gab Daniela ein Zeichen. Sie verstand und nickte. Nur mit Mühe gelang es ihr, Frank zur Seite zu schieben. Als sie ihm gegenüberstand, schaute sie in sein Gesicht. Sie sah, dass er sich freute. Frank hatte nicht verhindern können, dass sie mitbekam, wie er eine Freudenträne aus seinem Gesicht wischte.

Daniela ließ ihn mit seiner Rührung allein und betrachtete nachdenklich das Geschehen um sie herum.

Sie erlebten einen besonderen Moment der Freude. Diesen sollten sie sich gönnen. Morgen schon würde alles wieder beim Alten sein. Frank würde sich um seine Baustellen kümmern, Sophia um die Studenten und die Wissenschaft, während Daniela den Geräuschen in der großen Produktionshalle lauschen würde, um zu erkennen, wie gut oder wie schlecht sie im Moment mit Material versorgt waren.

Mehr als zwei Jahre lang arbeitete Daniela nun schon. Die ersten Blessuren waren verheilt.

Sie erinnerte sich: Ohne Zögern hatte man sie im Büro zum Kaffeekochen eingeteilt. Einen Acht-Stunden-Tag lediglich in der Abteilungsküche zu verbringen, war nicht nur unfair, sondern ein besonderer Fall von Härte. So empfand sie schon nach kurzer Zeit. Schier endlos erschienen ihr die Tage. Und sinnlos.

Irgendwann hatte es ihr gereicht. Mutig war sie zu Günter, ihrem Gruppenleiter, gegangen. Ausführlich schilderte sie ihm ihre Sicht der Dinge. Sofort erkannte sie jedoch, dass ihr Gegenüber kein Verständnis für ihre Nöte zeigen würde. Jedes Jahr kämen Absolventen an, sagte er und fügte hinzu, dass sich bisher niemand bei ihm beschwert hätte. Alle könnten ihren Platz finden, meinte er. Man verfüge über ausreichende Erfahrungen im Umgang mit jungen Leuten, ergänzte er und Daniela hatte verstanden.

Er hatte nicht „ich“, sondern „man“ gesagt. Sofort war sie alarmiert. Das Gesagte klang wie eine versteckte Drohung. Sie war aufgestanden und gegangen.

Mit Wut im Bauch dachte sie jedoch bereits über eine Alternative nach. Eines wusste sie genau: Niemals und von niemandem würde sie sich einschüchtern lassen.

Der nächste Vorgesetzte in der Hierarchie war der Abteilungsleiter.

Sie überlegte. Mit ihm hatte sie selten Kontakt. Als sie neulich auf ihn getroffen war, hatte er beiläufig erwähnt, ihr Kaffee würde ihm schmecken. An der Qualität des Kaffees gemessen zu werden, sei nicht die beste Voraussetzung, hatte sie gedacht und trotzdem einen Versuch gewagt.

Aber auch bei ihm kam sie nicht zum gewünschten Erfolg. Mindestens ebenso verständnislos wie Günter hörte er ihren Ausführungen zu. Daniela verabschiedete sich eilig. Sie ließ die Tür hinter sich ins Schloss fallen. Ihr Gehirn arbeitete fieberhaft. Sie hatte nur noch eine Möglichkeit: Sie musste mit dem Fachdirektor sprechen. Sogleich ahnte sie, dass man ihr nicht einmal einen Termin bei ihm geben würde.

Letztlich wirkten unsichtbare positive Kräfte in ihr. Sie wollte es zumindest versuchen. Dazu musste sie allerdings mit seiner Sekretärin übereinkommen. Im Betrieb wusste man, dass die wie ein Adler über ihren Direktor wachte.

Von innen war kein Laut zu hören. Mutig klopfte Daniela an die Tür. Niemand reagierte. Kein „Ja, bitte“ oder „Herein“. Daniela zögerte. Sollte sie die Tür öffnen?

Sie fasste sich ein Herz und drückte die Klinke hinunter. Daniela trat ein. Sie schaute sich um. Die Sekretärin war nicht zu sehen. Vorzimmer und Direktionsbüro waren durch eine gepolsterte Tür getrennt. Die stand einen Spalt offen. Daniela konnte den großen Schreibtisch sehen. Dort saß der Fachdirektor. In diesem Moment blickte er auf. Daniela wusste, dass sie jetzt etwas sagen musste.

Ihr „Guten Tag“ kam nur zögerlich über ihre Lippen. Er war inzwischen aufgestanden und kam auf sie zu. Als er ihren Gruß erwiderte, registrierte sie, dass er sie von Kopf bis Fuß musterte. Offensichtlich schien er Alter, Gewicht und sonstige für ihn wesentliche Daten zu überprüfen. Dann huschte ein Lächeln über sein Gesicht. Daniela sah ihn an.

Weder Unterwürfigkeit noch Bewunderung lagen in ihrem Gesichtsausdruck. Sie wusste es. Bewusst aber gab sie sich keine Chance, ihren Blick zu korrigieren. Mit fester Stimme sagte sie, dass sie gekommen war, um einen Gesprächstermin zu vereinbaren.

Er quittierte ihr Anliegen mit einem erneuten Lächeln. Dann bat er sie in sein Zimmer.

Ihre Fabrik produzierte Anlagen der Kältetechnik für die Industrie. Dafür brauchte es jede Menge Material und Zulieferungen. Genau das war das Problem der Planwirtschaft. Sie konnten sich totplanen. Ihre Hauptaufgabe bestand in der Plananpassung. Das, was sie heute aufschrieben, galt morgen schon nicht mehr. Irgendeine geplante Lieferkette schlug immer fehl. Ihre Volkswirtschaft hatte sich der Herausforderung gestellt, weitestgehend unabhängig von ausländischen Importen sein zu wollen. Insgeheim wussten die Leute, dass ihnen für ihr Geld sowieso niemand etwas verkaufen würde. Ihre Wirtschaftsfunktionäre konnten noch so vollmundig reden: Sie alle verwalteten den Mangel. Von geplanten zwanzig Anlagen pro Jahr schafften sie lediglich die Hälfte. Einige ihrer Kunden warteten schon seit Jahren. Geduldig. Ihnen war klar, dass sie keine Chance hatten, an anderer Stelle ihren Auftrag unterzubringen. Es war ein bisschen wie das Warten auf den ersehnten Trabant.

Zudem waren ihre Kassen permanent leer. Wie konnte das unter diesen Umständen auch anders sein? Dennoch galt auch hier: kein Problem ohne Lösung. Ihre Staatsbank half. Ein Kredit nach dem anderen wurde bewilligt. Sie bekamen nicht erwirtschaftetes Geld. Noch stand die Kulisse, wenn auch aschgrau und schwankend.

Daniela saß plötzlich an exponierter Stelle und musste erklären, was genau sie wollte. Was sie nicht mehr wollte, wäre in einem Satz gesagt. Dazu müsste sie nicht einmal den angebotenen Platz annehmen.

Der Fachdirektor schaute sie immer noch freundlich lächelnd an.

Während sie sich setzte, erinnerte sie sich an ihren letzten Seebadbesuch.

Daniela rebellierte. Wieder einmal. Sie hatte das Gefühl, dieses graue Haus verlassen zu müssen. Ansonsten würde sie verrückt werden. Immer und immer wieder war ihr Blick zur Uhr gegangen. Vor vier Uhr nachmittags konnte sie nicht aufbrechen. Sie hatte feste Arbeitszeiten. Ein Verstoß gegen die Regeln würde disziplinarische Konsequenzen nach sich ziehen. Nichts zu tun zu haben, hieß nicht, gehen zu dürfen, wann man wollte.

Wenigstens konnte sie Sophia telefonisch in der Uni erreichen. Ohne Zögern stimmte die einer Verabredung zu.

Sie waren ins Seebad gefahren. Ein Gespräch an frischer Seeluft hatte schon immer geholfen, ganz gleich, welche Katastrophe es zu bewältigen galt. Auf diese Weise war der erste Liebeskummer bekämpft worden oder eine miserable Klausur vergessen gemacht.

Sie passierten die Brücke, wurden von den Möwen begrüßt und spürten einen stürmischen Wind im Gesicht.

„Schau dir das an!“, sagte Daniela und zeigte auf die Fassaden gegenüber. Sophia hob fragend die Schultern. „Hier sieht es aus wie immer“, antwortete sie.

„Das ist es ja eben. Noch ein großer Sturm und hier steht kein Stein mehr auf dem anderen. Hier wird vernichtet sein, was kluge Köpfe vor hundert Jahren vollbracht haben. Hier geht Zeitgeschichte in steinerner Form vor die Hunde und keinen Menschen interessiert es. Alle schauen zu. Oder weg. Alle sind oder stellen sich taub und stumm.“

Sophia starrte sie an und fragte „Wer hat dich geärgert?"

Alle.

Die Riege der alten Männer hatte getagt. Günter, ihr Gruppenleiter, hatte sie am Nachmittag zu einer Dienstberatung eingeladen. Er hatte ihnen mitgeteilt: Alles war in bester Ordnung. Sie würden ihren Plan übererfüllen.

Nicht erfüllen, sondern tatsächlich übererfüllen.

Danielas Frage, wie man bei einer Produktion von fünfzig Prozent gegenüber dem Plan von Übererfüllung sprechen könne, hatte er unbeantwortet gelassen. So, als hätte er sie nicht gehört.

Eine ihrer Kolleginnen hatte bereits frohlockt. Daniela hatte es sehen können. Günter hatte jedoch konsequent auch Danielas zweiten Versuch eines Einwurfs ignoriert. Die Kollegin hatte geschmollt.

„Sag mal, spinnen die? Denken die wirklich, wir merken nicht, was hier läuft?" Daniela schaute Sophia fragend an. „Sie bekommen es fertig und stehen mit dir genau hier an dieser Stelle und sagen dir, die Fassaden erstrahlen nach gründlicher Restaurierung in neuem Glanz."

Sophia runzelte die Stirn. „Natürlich wissen sie, dass wir es merken. Sie bauen auf unsere Angst. Ich kann dir sagen, diese Angst ist sehr berechtigt. Das solltest du niemals vergessen. Einer, der sie schürt, ist immer dabei. Er sitzt auch an eurem Tisch. Vergiss das nicht."

Sofort musste Daniela wieder an die Kollegin denken. Könnte es auch eine „Sie" sein? Die Frau war zwanzig Jahre älter als sie. Von Beginn an hatte sie Argwohn gegen Danielas Arbeitseifer gehegt. Aber: War sie gefährlich? Nein. Daniela war sicher. Sie war lediglich eine verbitterte alternde Frau. Wahrscheinlich hatte sie selbst irgendwann ihre Motivation begraben müssen. Vielleicht hatte ihr der Schneid gefehlt, jemals eine solche zu entwickeln. Daniela wusste es nicht. Die Angstmacher mussten andere sein.

Der Direktor war nicht Sophia. Ihm konnte sie das alles nicht sagen. Als Direktor war er auch Genosse. Ein Genosse vertrat die Meinung seiner Partei. Dieser Partei waren Missstände nicht bekannt.

Einen kurzen Augenblick lang war Daniela geneigt zu verfluchen, auf ihn und nicht auf seine Vorzimmerdame getroffen zu sein. Sie war auf dieses plötzliche Zusammentreffen mit ihm nicht vorbereitet.

„Lass uns was essen gehen und den Tag vergessen", hatte Sophia damals gesagt und Daniela behutsam vorwärts geschoben. „Du kannst es nicht ändern, glaub mir. Solange die Masse schweigt und ihr Schicksal erduldet, hast du keine Chance. Die alten Männer verändern die Welt nicht mehr. Damit meine ich jetzt nicht deine Mittvierziger im Betrieb."

Daniela musste endlich den Mund aufmachen. Ansonsten würde ihr Auftritt peinlich.

Der Direktor war auch ein Mittvierziger. Vielleicht war er sogar schon fünfzig. Auf alle Fälle war er alt. Dennoch spürte sie sein Charisma. Sie gab sich einen Ruck und begann ohne Scheu zu reden.

Daniela sprach von Zielen, die sie erreichen wollte. Sie erzählte ihm, was sie im Studium am liebsten gemacht hatte und was sie in der Praxis gern dazulernen wollte. Kein Wort verschwendete sie an das Thema Kaffeekochen. Keine Kritik am jetzigen Zustand kam über ihre Lippen. Sie bemerkte nicht mehr, wo sie saß. Daniela schwelgte in ihren Visionen.

Ihr Gegenüber hörte zu und lächelte immer noch. Einen kurzen Augenblick lang war sie geneigt zu denken, er würde sie auslachen.

3. Kapitel
Ende 1988

„Außerdem würde ich gern mit dir noch über etwas anderes als verlotterte Häuser sprechen.“ Daniela stutzte. Sie hatte nicht geplant, heute Sophia zuhören zu wollen. Daniela leckte eigene Wunden. Dieser Tonfall ließ sie allerdings aufhorchen.

„Komm, lass uns etwas essen“, drängte Sophia noch einmal.

Die Speisekarte war seit Jahren dieselbe: Steak Zigeuner oder Steak Würzfleisch. Sie nahmen Zigeuner. Daniela bestand auf Rotwein. Der schmeckte nach nichts. Das wusste sie. Jedoch war er ohne Alternative. Eine zweite Sorte gab es nicht.

Immerhin würde er dafür sorgen, dass sich die schlechten Gedanken aus Danielas Kopf verflüchtigen würden. Morgen würde sie Kopfschmerzen haben. Auch diese Vorstellung ließ sie kalt.

Sophia bestellte Wasser. Daniela schaute sie fragend an. Sollte sie die Flasche Wein allein trinken? Sophia zeigte keine Reaktion.

Oder doch? Daniela begriff. Wenn auch langsam. Im ersten Moment konnte sie es nicht fassen.

„Schwanger?“, fragte sie vorsichtig. Sophia nickte. Danielas nächster Gedanke ging zu Frank, dem verhinderten Weltenbummler.

„Weiß er es schon?“

Sophias Blick sagte „nein“, und dass sie keinen Plan hatte, wie sie es ihm beibringen sollte. Daniela versuchte, Ordnung in ihren Kopf zu bringen.

„Ich habe heute in so ziemlich allem ein Problem gesehen. Schwanger sein ist jedoch völlig unproblematisch. Du hast deinen Doktortitel verteidigt. Wenn dein Kind geboren ist, steigst du für zehn Wochen aus. Anschließend gehst du wieder arbeiten. Beinahe jede Studentin bekommt während ihres Studiums ihr erstes Kind. Trotzdem absolviert sie pünktlich. Wir haben in diesem Land wenig im Griff, aber solche Dinge schon." Daniela sah Sophia an und erwartete deren Zustimmung. Leider erfolglos. Sophia plagten echte Zweifel. Der Hauptzweifel hatte einen Namen. Er hieß Frank.

Daniela dachte an ihre letzte Begegnung mit ihm. Sie hatte seine Freude vor Augen, als Sophias Dissertation erfolgreich verlaufen war und er nicht von ihr hatte lassen wollen. Sie wusste nicht zu sagen, warum er sich nicht auch über sein Kind freuen sollte.

Es würde nicht einfach werden. Die meiste Zeit des Jahres war Frank unterwegs. Nur an den Wochenenden kam er nach Hause. Sophia jedoch konnte sich die Zeit einteilen. Ihr Tag an der Uni war strukturiert. Sie würde keine Probleme haben. Der Lehrbetrieb begann morgens zeitig. Am Nachmittag endete er pünktlich. Auch die Studentinnen mussten ihre Kinder aus der Betreuung abholen.

Frank jedoch war auch ein Abenteurer. Wenngleich ein verhinderter. Daniela wusste es.

„Frank will reisen, etwas erleben. In seinem Lebensentwurf kommen Kinder nicht vor." Sophia sprach diese Sätze sehr gelassen aus, gemessen an dem, was sie aussagten. Damit bestätigte sie Danielas Zweifel.

„Dafür lebt er im falschen Land." Ihr fiel nichts Besseres ein. Sogleich erinnerte sie sich, dass sie das schon kurz vor der Verteidigung von Sophias Dissertation gedacht hatte. Mit dieser Feststellung kamen sie allerdings nicht weiter. Schließlich hatte keiner von ihnen sich ausgesucht, in welchem Land er geboren wurde.

„Vielleicht will er ja nicht länger in diesem Land bleiben?", sagte Sophia.

„Noch einer, der rebelliert, nur anders", dachte Daniela und antwortete: „Wie will er denn weggehen?"

Hierzulande suchte man sich nicht aus, wo man leben wollte. Es sei denn, man entschied sich zwischen Rostock und Suhl. Jedoch nur dann, wenn man eine Wohnung fand. Wohnraum war Mangelware. Arbeitsplätze nicht. Die gab es wie den sprichwörtlichen Sand am Meer. Auch im Thüringer Wald. Arbeit wurde bezahlt mit dem Geld ihrer Staatsbank, von dem niemand wusste, wer es erarbeitet haben sollte. Großzügige Sozialleistungen waren eingeschlossen. Ein bezahltes Babyjahr war ebenso selbstverständlich wie kostenlose Kinderbetreuung und subventionierte Freizeitgestaltung. Die Liste wäre endlos lang, würde man alles aufzählen, was an Wohltätigkeiten verteilt wurde. Die Höhe der Staatsschulden ihres Landes kannte niemand. Wahrscheinlich erfüllte auch die Bank des Staates ihren Plan mit mindestens einhundertundachtzig Prozent.

Einfach so weggehen wollen? Nein, das ging nicht. Insofern man hier geboren worden war, wusste man, dass der Stacheldraht nicht durchbrochen werden konnte. Und wenn man es doch versuchte, wurde geschossen.

Frank hatte nach der Lücke im System gesucht. Sich um die Teilnahme an einem Hilfsprojekt in Afrika zu bewerben, war eine Chance, die Enge dieses Landes wenigstens für einige Zeit verlassen zu können. Er hatte sich beworben. Sophia konnte mit ihm gehen. All seine Hoffnungen steckten in dieser Bewerbung.

Daniela hörte zum ersten Mal von solchen Plänen. Mit diesem Wissen sah sie ihre Befürchtungen allerdings bestätigt. Sie schaute Sophia an und sagte: „Deine Nachricht wird ihn wie ein Gewitterblitz treffen."

Sophia blickte starr geradeaus, als sie antwortete: „Davon kannst du ausgehen."

Sie würden Frank überprüfen. Die Sicherheitsorgane ihres Landes würden sein Unterstes nach oben drehen. Niemand ging einfach so über ihre Grenzen.

In Danielas Hirn arbeitete der Wein. Bisher hatten sie und Sophia den Schergen ausweichen können. Dieses Kapitel würde ab sofort der Vergangenheit angehören.

Daniela brummte der Schädel, als sie erwachte. Sie hatte es nicht bei einer Flasche Wein belassen und eine Zweite nachbestellt. Beinahe zwei Flaschen von diesem Zeug, den Rest hatte sie stehen lassen, waren für eine Frau einfach zu viel. Sie hatte Restalkohol. Soviel war klar. Nur mit Mühe würde sie sich zur Arbeit schleppen.

Sie ertappte sich dennoch dabei, an die „Akte 4" zu denken. Soweit denken heute möglich schien. Daniela stöhnte unter dem Kopfschmerz. Jedoch: Wenn sie wollte, konnte sie sofort weitertrinken.

Heute war sie tatsächlich nicht sicher, ob sie wollen sollte. Die Ereignisse des gestrigen Tages steckten ihr noch immer in den Gliedern. Somit konnte man sich schon einmal nach besagter Akte sehnen.

Im Normalfall wusste man, wo sie zu finden war. Hinter dem Aktendeckel mit der großen 4 versteckte sich die Flasche mit Hochprozentigem. Ein Gleichgesinnter würde sich rasch finden lassen. Real existierte eine gewisse Trinkkultur, die nicht allein der Geselligkeit dienlich war. Man trank das Unerträgliche weg und machte es für wenige Stunden erträglich. In ihrer atheistischen Welt grinste der Teufel hinter vielen Büro- und Werkstatttüren.

In Danielas Wahrnehmung klingelte irgendwo ein Telefon. Es dauerte einen Moment, bis sie begriff. Es war ihr Apparat. Sie saß bereits im Büro. Daniela hob den Hörer ab. Gut gelaunt begrüßte sie Sophia vom anderen Ende der Leitung aus und fragte nach ihrem Befinden. Daniela hörte den Spott in ihrem Ton.

„Danke der Nachfrage“, sagte sie scharf. Hohn war das Letzte, das sie brauchen konnte.

„Ich wollte wirklich nur wissen, wie dir dein gestriger kleiner Ausrutscher bekommen ist. Für mich fallen solche Eskapaden in den kommenden Monaten aus.“

Die riesige Portion Glück, die in ihrem Tonfall mitschwang, war nicht zu überhören. Daniela versuchte, alle Zweifel beiseite zu schieben und sich mit ihr zu freuen. Dennoch verging keine Minute, bis Danielas Gedanken wieder bei Frank waren. Sie ertappte sich dabei, einen guten Ausgang der Dinge nicht mehr zu erwarten. Daniela musste sich anstrengen, Sophia gegenüber unbeschwert zu wirken. In ihr meldete sich ein mulmiges Gefühl, dem sie nicht länger nachspüren konnte, weil an ihrer Tür Bewegung aufkam.

„Sophia, ich muss auflegen.“ Ohne weitere Erklärung beendete Daniela das Telefonat.

Ein Herr, den sie nicht kannte, betrat ihr Büro. Ihm folgte Klaus-Peter, der Leiter der Bauabteilung.

Daniela erwartete niemanden. Klaus-Peter schon gar nicht.

Klaus-Peter war ein Kleiner. Seine mangelnde Körpergröße übertünchte er mit einer zynischen Art, die Daniela unerträglich fand. Für sie war Klaus-Peter der Inbegriff eines Vollidioten, den man am besten nicht kannte.

Ihre Besucher hatten inzwischen ohne Aufforderung Platz genommen. Daniela runzelte die Stirn. Die beiden schienen ihrer Sache sehr sicher. Aber: Was wollten sie hier? Daniela beschlich eine Ahnung. In diesem Augenblick wünschte sie sich, die beiden mögen mit den uralten Stühlen zusammenbrechen.

Der Unbekannte stellte sich vor. Daniela fragte sich, ob sie ihn nicht doch schon einmal irgendwo gesehen hatte. Ihr Gegenüber ließ ihr jedoch keine Zeit für eine solche gedankliche Recherche. Unumwunden kam er auf den Punkt.

Er wolle sie über die Person des Frank Köhler befragen, der der Lebensgefährte von Frau Dr. Sophia Vincent sei.

Donnerwetter! Das ging ja schnell.

Daniela erwog, einen spöttischen Kommentar abzugeben. In letzter Sekunde kniff sie die Lippen zusammen. Wahrscheinlich wusste er bereits auch, dass Frank Köhler der Vater des Kindes von Frau Dr. Sophia Vincent war. Irgendein Informant konnte beim Gynäkologen hinter dem Vorhang gelauscht haben.

Am Ende wusste er sogar mehr als Frank selbst.

Daniela fröstelte. Das war der Moment, vor dem sie sich immer gefürchtet hatte. Sie fühlte sich ohnmächtig. Daniela schaute zu Klaus-Peter. Der blickte dümmlich in die Landschaft.

Klaus-Peter, der Kleine, den alle gern ignorierten, selbst seine männlichen Mitstreiter. Das also war seine Kompensation. Es war der einzig klare Gedanke, den sie im Moment fassen konnte.

Ihre Gegenüber ließen nicht locker. Sie wollten wissen, wie er so sei, der Frank Köhler. Was er in privater Runde sagte. Mit wem er sich umgab.

Daniela blieb stumm. Klaus-Peter hätte sie am liebsten ins Gesicht geschlagen.

Sie war überzeugt, dass die Eindringlinge längst Antworten auf all diese Fragen gefunden hatten. Sonst wären sie nicht hier. Wie sonst wussten sie um ihre Verbindung zu Frank.

Der Unbekannte bohrte nach. Daniela verharrte schweigend. Sie hatte nichts über Frank zu berichten. Selbst wenn es etwas gäbe, sie würde es nicht sagen. Frank war ein Freund.

Der Zorn der Schnüffler war ihr gewiss. Soviel stand fest. Sie schaute den Unbekannten an und blickte in ein Paar eiskalte Augen. In diesem Moment umspielten Fältchen seine

Mundwinkel. Wäre die Situation nicht die, die sie war, konnte man meinen, er lächelte.

In Daniela stieg Wut auf. Sie spürte in sich hinein und fragte sich, ob es tatsächlich Wut war, die in ihr keimte. Oder war es Angst?

Nein, keine Angst. Wut befiel sie, als sie sagte, dass es nichts zu berichten gäbe.

Im Raum herrschte Stille. Daniela saß wie zu Eis erstarrt auf ihrem Stuhl. Sie wagte kaum zu atmen und bemerkte, wie ihr der Schweiß ausbrach. Angstschweiß. Wenngleich ihre Wut ihrem Mut kurzzeitig Flügel verliehen hatte.

Der, dessen Name und Gesicht ihr nichts sagten, warf ihr einen hämischen Blick zu. Klaus-Peter sendete er ein verstecktes Zeichen zum Aufbruch. Daniela hatte es genau gesehen.

Wie in Zeitlupe hoben die beiden ihre Hinterteile von den Stühlen. Wortlos verließen sie den Raum. Nicht ohne dass der Fremde sich noch einmal zu Daniela umdrehte. Sie hielt seinem Blick stand, atmete tief und hörbar durch. Dennoch war ihr in diesem Moment endgültig klar, dass sie sich in Gefahr gebracht und Frank möglicherweise den Afrika-Einsatz vermasselt hatte. Begegnungen dieser Art konnten Lebensläufe verändern.

Daniela stöhnte. So also sah in der Realität aus, was theoretisch alle wussten.

Woran hatte sie heute nach dem Aufwachen gedacht? Sie wusste, in welchem Regal sie die „Akte 4“ finden würde. Aber sie ließ die Finger davon. Stattdessen würde sie nach Dienstschluss zur Uni gehen.

„Sophia, sie waren bei mir im Büro.“

„Wer war bei dir?“ Sophia wunderte sich noch immer über die stürmische Art, mit der Daniela sie abgefangen hatte.

„Eine Kunstlederjacke und Klaus-Peter.“ Es war Sophia anzusehen, dass sie mit dem Begriff Kunstlederjacke etwas anfangen konnte, jedoch nicht wusste, wer Klaus-Peter war. Die Kunstlederjacken ihrer Träger waren legendär. Mangels echten Leders wurden sie oft und gern von Leuten der Staatssicherheit getragen. Was lässig wirken sollte, war zum Furcht einflößen gedacht.

„Klaus-Peter ist der Wichtigtuer aus der Bauabteilung und ein Vollidiot, den ich eigentlich nicht kenne." Sophia verstand kein Wort. Das war Daniela klar. Deutlicher konnte sie sich im Moment nicht artikulieren. Ihre Nerven lagen blank. Während sie sprach, zog sie an Sophias Ärmel und drängte sie aus der Menschentraube.

„Jetzt bleib doch mal stehen! Was wollten sie?" Urplötzlich hatte Sophia begriffen, worum es ging.

„Alles über Frank wissen. Ich habe nichts gesagt und sie gebeten, zu gehen. Obwohl: Eigentlich habe ich einfach nur nichts gesagt."

Sophia und Daniela tauschten einen unendlich langen Blick.

Würde Klaus-Peter ihr schaden können? Wie weit reichte sein Arm und wie groß war tatsächlich die Gefahr, die von der Lederjacke ausging? Was genau würde das Ganze für Frank bedeuten?

„Wirst du immer noch beschützt?" Sophia schaute sie ziemlich mitgenommen an, als sie die Frage stellte.

Daniela wurde beschützt. Wider Erwarten hielt Günter seine Hand über sie. Auch wenn er sie nicht vom Kaffeekochen befreit hatte, so hörte er über Vieles hinweg, was sie kritisch anmerkte. Ihr Gespräch mit dem Fachdirektor hatte Früchte getragen. Dank seiner Intervention durfte sie an Projekten mitarbeiten. Er erkundigte sich regelmäßig nach ihren Fortschritten. Daniela hatte den Neid einiger Kollegen geerntet. Ihre veränderte Arbeitssituation führte jedoch auch dazu, dass sie nicht mehr so viel Kritik übte. Letztlich war es immerhin gelungen, sie aus der Schusslinie dienstbeflissener Horcher zu halten.

Von heute an war alles anders.

Sie würde die Augen offen halten müssen.

Daniela war kein Mitglied der alles dominierenden Partei. Die Partei, die von sich behauptete, einen alleinigen Machtanspruch zu besitzen. Ihr war immer bewusst gewesen, dass ihre Nichtmitgliedschaft nur ein vorübergehender Zustand sein konnte. Irgendwann, daran hatte nie ein Zweifel bestanden, würde man ihr die Fesseln anlegen: Karriere nur mit Parteibuch.

Seit heute gab es allerdings eine zweite Variante: keine Karriere.

Eine Kooperation mit den Sicherheitsorganen verweigerte man nicht folgenlos. Gemessen an den Maßstäben ihres Landes war sie ein ideologischer Blindgänger. Die Erkenntnis war bitter; denn ab sofort hatte sie zwei Minuspunkte auf ihrem Konto.

„Was machen wir jetzt?" Sophia schaute Daniela fragend an. „Abwarten, mehr bleibt uns wohl nicht übrig. Ich werde Klaus-Peter im Auge behalten und wachsam sein. Du hingegen wirst Frank die Neuigkeiten mitteilen. Beide."

4. Kapitel
August 1989

Kein Sommer wie jeder andere.

Etwas lag in der Luft. Jeder spürte es und konnte es doch nicht glauben.

Sophia versuchte seit Tagen, Frank zu finden. Er schien wie vom Erdboden verschluckt. Sie sorgte sich und hatte große Mühe, sein plötzliches Verschwinden nicht mit dem Besuch der Schnüffler in Danielas Büro in Verbindung zu bringen. Noch immer hatte sie ihm nicht sagen können, dass sie ein Kind erwarteten. Daniela sah das Leid der Freundin, als sie sich gegenübersaßen.

„Du glaubst nicht, dass er nach Ungarn gefahren ist?“ Sophia schien die Frage der Freundin nicht zu verstehen. Unwirsch antwortete sie: „Du glaubst, dass er das tut, ohne sich von mir zu verabschieden?“

Daniela wunderte sich über sich selbst; denn sie glaubte genau das. Sie beugte sich nach vorn und suggerierte einen eingezogenen Kopf, als sie antwortete: „Weshalb könnte es nicht so sein?“

Die Stimmung war am Kippen. Daniela rechnete in jeder Sekunde damit, dass die Freundin ihr eine Ohrfeige verpassen würde.

„Ob sie seine Bewerbung abgelehnt haben?“ Sophia suchte nach dem Strohhalm.

Daniela war sicher, dass es in der kurzen Zeit keine Entscheidung über Franks Afrika-Einsatz gegeben hatte. Sie war nicht die Einzige auf der Liste der zu befragenden Personen. Die Staatssicherheitsorgane verfügten über ein ausgedehntes

Netz von Informanten. So, wie sie um die Verbindung zwischen ihr, Sophia und Frank wussten, kannten sie alle anderen Namen der Personen, mit denen Frank arbeitete, nachbarschaftlich oder freundschaftlich verbunden war. Eine Recherche dieser Art hätte Wochen in Anspruch genommen. Nein, Daniela glaubte, dass Frank die Gunst der Stunde genutzt hatte. Er hatte sich entschlossen, niemanden mehr um Erlaubnis bitten zu wollen. Er wollte gehen, wohin er wollte und wann er wollte. So etwas nannte man wohl den Wunsch nach Freiheit.

„Frei sein? Das könnte es doch treffen?“ Daniela schaute Sophia vorsichtig ins Gesicht. Sie sah die Tränen. Sophia hatte längst registriert, dass Daniela recht haben konnte.

„Er weiß doch nicht, dass er *zwei* sitzen lässt“, versuchte Daniela zu trösten und dachte, es wäre auch gemein, *eine* ohne Ansage zu verlassen.

In ihrem Land brodelte es. Das, was sie noch vor Kurzem für unmöglich gehalten hatten, war plötzlich eingetreten: Das Volk begehrte auf. Die Wut schien übermächtig geworden zu sein. Der erwartete Kollaps war in greifbare Nähe gerückt. Das Gehirn vermeldete zunehmend Schwierigkeiten, diese atemberaubende Abfolge von Ereignissen zu verarbeiten.

5. Kapitel
März 1990

Noch vor einem halben Jahr hatten sie nicht gewusst, was Antipasti waren. Dafür wussten sie, was die Begriffe Zentralkomitee und Kombinat bedeuteten. Und was beide verband.

Sophia hatte eine Tochter zur Welt gebracht. Luise. Deren Vater ahnte nichts von der Existenz des Mädchens. Frank war verschollen geblieben.

Sophia betreute Luise zu Hause. Spontan hatte sie sich zu einem regulären Babyjahr entschlossen. Noch wusste niemand, wie es in der Universität weitergehen würde. Sophia ahnte jedoch, dass ihr massive Veränderungen bevorstehen würden.

Daniela balancierte auf der einen Handfläche einen italienischen Vorspeisenteller. Mit der anderen Hand hielt sie krampfhaft eine Flasche Agneau Rouge fest. Unter ihrem Arm klemmte ein riesiger Blumenstrauß. Gerbera im tiefsten Winter. Unvorstellbar, aber wahr. Sie hatte soeben ihr Begrüßungsgeld ausgegeben.

Einhundert Deutsche Mark für jeden von ihnen als Geschenk. Noch gab es keine gemeinsame Währung. Dafür existierten eine durchlässige Grenze und ein Schattenhandel.

Daniela dachte nach: Man sagte Schattenwirtschaft. Aber: Schattenhandel? Gab es dieses Wort? Einerlei, sie nannte es so, wenn Händler auf der Straße ihre unbekannten Waren feilboten und für eine fremde Währung verkauften. In Scharen standen sie und buhlten um die Gunst der Beschenkten. Die wiederum zögerten nicht, das Geschenkte in seinen ursprünglichen Kreislauf zurückzugeben.

Daniela multiplizierte. Siebzehn Millionen mal einhundert Mark.

Das war viel. Sehr viel Geld.

Schon regte sich Unmut über die Schenkungen, die der Steuerzahler auf der anderen Seite erarbeiten musste. Dass es am Ende auch ein Konjunkturprogramm für die eigene Wirtschaft war, darüber wurde geschwiegen.

Daniela stand vor dem Haus mit den Sonnenblumen an der Fassade. Ein Plattenbau in einer Neubausiedlung zwischen Stadt und Seebad. Sie musste diese Klingel bedienen. Es war schwer möglich. So bepackt, wie sie war.

Während sie sich mühte, einen Teil ihrer Waren am Boden abzustellen, kam ihr der Zufall zu Hilfe. Dieser Zufall war männlich, um die dreißig Jahre alt, mittelgroß, schlank und dunkelhaarig. Soeben trat er aus dem Mehrfamilienhaus. Blitzschnell erkannte er Danielas Dilemma. Beherzt fasste er zu: Tür und Rotwein, der schon auf dem Bürgersteig geparkt war. Auf diese Weise gelang es Daniela, das Treppenhaus zu betreten.

„Welche Klingel?“, fragte der Unbekannte. Daniela antwortete: „Vincent.“

Er klingelte, winkte und ging. Daniela verharrte einen kurzen Moment und versuchte, sich zu erinnern.

Hatte sie ihn hier schon einmal gesehen? Eigentlich sah er nicht aus, als käme er von hier. Daniela war sicher, sehen zu können, woher jemand kam. Ost oder West. Seit sie auf Schritt und Tritt Leuten aus dem Westen begegnete, meinte sie, diese Gabe zu besitzen.

Für sie sahen die Westdeutschen frischer, weniger grau, weniger verhärmt aus. Lange hatte Daniela nach einer Erklärung für diesen Zustand gesucht. Dann hatte sie gedacht, dass Zeit und Umstände wohl einfach nicht spurlos an den Menschen im Osten vorübergegangen waren.

Sophia wartete bereits an der Wohnungstür. Als sie den Lastenesel im Anmarsch entdeckte, eilte sie herbei. Noch bevor Sophia etwas sagen konnte, fragte Daniela: „Sag mal, war der Schöne bei dir?"

Sophia zögerte, dann lachte sie. „Ich vermute, du sprichst von unserem Neuzugang. Nein, der wohnt seit Kurzem hier. Soweit ich weiß, arbeitet er in der Stadt für eine Bank." Dann verschwand ihr Lachen. Daniela spürte, dass die Freundin in diesen Zeiten andere Sorgen plagten.

Sophia war das Zuhausesein nicht gewöhnt. Nichtstun im Sinne von nichtberuflicher Tätigkeit raubte ihr die Kraft, die sie ganz sicher noch brauchen würde. Daniela hatte eine erste Ahnung davon bekommen.

„Erzähl, was gibt es Neues? Ich brenne auf alles, was sich außerhalb dieser vier Wände abspielt."

Daniela ließ ihren Blick schweifen. In dieser Wohnung sah es genauso aus wie bei ihr zu Hause. Keinerlei Hinweise auf die neue Zeit. Keine bunten Illustrierten auf dem Glastisch. Lediglich frisches Obst in der Küche. Das, was es früher im Winter nicht gegeben hatte. Nun die Antipasti, der Wein aus Frankreich und die Blumen. Zaghaft gingen sie mit den Veränderungen im Konsum um. So, als wollten sie prüfen, ob zu viel zu schnell nicht vielleicht doch schaden könnte. Die neue Welt war ihnen manchmal unheimlich. Gelegentlich wunderten sie sich gemeinsam, wie schnell es manchem ihrer Mitmenschen gelang, alles Neue unkritisch und sorglos anzunehmen.

„Sag etwas!" Sophia schaute Daniela an.

Daniela entkorkte den Roten. Er duftete nach Kirschen.

„Der schmeckt bestimmt", sagte sie und griff nach zwei Gläsern.

Sophia schwieg. Daniela wusste, dass Sophia kein Weinseminar erwartete. Sie wollte etwas über Danielas Arbeit wissen. Über das Leben, wie sie es manchmal nannte.

In ihrem Alltag ging es turbulent zu. Ein Teil der Kollegen hatte über Nacht die Stadt verlassen. Samt Familien waren sie gen Westen gezogen. Ihre Arbeitsplätze blieben verwaist.

Daniela hatte davon gehört, dass samstags die Schulen leerblieben, weil Eltern ihre Kinder nicht hinschickten. In Familien fielen sie über die nahegelegenen Städte im Westen her. Sie kauften ein, was das Begrüßungsgeld hergab. Dann kehrten sie zurück.

Die Kunstlederjacke hatte Daniela nicht mehr gesehen. Klaus-Peter hingegen war noch da. Ungerührt schlich er über die Korridore. Ganz so, als wäre nichts passiert.

In wenigen Tagen würden sie alle zum ersten Mal in ihrem Leben ein Parlament frei wählen können. Daniela hatte noch keinen Plan, wem sie ihre Stimme geben würde. Noch immer war ihr nicht klar, an welcher Stelle die Wölfe im Schafspelz steckten. Schon wieder hatte sie den Träger der Kunstlederjacke vor Augen. Daniela traute dem Frieden nicht.

„Es ist nicht einfacher geworden, Sophia, nur anders." Daniela hatte längst erkannt, dass es schwer werden würde, Sophia aufzuheitern.

„Unsere männlichen Führungskräfte haben einen neuen Kleidungsstil entwickelt", erzählte sie und konnte dann doch ein Grinsen nicht unterdrücken. „Die legere Hose und der Pulli sind dem Anzug gewichen. Dem Modell aus einer Kunstfasermischung, die nicht knittert, aber auch nicht atmet. Du weißt schon. Die Anzüge, die man zur Jugendweihe, Hochzeit oder Beerdigung getragen hat. So zurecht gemacht, sehen sie aus wie Jungpioniere." Sie musste ihr nicht erklären, dass Jungpionier die erste Stufe der Vergesellschaftung von Individuen in der DDR gewesen war. „Es sieht total bescheuert aus, wenn Ost auf West trifft. An dem Ausspruch, dass Kleider Leute machen, ist etwas dran. Der Ostler hat in diesem Aufzug schon verloren, bevor überhaupt etwas beginnt."

Sophia schwieg. Daniela konnte ihre Gedanken lesen. Sophia wusste, dass es nicht nur Äußerlichkeiten waren, die zum Verlierer stempelten.

Es war tatsächlich beinahe unmöglich, in Zeiten wie diesen für Ablenkung oder gar Erheiterung sorgen zu wollen.

Sie waren auf dem Weg, ein für sie unbekanntes Rechtssystem übergestülpt zu bekommen. Sophia und sie hatten mehrfach darüber gesprochen. Sie glaubten nicht daran, dass ihr Staat autark weiterexistieren würde. Wie aber würde es sein, wenn alles Erlernte nichts mehr zählte? Wenn einem die Identität genommen würde?

„Es ist wie eine Riesenwelle. Du stehst in der Brandung und weißt, dass sie dir gleich ins Gesicht schlagen wird. Dir bleibt nichts weiter übrig, als sie zu meistern. Sollte sie dir die Füße wegziehen, könntest du verloren sein. Habe ich recht?“, fragte Sophia und sah dabei völlig desillusioniert aus.

Sie hatte recht. Es ging um ihre Existenz. Luise würde in diese neue Welt hineinwachsen. Sie beide aber hatten nur eine Chance: Sie mussten zusehen, wie sie die Welle besiegten. Und sei es noch so hart am Wind.

In Ernsthaftigkeit versunken, hätten sie beinahe überhört, dass es geklingelt hatte. Sophia zuckte mit den Schultern. Sie meinte, keinen weiteren Besuch zu erwarten. Daniela ging zur Tür und öffnete. Sie schaute in das Gesicht des Mannes, der ihr vorhin geholfen hatte. Er wedelte mit einer Flasche Rotwein der Marke, die Daniela vorhin bei sich gehabt hatte. Fragend zog sie die Augenbrauen nach oben.

Er bat um Einlass. Er wolle sich als neuer Nachbar vorstellen. Jetzt sei die beste Gelegenheit dazu.

Daniela wollte ihm soeben klarmachen, dass sie nicht zu entscheiden hatte, wer hier wann ein- und ausging, als Sophia an der Tür erschien. Sie deutete Daniela, sie möge Platz machen. Dann stand er im Flur. Er heiße Thomas, sagte er. Dabei schaute er nicht Sophia, sondern Daniela an. Die wusste nicht, wohin sie den Blick richten sollte. Sophia ließ ein amüsiertes Grinsen sehen.

Thomas kam aus Ostberlin. Seit vier Wochen arbeitete er für seine Bank hier in der Stadt. „Schau an, doch einer von uns“, dachte Daniela. Er sagte „seine Bank“ und meinte, er sei ein Helfershelfer.

Er half beim Aufbau eines funktionierenden Bankenwesens im Osten. Daniela musterte ihn. Spontan gingen die Gedanken zurück in ihre Studienzeit. „Politische Ökonomie des Kapitalismus“ hatte man sie gelehrt. Oftmals hatte sie sich gefragt, was man mit diesem Wissen anfangen konnte. Einiges, wie man sah. Hier ging es gewiss auch um ein funktionierendes Bankenwesen. In erster Linie jedoch ging es um die Eroberung eines neuen Marktes. Der gesamte Ostblock, der sich in diesen Tagen so rasant und grundlegend veränderte, war ein Markt der ungeahnten Möglichkeiten. Das Gerangel um die besten Plätze hatte begonnen.

Er habe wenig Ahnung von Bank, sagte er. Er lerne, fügte er an.

Thomas war ein Quereinsteiger. Man hatte ihn ausgewählt und somit für brauchbar befunden. Interessant, dachte Daniela und war zugleich ein wenig neidisch.

Was er dann erzählte, traf sie unvermutet. Thomas war verheiratet und Vater zweier Söhne. Er sagte es mit Blick auf Luises Babykörbchen. Daniela spürte den Stich in ihrem Oberkörper. Ganz deutlich. Dann wunderte sie sich über sich selbst. Was gingen sie dieser Thomas und seine Familie an? Sie kannte ihn seit drei Minuten.

In diesem Moment wandte sich Thomas Sophia zu. Daniela hörte, dass er mit ihr über ein Problem der Warmwasseraufbereitung in ihrem Wohnhaus sprach.

Sie nutzte die Zeit und dachte nach.

Daniela hatte ziemlich genau vor Augen, wo Thomas arbeitete. Sie kannte die Containerburg. Mindestens zwei Mal pro Woche kam sie daran vorbei.

Innerhalb eines Tages waren Bürocontainer aufgeschichtet worden. So, wie man es von Baustellen kannte. Dass hier eine Bank am Entstehen war, hatte Daniela nicht für möglich gehalten, obwohl die Bauarbeiter darüber gesprochen hatten. Sie hatte es im Vorübergehen einmal aufgeschnappt. Wenige Tage später entdeckte sie das Namensschild an der oberen Containerreihe.

Der Burg war eine Treppe aus Holz vorgelagert. In Windeseile war die zusammengezimmert worden. Am Morgen war noch nichts davon zu sehen und schon zur Mittagszeit war sie plötzlich dagewesen.

Das Holz war nicht gestrichen. Die Treppe wirkte schief. Daniela hatte geglaubt, dass man noch Korrekturen vornehmen würde. Aber das war nicht geschehen.

Kurze Zeit später hatten die Banker Besitz von ihrem neuen Domizil ergriffen. Männer. Stets mit erhobenem Haupt. Daniela sah sie, wenn sie in der Stadt unterwegs war.

Sie trugen Mäntel über ihren teuren Anzügen. Die Mantelknöpfe waren selten geschlossen. Es lohnte nicht. Der Weg zwischen Auto und Containerbank war kurz.

Auch sie mussten diese Treppe passieren. Einen Hintereingang gab es nicht. Schon mehrfach hatte Daniela gedacht, irgendwann würden die wehenden Trenchcoats ihrer Träger sich hoffnungslos zwischen schiefen Treppenstufen, wackligen Geländern und Männerbeinen verfangen. Sie hatte ein Knäuel von gestürzten Bankern vor Augen gesehen.

Kunden hatte sie bisher nicht angetroffen. Noch verfügten sie nicht über die richtige Währung. Die Banker probten noch.

Daniela blickte verstohlen zu Thomas. Er war einer von ihnen. Auf sie wirkte er nicht hochnäsig. Das Gegenteil war der Fall.

Daniela überlegte. Gemeinsam mit seinen Kollegen bereitete er sich auf den Augenblick vor, in dem der Startschuss gegeben würde. Wusste er schon, wann das sein würde? Sie sah ihm ins Gesicht. Dann auf seine Hände. Mit denen vollführte er in diesem Moment irgendeine Handbewegung. Es sah aus, als würde er etwas verschrauben wollen. Wahrscheinlich sprach er über die Warmwasserleitung.

Sophia hing an seinen Lippen.

Thomas war vergeben. Daniela entschloss sich, alle weiterführenden Gedanken zu verdrängen. Es gelang ihr nicht. Auf keinen Fall würde sie jedoch mit Sophia konkurrieren. Die hatte tatsächlich zum Flirt angesetzt. Daniela war entgangen, welchen Weg das Warmwasserproblem zum koketten Augenaufschlag genommen hatte.

Gegen Mitternacht hatten sie die zweite Flasche ausgetrunken. Daniela mahnte sich zum Aufbruch. Sie musste morgen arbeiten. Seit mindestens einer Stunde gehörte sie ins Bett.

Ob Thomas auch gehen würde? Daniela schaute Sophia an. Nach der Pleite mit Frank wollte sie der Freundin alles gönnen. Sollte er ruhig hierbleiben.

Sie stand auf. Es dauerte einen kurzen Moment, bis Sophia und Thomas mitbekommen hatten, dass sie aufbrechen wollte. Dann erhob sich auch Thomas. Bevor Daniela den ersten Schritt tun konnte, eilte er ihr voraus in den Korridor.

Wollte er sie loswerden? Oder wollte auch er gehen?

Thomas griff nach dem Bügel, auf dem Danielas Mantel hing. Er nahm ihr Kleidungsstück und hielt es in Höhe ihrer Schultern. Sie drehte ihm den Rücken zu. Betont langsam streckte sie zuerst den einen und dann den anderen Arm, um in die Ärmel zu schlüpfen. Genussvoll spürte sie seinen Atem in ihrem Nacken.

Sophia war inzwischen neben ihr angekommen. Stumm musterte sie die Freundin. Dann sah Daniela, dass Thomas die eigene Jacke am Haken hängen ließ. Er hatte wohl nicht vor, zu gehen.

Schnell reichte sie Thomas förmlich die Hand. Sophia hauchte sie einen Kuss auf die Wange. Kurze Zeit später stand sie im Treppenhaus. Eilig nahm sie zwei Stufen auf einmal. Sie brauchte frische Luft. Unten ließ sie die Tür hinter sich ins Schloss fallen. Sie atmete tief durch. Daniela hatte das Gefühl, ihre Gedanken sortieren zu müssen.

Obwohl sie müde war, fand sie keinen Schlaf. Thomas ging ihr nicht aus dem Sinn.

Er hatte ihnen nicht verraten, welchen Beruf er bis vor Kurzem ausgeübt hatte. Es interessierte sie aber. Bei Gelegenheit würde sie ihn danach fragen.

Im selben Augenblick wurde ihr klar, dass sie kein Wiedersehen vereinbart hatten. Daniela wunderte sich schon wieder. Was hatte dieser Mann in ihr ausgelöst?

Krampfhaft versuchte sie, ihre Überlegungen in eine andere Richtung zu lenken. Sie hatte spätestens am heutigen Abend erkannt, dass auch sie etwas unternehmen musste, um sich für die neuen Zeiten zu rüsten. Niemand würde ihr eine Lösung auf dem Silbertablett präsentieren. Sie hatte plötzlich das Gefühl, sich beeilen zu müssen.

Die Männerriege in der Firma – man sagte nicht mehr „Betrieb“ – hatte sich organisiert. Nicht nur kleidungsmäßig. Auch die Aufgaben hatten sie bereits aufgeteilt. Ganz selbstverständlich unter sich. Sogar die, zwischen denen die Chemie nicht stimmte, hatten sich in friedlicher Koexistenz zusammengefunden.

Jedoch fehlte ein Kaufmann. Männer mit einer solchen Qualifikation waren rar. Das Berufsbild wurde bisher hauptsächlich von Frauen bedient.

Eine Frau in der Führungsriege? Undenkbar. Ein solcher Lösungsansatz kam im Planspiel der Herren nicht vor.

Kurzerhand war die Position des Kaufmanns mit einem Ingenieur besetzt worden. Er hörte auf den Namen Bernd.

Bernd wusste nichts über Bilanzen oder Finanzierungen. Allerdings befand er sich in guter Gesellschaft. Auch der neuernannte Leiter Marketing wusste nicht, was Marketing bedeutete. Der Personalleiter hatte noch nie etwas vom bundesdeutschen Arbeitsgesetz gehört. Geschweige denn von Sozialgesetzgebung.

Daniela hatte sich entschieden, vorerst zurückhaltend zu sein und zu beobachten. Sie blieb unbehelligt in ihrem Tun. Die Männer nahmen sie nicht wahr, denn Frauen waren für sie keine wirkliche Konkurrenz.

Thomas hatte ihr heute einen wichtigen Impuls verliehen. Sie musste das Neue erlernen. Schnell. So wie er. Vor allen anderen.

Sie könnte ihn bitten, ihr behilflich zu sein.

Daniela hatte sein Gesicht vor Augen. Seine Stimme im Ohr. Sie sah seine Hände.

Was hatte dieser Mann mit ihr gemacht?

Dann schlief sie endlich ein.

Ihre Hand zitterte, als sie den Hörer des Telefons hielt. Es fiel ihr schwer, ruhig zu atmen. Daniela spürte die Erregung. Ihr Herz klopfte. Dabei wusste sie nicht einmal, ob sie ihn erreichen würde.

Das Rufzeichen ertönte. Danielas Atmung wurde noch schneller. Am anderen Ende meldete sich eine junge Frauenstimme. Ihr „Was kann ich für Sie tun?“ klang in Danielas Ohren gestelzt.

Daniela nannte ihren Namen und den ihrer Firma. Sie bat darum, mit Thomas verbunden zu werden.

„Selbstverständlich, gern“, erhielt sie als Antwort. Für einen kurzen Moment spürte Daniela Erleichterung. Die erste

Hürde hatte sie genommen. Sie wartete. In dieser Sekunde bemerkte sie erneut, wie ihr Herz raste.

Endlich war er am Apparat. Daniela glaubte, ihn lächeln zu hören, als er sagte: „Mit dir habe ich nicht gerechnet. Was kann ich für dich tun?"

Er hatte nicht mit ihr gerechnet. Enttäuscht dachte sie: Weshalb eigentlich nicht? Aber immerhin wollte er etwas für sie tun.

Alles, was du willst, schoss ihr durch den Kopf. Daniela erschrak. Sie konnte sich nicht daran erinnern, wann sie zum letzten Mal so emotionsgesteuert gedacht hatte. Sie musste sich zwingen, ihre Gefühle aus dem Spiel zu lassen.

In ihrem Kopf herrschte Chaos. Was sollte sie antworten? Sie hatte zum Hörer gegriffen, ohne einen konkreten Plan zu haben. Spontan fasste sie einen Entschluss.

„Trinkst du mit mir einen Kaffee? Heute Mittag im Bistro neben der Containerburg?", fragte sie.

Sie bemerkte ihre schweißnassen Hände. Daniela fürchtete, er könne „Nein" sagen. Umso erleichterter war sie, als er sie fragte, um welche Uhrzeit sie sich treffen wollten.

Daniela sah ihn schon von Weitem kommen. Sie blieb vor dem Eingang stehen und wartete auf ihn. Er winkte. Dann stand er vor ihr.

Sie streckte ihm die Hand entgegen und gab sich große Mühe, nicht zu zeigen, wie aufgeregt sie war.

„Ich habe mich sehr über deinen Anruf gefreut. Lass uns reingehen", sagte Thomas und öffnete die Tür. Daniela trat vor ihm ein. Sie fanden einen freien Tisch und setzten sich.

„Thomas, ich brauche deine Hilfe", sagte sie ohne Vorgeplänkel und ärgerte sich im selben Moment.

Er sendete einen fragenden und irgendwie auch zweideutigen Blick. Letzteres verdrängte sie. Sie würde einen zweiten Versuch wagen müssen. Einen diplomatischeren.

„Thomas, mir geht nicht mehr aus dem Kopf, was du gestern erzählt hast. Ich muss alles wissen, was du über Finanzierungen weißt. Es gibt in meinem Umfeld niemanden, den ich fragen kann. Ich habe die Absicht, für die Zukunft gerüstet zu sein. Ich glaube nicht, dass dieser Staat und seine marode Wirtschaft weiter existieren werden. Ich meine zu wissen, dass auch ihr nicht daran glaubt. Ansonsten wärt ihr wohl nicht hier. Die Containerburg ist nicht grundlos über Nacht entstanden."

Sie schaute Thomas an und wusste, dass es ihr nicht gelungen war, den Vorsatz der Diplomatie in die Tat umzusetzen. Thomas schien es egal. Auf sie wirkte er, als würde er an einer Antwort feilen.

„Ich mag deine Art", sagte er unvermittelt. „Du bist so schnörkellos direkt. Und dabei noch weitsichtig. Respekt." Daniela wusste nicht, ob er sie veralbern wollte. Sie straffte den Rücken und schaute ihn ernst an.

„Nein, nein, ich meine das aufrichtig. Kompliment."

Ein wenig entspannte sie sich. Im selben Augenblick stellte sie sich die Frage, wie sie reagiert hätte, wäre sie so dermaßen überfallen worden. Vorsichtshalber rechnete sie mit einer Abfuhr.

Thomas taktierte nicht. Er versprach tatsächlich, ihr helfen zu wollen. Sie würde ihn fragen können und er würde antworten. „Soweit der Helfershelfer dazu in der Lage ist", fügte er an.

Daniela wusste, dass er in diesem Augenblick massiv sein Licht unter den Scheffel gestellt hatte. Zugleich war sie heilfroh, dass ihr Überfall auf ihn so ausgegangen war.

Sie sah nicht sofort, dass Thomas nach seiner Aktentasche griff. Danielas Augen hingen an seinem Gesicht. Erst als er die Tasche öffnete, wurde sie aufmerksam. Thomas entnahm seiner Tasche einen kleinen Stapel Bücher und schob ihn über den Tisch.

„Die sind für dich. Ich glaube, du kannst sie gut gebrauchen.“ Daniela schaute auf seine Hände. Schon gestern hatte sie das getan, als er ins Gespräch mit Sophia vertieft war.

Seine rechte Hand lag auf dem Bücherstapel, die linke auf der Tasche. Seine Haut war leicht gebräunt. Die Hände waren gepflegt. Die Nägel exakt geschnitten. Wie musste es sich anfühlen, von diesen Händen berührt zu werden?

Daniela erschrak und hoffte, er möge nicht in ihren Gedanken lesen können.

Hätte sie statt Antipasti und Wein Bücher kaufen sollen?

Wäre das geschehen, würde sie nicht hier sitzen. Mit ihm.

Daniela lehnte sich zurück und sah ihm in die Augen, als sie sich bedankte. Thomas lächelte sie an.

Daniela hatte ihre Mittagspause überzogen. Sie würde sich nicht dafür rechtfertigen. Der Lesestoff in ihrer Tasche war ein unerwartetes und wichtiges Geschenk. Sogleich würde sie sich damit befassen. Die überzogene Zeit konnte sie locker einarbeiten.

Als sie ihr Büro betrat, sah sie Bernd auf ihrem Stuhl sitzen. Mit vorwurfsvollem Blick schaute er zuerst auf die Uhr und dann auf sie. Daniela verspürte keine Lust auf Erklärungen. Sie sah ihn an und fragte: „Was gibt es?“

„Liquiditätssicherungskredit“, das Wort war nicht auszusprechen. Daniela sollte einen solchen beantragen. Bernd hatte einen Stapel Papier auf ihrem Schreibtisch ausgebreitet. Er zeigte darauf. Dann erhob er sich und machte ihr Platz.

Daniela überflog die Seiten. Bernd stand vor ihr. Noch konnte sie nicht verstehen, worum es hier ging. Dennoch war sie nicht abgeneigt. „Ich erledige das“, sagte sie und signalisierte, dass sie jetzt allein gelassen werden wollte.

Solange sich Bernd in Sicherheit wog und sie in Ruhe ließ, sollte es ihr recht sein. Sie brauchte keinen Abteilungsleitertitel. Was sie brauchte, war Zeit, um die Dinge zu verstehen. Im Gegensatz zu ihm war sie bereit, die Mühe auf sich zu nehmen und sich der Aufgabe zu stellen. Einen Augenblick lang dachte sie daran, dass sie für die kommende Woche Urlaub beantragt hatte. Darauf würde sie nun verzichten müssen.

Bernd war gegangen. Daniela griff nach einem der Bücher. Schon vorhin im Bistro hatte sie gesehen, dass eines davon den Titel „Bank-und-Börsen-ABC“ trug. Sie schlug es auf und suchte.

Die Dinge erschienen ihr nicht eindeutig. Daniela dachte nach und kam zu dem Schluss, dass ihre besondere Situation schuld daran war.

Hier stand geschrieben, dass am 30. Juni 1990 zwischen den beiden deutschen Staaten die Währungsunion vollzogen werden sollte. Was hieß das?

Sie würden ab diesem Tag eine gemeinsame Währung haben, aber nicht in einem einheitlichen Staat leben. Eine Währung. Zwei Rechtssysteme.

Ein künftiger Kreditgeber sollte mit ihnen einen Vertrag eingehen, für den es keine gemeinsame Rechtsgrundlage gab.

Daniela stöhnte. Sie war Kauffrau, nicht Juristin.

Sie las noch einmal in den Papieren. Es ging darum, für einen Zeitraum von drei Monaten einen kurzfristigen Kredit zu beantragen. Der sollte das Überleben ihrer Firma ermöglichen. Ihre Konten würden zum Stichtag 30. Juni 2:1 umgestellt. Alle bestehenden Kreditzusagen würden eingefroren werden. Lediglich ein Buchwert der Kreditverbindlichkeiten würde in ihrer Bilanz verbleiben. Sie würden nur noch über ihre Guthaben verfügen können. Und über einen neuen Kredit, so sie ihn genehmigt bekommen würden.

Daniela wurde in diesem Augenblick klar: Ein Wahnsinn stand ihnen bevor.

Ehemals staatlich verordnet, waren sie zu achtzig Prozent kreditfinanziert. Von einhundert Mark würden auf einen Schlag achtzig fehlen. Schlimmer noch: Es würde das Aus bedeuten, könnten sie nicht kurzzeitig auf anderes Geld zurückgreifen. Dafür der Zungenbrecher.

Daniela las weiter.

Sie würden keinen Anspruch auf einen Kredit haben. Hier war die Rede von bestimmten Quoten. Daniela fragte sich, nach welchem Schlüssel aussortiert werden würde. Sie fand keine Antwort auf diese Frage. Ihr war jedoch plötzlich klar, wie genau sie sich überlegen musste, was sie in die Antragsunterlagen schreiben sollte. Ihr durfte kein Fehler unterlaufen. Sie musste genau berechnen. Nicht über flüssiges Kapital zu verfügen, käme tatsächlich einem Todesstoß gleich. Daniela begann zu ahnen, weshalb Bernd sich dieses Themas entledigt hatte.

Vorbei war die Zeit der scheinbar ewig liquiden Staatsbank, die nahezu jeden Finanzierungswunsch erfüllte.

Endgültig vorbei war die Zeit, Totes am Leben zu erhalten.

Daniela stockte der Atem, als ihr die Erkenntnis kam:

In dieser Sekunde hielt sie das Schicksal ihrer Firma in den Händen.

Daniela spürte die Anstrengung. Seit Tagen arbeitete sie an diesem Papier. Schon mit der Begriffsdefinition „Liquiditätssicherungskredit" hatte sie sich schwer getan. Nun fand sie nirgendwo einen Hinweis darauf, was dieser Begriff zu bedeuten hatte.

Der Duden gab keine Auskunft. Die Erläuterungen zum Antrag enthielten keine Antwort. Was sollte sie tun?

Nochmals nahm sie das Nachschlagewerk zur Hand. „Anal", nein, das konnte es nun wirklich nicht sein. Kein „Aval" zu finden. Sie sollte etwas beantragen, das es nicht gab.

Zum Glück hatte sie seit ihrem gemeinsamen Bistrobesuch seine Direktwahl. Es klingelte nur einmal, bis sie Thomas' Stimme hörte. „Was bitte ist ein Aval? Ich komme keinen Schritt weiter", sagte sie.

„Wie wäre es mit einer Begrüßung?“, antwortete er. „Ein Aval ist ein Zahlungsversprechen eines Avalgebers“, sagte er dann.

Und was ist ein Avalgeber, dachte sie und schwieg.

Thomas war amüsiert. „Nur gegen das Versprechen, mit mir zu Abend zu essen.“ Daniela blieb ihm bewusst die Antwort schuldig.

„Bürgschaft. Es heißt schlicht und einfach Bürgschaft“, sagte er und schwieg nun selbst. „Dann sollten sie es vielleicht auch schreiben?“, antwortete Daniela und dachte, dass sie darüber im „Bank-und-Börsen-ABC“ gelesen hatte.

„Ich gehe gern mit dir essen. Jedoch nicht heute. Ich muss mich nämlich um Avale kümmern“, sagte sie, bedankte und verabschiedete sich.

Deprimiert saß sie an ihrem Schreibtisch und folgte ihren Gedanken. Bis heute hatte sie gedacht, die deutsche Sprache zu beherrschen. Aber auch die hatte sich in nur vierzig Jahren zweigeteilt entwickelt. Dass die anderen nicht wussten, was ein Zentralkomitee war, erschien ihr wenig ausgleichend.

„Ich habe nicht nur den Liquiditätssicherungskredit beantragt, sondern auch gleich den für die Avale“, sagte Daniela. Dabei schaute sie den kaufmännischen Ingenieur todernst an. Der runzelte die Stirn.

Sie hatte keine Lust, Bernd aufzuklären, worum es hier ging. Daniela legte ihm den Papierstapel auf den Tisch, ganz so wie er es mit dem leeren Antragsformular getan hatte. Dann drehte sie sich um und verließ den Raum.

Ziemlich erschlagen setzte sie sich auf einen ihrer abgewetzten Stühle. Die letzten Tage hatten sie Kraft gekostet. Danielas Blick ging durch den Raum. Hier sah es nicht anders aus als dreieinhalb Jahre zuvor. Die Tapeten rochen nach kaltem Rauch. Alles wirkte ein bisschen schmutzig. Aber: Was bedeutete das schon gegenüber dem, um das es jetzt ging?

Daniela ahnte, dass sie bis heute nur einen winzigen Schritt getan hatte. Am Nachmittag mussten sie bei der Bank vorsprechen und ihren Antrag verteidigen. Sie wusste nicht, was sie dort erwarten würde. Sie besaß ein gewisses Maß an Grundlagenwissen. Bernd hingegen trat vollkommen blind an. Zusammengenommen verfügten sie über ungewisse Aussichten auf einen Erfolg.

Daniela spürte in sich hinein. Nicht im Traum hatte sie daran geglaubt, dass sie einmal Angst haben würde, dieses verlotterte Büro zu verlieren.

Volksfestatmosphäre umfing sie. Biergartentische und Bänke standen fein säuberlich in Reih und Glied. Daniela erkannte die Eingangshalle ihrer ehemaligen Staatsbankfiliale nicht wieder.

Das Gebäude hatte ein imposantes Vestibül, großräumig und hell. Nur wenige der alten Häuser in ihrer Stadt wiesen einen solch guten Erhaltungszustand auf. Heute sah es hier aus wie auf einem Jahrmarkt.

Sie waren nicht allein. Mit ihnen strömten unterlagenbeladene Männer und Frauen zur Tür herein. Drinnen warteten Leute wie Thomas, um sie in Empfang zu nehmen. „Neubanker", sagte Daniela laut. Bernd hatte keine Ahnung, wovon sie sprach.

Sie wurden an einen der Tische gebracht und nahmen Platz. Ihr Thomas war kein Thomas, also kein Neubanker. Ihnen gegenüber setzte sich ein Altbanker aus dem Westen. Daniela konnte es an seinem Dialekt hören. Sie musterte ihn.

Eng aneinander saßen sie auf den zugewiesenen Plätzen am Biergartentisch und breiteten ihre Papiere aus. Alle anderen taten es ihnen gleich. Sie konnten jedes Wort verstehen, das neben ihnen gesprochen wurde. Daniela hatte Mühe, sich auf ihren Gesprächspartner zu konzentrieren.

Eine bundesdeutsche Privatbank war der Staatsbank zu Hilfe geeilt.

Helfershelfer. Daniela wusste Bescheid.

Die Helfer handelten gemeinsam mit einer Gesellschaft, die sich Treuhand nannte. Sie war gegründet worden, um Volkseigentum der DDR in treuhänderische Verwaltung zu überführen. Die Treuhand bürgte für Kredite, die innerhalb der unterschiedlichen rechtlichen Bedingungen zwischen Privatbank und volkseigenem Betrieb vergeben werden sollten.

Daniela war in den letzten Tagen klar geworden, wie sehr sie sich mitten in einem Experiment von ungeahntem Ausmaß und ungeahntem Ausgang befanden. Sie hatte sich gefragt, ob auch Bernd sich dieser Tragweite bewusst geworden war.

Die Treuhandgesellschaft würde entscheiden, in welcher Höhe ihnen ein kurzfristiges Darlehen zugestanden werden würde. In Höhe genau dieses Betrages würde sie gegenüber der Bank bürgen. Auf welcher Basis sie die Entscheidung treffen würde, war Daniela schleierhaft. Die Verantwortlichen der Treuhand kannten weder ihren Betrieb noch die handelnden Personen.

Und dann waren da noch die Avale.

Anzahlungsbürgschaften. Vertragserfüllungsbürgschaften. Gewährleistungsbürgschaften. Auf die kam ihr Banker gerade zu sprechen. Sie waren für einen Betrieb wie den ihren mindestens ebenso wichtig wie Bargeld.

Bernd hatte in der Kürze der Zeit nicht mehr in Erfahrung bringen können, worüber sie hier verhandelten. Er war zum Schweigen verurteilt.

Daniela ergriff die Chance und das Wort. Der Banker machte sich Notizen. Sie hoffte inständig, es möge ein gutes Signal sein.

Einen kurzen Augenblick lang richtete sich Danielas Aufmerksamkeit auf das Geschehen um sie herum. Gesprächsfetzen drangen an ihr Ohr. Bankrücken und Absatzklappern erfüllten den Raum. Sie hatte das Gefühl zu sehen, wie Rauch aus den Köpfen der Leute aufstieg. Dann war ihr Gespräch beendet.

Bernd lief schweigend neben Daniela her. Sie fragte sich, ob er nachdenklich oder beleidigt war.

Zwei Drittel des Gespräches hatte sie geführt. Im Gegensatz zu ihm war sie vorbereitet gewesen.

Daniela horchte in sich hinein. Der Rauch in ihrem eigenen Kopf war in diesem Augenblick einer schon lange nicht mehr verspürten Beschwingtheit gewichen. Es fühlte sich gut an.

Sie dachte an Thomas und verspürte Lust, heute ihr Versprechen einzulösen. Ein Telefonat würde genügen, um sich mit ihm zum Abendessen zu verabreden.

Dann beschloss sie, das Erlebte erst einmal verarbeiten zu wollen.

Ihre Gedanken wanderten zu Sophia. Konnte sie ihr von ihrem heutigen Tag berichten? Lief sie Gefahr, der Freundin weh zu tun?

Daniela wusste genau, dass Sophia nicht anders als sie gehandelt hätte. Einen Bernd hätte auch sie ignoriert und das Heft an sich gerissen.

Sophia hatte jedoch im Augenblick keinen Bernd.

Daniela hatte ihr Büro betreten. Sie entledigte sich ihrer Kostümjacke und streifte die Pumps ab. Ihre Füße schmerzten. Diese Schuhe waren einfach nicht für sie gemacht.

Sie brauchte jetzt einen Kaffee und schlüpfte in ihre Bürotreter, bevor sie sich auf den Weg zur Küche machte. Beinahe liebevoll betrachtete sie die alte Kaffeemaschine, während sie Wasser in den Tank füllte.

Hier hatte alles begonnen. In diesem Raum hatte sie Stunden verbracht, gegen Missmut gekämpft und schließlich eine Lösung für sich erzwungen. Diese Lösung war nur von kurzer Dauer gewesen. Dann hatte das Neue sie überrannt. Und neu war plötzlich alles.

Die Tasse war heiß. Daniela musste aufpassen, sich nicht zu verbrühen. Während sie mit der linken Hand das Gefäß zum Mund führte, bediente sie mit der Rechten die Wählscheibe ihres Telefons. Die Rufnummer kannte sie inzwischen auswendig. Nach wenigen Augenblicken hörte sie Thomas' Stimme. Ein wohliges Gefühl durchströmte ihren Körper. „Daniela", sagte sie und: „Danke für alles."

Sie konnte seinen Atem hören.

„Ich gehe davon aus, es ist heute optimal für euch gelaufen", stellte er mehr fest als er fragte.

„Unser Gegenüber hat sich nicht in die Karten schauen lassen. Ich hatte jedoch das Gefühl, dass ich gut vorbereitet war. Wir müssen abwarten."

Daniela hatte bewusst das „Euch" in ein „Ich" umgewandelt. Einen kurzen Moment verschwendete sie an den Gedanken, ihn doch nach einem Essen heute Abend zu fragen. Irgendeine innere Stimme hielt sie jedoch davon ab. Sie sagte: „Ich will dich nicht länger von der Arbeit abhalten."

Daniela bemerkte, dass Thomas das Gespräch noch nicht beenden wollte. Dennoch verabschiedete sie sich und legte auf.

Durchatmen. Daniela versuchte, ihre Muskulatur zu entspannen. Sie streckte ihre Arme und Beine von sich, während sie dachte: Auf welchem Trip bist du, in diesen wirren Zeiten eine Affäre mit einem verheirateten Mann, dem Vater zweier Kinder, anfangen zu wollen?

6. Kapitel
Winter 1990

Daniela war versucht, sich verwundert die Augen zu reiben. Sie schaute auf den Kalender. Die ersten heftigen Herbststürme dieses Jahres waren über sie hinweggefegt. Es war bereits November. Noch immer hatte sie ihr Versprechen für ein gemeinsames Essen mit Thomas nicht einlösen können. Sie arbeitete zwölf Stunden am Tag. Wenn sie an Sophia dachte, fragte sie sich, wie man dieses Pensum mit einem Kind würde absolvieren können. Gar nicht. Das war sehr wahrscheinlich.

Nicht wahrscheinliche, sondern beschlossene Sache war die Abwicklung der Fakultät, an der Sophia angestellt war. Sie lebten seit einem knappen Monat in einem wiedervereinigten Land. In diesem wurde aussortiert, neu besetzt und strukturiert. Die Regeln gab die andere Seite vor.

Sophia hatte ihren Job verloren.

Sie hatte nichts Anstößiges getan. Sie war kein Klaus-Peter. Aber das hatte ihr nicht geholfen. Allein die Tatsache, dass ihr Studienfach politisch belastet war, reichte aus, um draußen zu sein. Bis vor Kurzem hatte sie gehofft, dass sich lediglich etwas verändern würde. Bis zum Schluss hatte sie verdrängt, dass ihr ein Ende bevorstehen würde.

Sophia war deprimiert. Daniela befürchtete, der Kampfgeist der Freundin könnte erlöschen.

Sie musste etwas für Sophia tun. Jedoch wusste sie nicht, was. Ihr eigener Kopf war voll von tausend neuen Dingen. Schon lange schaffte sie es nicht mehr, jeden Tag die Zeitung zu lesen. Oder Nachrichten im Fernsehen zu verfolgen. Sie war gehetzt und froh, wenigstens manchmal eine ordentliche Portion Schlaf zu bekommen. Sport hatte sie schon lange nicht mehr getrieben. Noch rebellierte ihr Körper nicht. Und eigentlich hatte sie keine Zeit, auf ihn zu achten.

Nicht Sophia war es, die ihr die Tür öffnete. Daniela erstarrte geradezu, als sie Frank gegenüberstand. „Wo kommst du denn her?“, platzte sie heraus.

„Komm erst einmal herein“, antwortete er. Sophia war aus der Küche gekommen und begrüßte Daniela mit einem Gesichtsausdruck, den sie nicht deuten konnte.

„Was macht der hier?“, fragte Daniela mit den Augen. Sie neigte ihren Kopf in die Richtung, in der bis eben noch Frank gestanden hatte. Zwischenzeitlich war er in Luises Zimmer verschwunden. Daniela konnte seine Stimme hören. Er sprach mit dem Mädchen.

Frank kam aus Düsseldorf. Er wohnte jetzt dort. Jedoch arbeitete er hier in der Stadt im Hafen auf einer Großbaustelle.

Daniela dachte: Verrückt. Noch vor Kurzem war er von hier geflüchtet. Nun kam er freiwillig zurück und arbeitete dort, wo er nicht mehr hatte sein wollen.

Mit Luise auf dem Arm hatte er sich zu ihnen ins Wohnzimmer gesetzt. Daniela verspürte den Wunsch, zu gehen. Sie wollte sich in diese Angelegenheit nicht einmischen. Es war nicht ihre Baustelle. Chaotische Zustände hatte sie in ihrem Alltag selbst zur Genüge. Bissig sagte sie dennoch: „Du bist gegangen, um zu kommen? Wie darf man das verstehen?“

Franks Miene versteinerte von einer Sekunde auf die andere. Er sagte nicht minder bösartig: „Nicht jeder kann so geradlinig sein wie du.“

So, wie er es sagte, konnte es nur negativ gemeint sein. Bisher hatte Daniela nicht darüber nachgedacht, ob Geradlinigkeit etwas Verwerfliches war. Ihr reichte es. Sie schaute achselzuckend zu Sophia, stand auf, schnappte ihre Jacke und ging. Das musste Sophia allein regeln. Sie wollte es nicht; dennoch machte sich Wut in ihr breit. Mit ihren Gedanken war sie noch immer bei Frank und seinem zynischen Satz.

Auf dem Bürgersteig bewegte sie sich, als würde ihr dieser ganz allein gehören. Beinahe hätte sie Thomas umgerannt. Der breitete seine Arme aus und hielt sie fest. Daniela hatte das Gefühl aufzuwachen. „Entschuldige“, sagte sie und lächelte ihn an. „Ich bin nicht bei der Sache.“

Das hatte Thomas geahnt. Ihr Zusammenstoß war nicht allein Danielas Schuld. Ein bisschen hatte er nachgeholfen und es geschafft, dass sie es nicht bemerkte.

„Was ist passiert? Hast du mit Sophia gestritten?“, fragte er. Noch immer hielt er sie am Arm fest. Schroff befreite sie sich aus seinem Griff. Intuitiv dachte sie schon wieder an Frank.

Der hatte sich einen Dreck um Sophia geschert. Über die ungarische Grenze war er abgehauen. Erst nachdem sicher war, dass der Stacheldraht nicht wieder geflickt werden würde, war er in der Stadt aufgetaucht. Mehr oder weniger durch Zufall war ihm seine kleine Tochter begegnet. Auf dem Arm ihrer Mutter sah er sie zum ersten Mal, als er vor Sophias Tür stand. Seither ging er ein und aus. Ganz so, als hätte er ein Recht darauf.

Sophia hatte die Dinge allein regeln müssen: die gemeinsame Tochter geboren, sich um das Kind gekümmert und den Job verloren.

Thomas baggerte Daniela an. Er hatte Familie. Bis heute wusste sie nicht, warum er hier war und die Familie unsichtbar blieb. Das Durcheinander schien grenzenlos.

In diesem Moment verspürte sie Wut auf Thomas. Sie erstarrte und dachte:

Du bist ungerecht.

Du hast ihn angerufen.

Du hast dich mit ihm verabredet.

Er hat dir geholfen.

Seine Avancen hast du wohlwollend toleriert. Schlimmer noch: Du willst ihn vom ersten Tag an.

„Ruf mich an, wenn du wieder mit mir reden willst“, sagte er und ging zur Haustür. Ziemlich benommen blieb Daniela zurück. Sie wusste, sie hatte ihm Unrecht getan. Das würde sie kitten müssen. Thomas konnte nicht ahnen, was in ihr gerade vorgegangen war. Sie hatte ihn als Prellbock benutzt.

Ruckartig drehte sie sich um. Es waren nur wenige Schritte bis zu seiner Klingel.

In seiner Wohnung war sie noch nie gewesen. Ihre Begegnungen hatten sich bisher auf neutralem Terrain abgespielt.

Als sie seinen Korridor betrat und ihn anschaute, keimte in ihr sofort die Frage, ob diese Aktion sonderlich klug war.

„Kaffee?“, fragte er und war bereits auf dem Weg in die Küche.

Er hatte ihr nicht die Jacke abgenommen. Ein bisschen wütend schien er immer noch zu sein.

Ihr Auftritt vor wenigen Minuten war überflüssig gewesen. Das wusste sie inzwischen. Daniela schwankte zwischen Jacke ausziehen und anbehalten. Dennoch blickte sie sich nach einem Garderobenständer um. Mit einem Fingerzeig deutete ihr Thomas die Richtung, in der die Garderobe stand.

„Entschuldige“, sagte sie, als sie neben ihn trat.

„Vielleicht erzählst du mir, was vorhin in dich gefahren war?“ Thomas schaute sie an. Daniela winkte ab und sagte: „Vergiss es, es geht mich nichts an. Es ist allein Sophias Angelegenheit. Ich habe mich über Luises Vater geärgert.“

„Und weiter?“ Daniela zögerte, bevor sie sagte: „Nichts weiter.“ Dann fügte sie an: „Du könntest mir einmal etwas erzählen. Etwas über dich und deine Familie.“ Beinahe unmerklich ging in Thomas eine Veränderung vor sich. Daniela hatte ihn nicht aus den Augen gelassen.

Er hatte versucht, seine Gesichtszüge unter Kontrolle zu behalten. Es war ihm nur bedingt gelungen. Daniela erschrak.

Hatte sie ein Recht darauf, in seine Privatsphäre einzudringen?

Sie würde nicht weiter bohren, wenn er nicht von selbst reden wollte. Die Dinge lagen wie in Sophias Fall: Es ging sie nichts an.

„Meine Familie lebt seit dem Spätsommer im Rheinland", sagte Thomas leise.

Daniela war perplex. Frank wohnte in Düsseldorf. Thomas' Familie lebte ganz in der Nähe. War überhaupt noch jemand hier?

Ja: Sie und er und Sophia.

„Fährst du an den Wochenenden dorthin?", fragte sie vorsichtig.

„Nein. Komm mit, ich erzähle es dir." Er drückte Daniela die Tasse in die Hand und ging voran. Daniela folgte ihm. Dann stand sie in seinem Wohnzimmer.

Mit einem ziemlich beklommenen Gefühl schaute sie sich um.

Das Zimmer war spartanisch eingerichtet. Lediglich die Couchgarnitur war großzügig bemessen. Daniela suchte sich einen Platz auf einem der Sessel.

Thomas und seine Familie hatten den Sommerurlaub am Plattensee verbracht. Auf dem Campingplatz herrschte außergewöhnlich viel Betrieb. Ein Hotel konnten sie sich nicht leisten. Der Umtausch ihrer Blechwährung in die ungarische Landeswährung war nach oben begrenzt. Sie waren wie schon so oft mit Sack und Pack, Zelt und Trabant losgezogen und hatten zehn Quadratmeter Campingplatzfläche in Beschlag genommen.

Die Atmosphäre in diesem Sommer war anders als sonst. Die Leute waren unruhig. Ferienstimmung wollte sich nicht einstellen. Thomas war verunsichert. Die Gespräche mit den Nachbarn entwickelten sich von vorsichtig bis deutlich und offen. Die meisten Touristen waren gekommen, um nicht mehr zurückzukehren. Thomas' Frau hatte sich anstecken lassen von der Euphorie der Masse. Er hatte dem Treiben hilflos zugesehen. Dass sie nach Hause zurückkehren würden, hatte für ihn außer Frage gestanden. Wegen seiner kleinen Kinder war er nicht bereit gewesen, ein Risiko einzugehen. Seine Frau sah die Dinge anders. Er war nach Ostberlin zurückgefahren, nachdem er eines Morgens erwacht war und allein im Zelt gelegen hatte.

Es hatte ihn einige Mühe gekostet, in Erfahrung zu bringen, ob es die drei geschafft hatten, Österreich zu erreichen.

Plötzlich war er ein Ehemann ohne Ehefrau und ein Vater ohne Kinder. Um die schrecklichen Gedanken abzutöten, hatte er sich ein reichliches halbes Jahr später in das Abenteuer des neuen Jobs gestürzt.

Nun saß er hier und Daniela war still geworden.

„Hast du Lust auf ein Abendessen mit mir? Oder gibt es Gründe, die dagegen sprechen, dein Versprechen einzulösen?" Thomas schaute ihr in die Augen. Sie wich nicht aus. Seit ewiger Zeit war sie ihm die Einlösung schuldig geblieben. Er hatte niemals so lange gezögert, sie zu unterstützen, wenn sie seine Hilfe benötigte.

Sie würde mit ihm gehen. Schon morgen. Bis dahin musste sie jedoch versuchen, das Erlebte zu verdauen. Ihr blieben vierundzwanzig Stunden Zeit.

Daniela konnte nicht einschlafen. Ihre Gedanken gingen wild durcheinander.

Bernd, Frank, Thomas. Sie hatte die Gesichter nacheinander vor Augen. Daniela wollte die Bilder verdrängen. Es gelang ihr nicht.

Was machten die Männer anders?

Bernd bewegte sich in seinem Job, als könnte kein Kaiser dieser Welt ihm etwas anhaben. Frank ging weg, kam wieder und warf *ihr* Geradlinigkeit vor. Er zeigte keine Spur von Reue, sondern machte *ihr* Vorwürfe.

Thomas hatte nur kurz, während sie in seiner Küche standen, Verletzlichkeit gezeigt. Als er ihr im Wohnzimmer das Geschehene schilderte, vermittelte er Gelassenheit. Er schien abgeschlossen zu haben mit dem Erlebten.

Plötzlich dachte Daniela an die Tage im Oktober 1989.

Klaus-Peter hatte – zu allem bereit – mit der Waffe in der Hand im Keller des Firmengebäudes auf seinen Einsatzbefehl gewartet. Er trug die Uniform der Kampfgruppen. Diese Truppe war eine Art militärische Einheit. In jedem größeren Betrieb war sie zu finden. Tatsächlich verfügte sie über schussfähige Waffen. Offiziell diente sie der Verteidigung des Volkseigentums. Regelmäßig wurden die Mitglieder der Kampfgruppen trainiert.

Hätte er geschossen?

Wie weit lagen Denunziation und körperliche Gewalt auseinander?

Daniela spürte Übelkeit aufsteigen.

Klaus-Peter war nicht zum Schießen gekommen. Die Dinge hatten sich anders entwickelt. Mit Grauen hatte sie jedoch vernommen, dass er seit einem Monat das Amt des Bürgermeisters einer Gemeinde in ihrem Umland innehatte.

Dann dachte sie an Sophia. An die verlorene sichergeglaubte Karriere als Professorin. Sie dachte an sich selbst und sah nur einen Weg.

Daniela musste Bernd die Sicherheit nehmen, die er nicht verdiente. Keine Minute länger würde sie zulassen, dass er auf ihre Kosten seine Erfolge feierte.

Sie hatte die notwendigen Kredite bewilligt bekommen. Auf diese Weise hatte sie indirekt dazu beigetragen, dass Bernd sein völlig überzogenes Gehalt beziehen konnte.

Blieb Thomas. Wie sollte sie sich verhalten? Die Entscheidung seiner Frau, mit beiden Kindern zu gehen, musste auch mit ihm zu tun haben. Konflikte hatten stets zwei Seiten.

Endlich überkam sie der Schlaf.

Daniela verbrachte mehr Zeit in diesem Büro als zu Hause. Freizeit und Schlaf zusammengerechnet. Während sie die Stundenzahl überschlug, stand plötzlich ein Mann vor ihr. Sie kannte ihn. Des Öfteren hatte sie ihn beim Mittagessen gesehen. Er ging bei Bernd ein und aus. Sein Name war Robert.

Musste er ausgerechnet heute hier auftauchen? Danielas Nacht war kurz gewesen. Sie war müde.

Die Treuhand hatte für sie gebürgt. Auf diese Weise waren sie liquide geblieben. Inzwischen war es gelungen, ihre Firma an einen amerikanischen Investor zu veräußern.

Robert arbeitete mit ihrem Vorstand zusammen. Er war der Mittelsmann zwischen Amerika und Deutschland. Daniela kannte seinen Nachnamen nicht. Sie wusste lediglich: Er hieß Robert.

Der stand nun vor ihr. Sie schaute ihn fragend an.

In ihren Ohren klang es gestelzt, als er sie „Miss" nannte.

Robert stand bewegungslos.

Sie stand auf, reichte ihm die Hand und sagte: „Daniela."

Robert war um die zehn Jahre älter als sie. Ein bisschen sah er aus, als würde er sie im Augenblick des Händedrucks abwiegen, messen und auf Makel untersuchen. Das Szenario erinnerte sie an ihr erstes Zusammentreffen mit ihrem Fachdirektor.

Intuitiv ging sie gedanklich durch, welche Kleidungsstücke sie heute Morgen ihrem Kleiderschrank entnommen hatte. Sie schaute an sich herunter. Sie fand, dass sie durchaus dem Anlass angemessen und stilecht gekleidet das Haus verlassen hatte. Erst gestern war sie beim Friseur gewesen.

Ihr Kostüm war von Strenesse. Die machten tolle Mode für kleine Frauen. Nur auf die passende Figur musste man selbst achten. Zum beigen Kostüm hatte Daniela eine Bluse in blassblauer Farbe gewählt. Um den Hals trug sie ein weißes Seidentuch. Die beigen Schuhe hatten hohe Absätze. Auch wenn es orthopädisch gesehen nicht richtig war. Es sah einfach besser aus.

Robert trug Anzug und Krawatte. So angezogen, machte ein Mann nichts falsch. Es sein denn, er nahm den Konfirmationsanzug.

Roberts Anzug war schwarz. Die Krawatte blau. Er schien bemerkt zu haben, dass auch sie ihn musterte.

Daniela fragte sich, weshalb er zu ihr gekommen war. Sollte er nicht eigentlich bei Bernd sein?

Robert war allein. Normalerweise hatte er seinen Dolmetscher bei sich. Die Verständigung war schwierig. Die Mehrzahl der Leute hier war der englischen Sprache nicht mächtig. Auch Danielas magere Englischkenntnisse waren bereits vor geraumer Zeit erlernt worden.

Mit Mühe gelang es ihr, die Vokabeln für den Satz: „Was kann ich für Sie tun?" zusammenzukramen.

Sie hasste diesen Satz. Dennoch war er an der Tagesordnung. Variantenreich wurde er abgewandelt von denen, die ihn aussprachen. Niemals zuvor hatte man in ihren Breiten so oft und so monoton diese Frage gestellt.

Sie war gespannt, was nun passieren würde.

Robert begann zu reden. Daniela überlegte einen kurzen Moment lang, ob sie ihn falsch verstanden hatte. Er bat sie tatsächlich um einen Termin für ein Gespräch.

Sie runzelte die Stirn. Wenn es nach ihr ginge, dann könnten sie sofort miteinander reden. Schließlich war Robert schon da. Termine vergab nur Bernd.

Sie hatten nur kurz miteinander gesprochen. Ein paar Sätze. Dann war er gegangen. Daniela lehnte sich zurück. Sie wusste, dass sie von nun an ein zusätzliches Problem zu lösen hatte: Sie musste Roberts Sprache lernen.

Ein Gespräch zwischen Bernd und Robert wurde immer im Beisein eines Dolmetschers geführt. Das war kein befriedigender Zustand. Sie sprachen hier über sensible Themen wie

Geld miteinander. Auch Robert musste unzufrieden mit dieser Situation sein.

Ganz sicher war er nicht unbedacht ohne Übersetzer zu ihr gekommen. Daniela konnte sich sein Vorgehen nur so erklären: Er wollte sie testen.

Hatte sie eine Wahl?

Sie hatte gespürt, dass Robert gern wiederkommen würde. Wenn sie ihren Plan umsetzen wollte, dann durfte sie nicht zögern. Sie musste Englisch lernen. Allerdings wusste sie nicht, woher sie die Zeit dafür nehmen sollte.

Sie hatte schnell das Grübeln beendet und sich umgehend Einzelunterricht verordnet.

Ihr Lehrer kam schon heute nach Dienstschluss ins Büro. Das gemeinsame Essen mit Thomas musste warten.

Der Theorie folgte beinahe täglich die Praxis. Sie machte Fortschritte.

Robert erwies sich als fairer Partner. Wenn er bemerkte, dass sie ihn nicht verstanden hatte, formulierte er um und bildete einfache Sätze.

Inzwischen war es Frühjahr geworden. Von Woche zu Woche klappte ihre Verständigung besser. Daniela hatte das Gefühl, ihr wuchsen Flügel.

Heute aber hatte sie keine Lust auf Unterricht. Unter einem Vorwand sagte sie ihrem Lehrer ab. Schnell, wie schon lange nicht mehr, schloss Daniela ihre Bürotür ab. Auf den Fahrstuhl zu warten, dauerte ihr zu lange. Sie benutzte die Treppe und hastete nach unten. Dort warteten Sophia und Luise auf sie.

In Windeseile verstauten sie den Kinderwagen im Auto. Luise verfrachteten sie in den Kindersitz. Dann waren sie auf dem Weg ins Seebad.

Sie brauchten nicht lange, um am Ort ihrer Sehnsucht anzukommen. Nachdem sie das Auto geparkt hatten, schlenderten sie über die Brücke am Strom. Die Möwen erwarteten sie bereits. Auf den ersten Blick schien alles wie immer. Auf den zweiten sah man, dass das Seebad zu neuem Leben erwachte.

Die ersten Häuser waren saniert. Daniela dachte mit einem Schmunzeln daran, dass sich ihre fürchterliche Prognose nicht bewahrheitet hatte. Die alten Baumeister würden es den Montagsdemonstranten und Kapitalanlegern danken.

Nachdem sie am Strand angekommen waren, breiteten sie für Luise eine Decke zum Krabbeln aus. Zusätzlich hatten sie einen Strandkorb gemietet.

Daniela sah auf das Mädchen. Die Kleine wuchs auf wie sie selbst: mit dem Sand, dem Wind und dem Meer. Schöner ging es nicht. Davon war sie zutiefst überzeugt.

„Sieh mal“, sagte Sophia und zeigte auf eine Möwe, die unvermittelt, eben noch in der Luft stehend, im Sturzflug nach unten schoss und mit einem Fisch im Schnabel wieder auftauchte.

„Der Schwächere hat verloren“, sagte Daniela ohne erkennbare Rührung.

„Man kann es auch freundlicher formulieren“, antwortete Sophia.

„Wie denn?“

„Nahrungskette klingt deutlich entspannter.“

Daniela war unsicher, was Sophia ihr sagen wollte.

Stirnrunzelnd meinte sie: „Ist irgendetwas?“

Sophia ließ sich mit ihrer Antwort Zeit. Dann sagte sie: „Ist dir schon mal aufgefallen, wie hart du geworden bist? Ich meine, du warst nie zimperlich, wenn es darum ging, die Dinge beim Namen zu nennen. Ein kleiner Rebell hat schon immer in dir gesteckt. Dennoch glaube ich, dass dein Biss deutlich fester geworden ist.“

Daniela war irritiert. Was war an ihrer Formulierung hart? Wen biss sie?

Sophia schaute ihr immer noch in die Augen.

„Du hast dich verändert."

Daniela stutzte.

Sie hatten sich alle verändert. Sie hatten sich verändern müssen. Die Geschehnisse der letzten Zeit waren an niemandem spurlos vorbeigegangen.

Daniela hob fragend die Schultern. Sophia winkte ab und sagte: „Vergiss es. Lass uns zum Wesentlichen kommen."

Mit Bravour war Sophia durch zwei Vorstellungsgespräche gegangen. Ohne Probleme war es ihr gelungen, ihre Gegenüber davon zu überzeugen, dass sie die richtige Frau war. In einem Vierteljahr würde sie mit der Arbeit beginnen. Zuvor musste sie ihre Arbeitsstelle in der Uni abwickeln. Es schmerzte schon deutlich weniger als noch vor einiger Zeit. Sophia war nicht mehr ohne Perspektive.

Als Trainee würde sie in die Geheimnisse des Versicherungswesens eingeweiht werden. Ein weiteres Jahr später sollte sie fit sein für den Job.

Luise würde ab der kommenden Woche probeweise die Kindertagesstätte besuchen. Anfangs sollte sie täglich wenige Stunden dort verbringen, um sich an die neue Umgebung gewöhnen zu können.

Manchen Tag überkamen Sophia Zweifel, ob der Neustart gelingen würde. Daniela hingegen war fest davon überzeugt, dass Sophia die richtige Entscheidung getroffen hatte. Der Rest würde sich zeigen. Was jetzt passierte, war nicht vorhersehbar. Wichtig allein war, dass überhaupt etwas geschah.

Noch immer beschäftigten Daniela die Worte „Härte" und „Biss". Was genau hatte sich verändert im Vergleich zu reichlich einem Jahr zuvor?

Wenn sie ehrlich war: Alles.

Mit Gelassenheit hatte sie zugeschaut, wie sich ein beinahe unwirkliches Geschehen um sie herum abspielte: Wie ihre männlichen Kollegen scharenweise aus der Freizeithose in den

Anzug schlüpften und über Nacht zu Geschäftsleuten zu mutieren versuchten.

Sie hatte währenddessen gelesen und gelernt. Sie hatte sich Fachwissen angeeignet. Eine fremde Sprache gepaukt.

Zwischendurch hatte sie ihre abendliche Entscheidung gefällt, Bernd vom Thron stürzen zu wollen. Ab diesem Zeitpunkt hatte sie keine Rücksicht mehr genommen. Sie hatte Bernd immer dann das Heft aus den Händen gerissen, wenn er mit seinem Latein am Ende war. Dieses „Am Ende Sein“ wurde von Woche zu Woche häufiger.

Daniela hielt sich an Robert, den Mann, der ihr eine Chance gab und der sie keineswegs schonte. Ihr Triumph stand unmittelbar bevor. Roberts Signale waren eindeutig. Sie hatte noch keine Zeit gefunden, es Sophia zu erzählen.

Sophia stand die Härte des Berufsalltags erst noch bevor. Frank würde ihr keine Unterstützung sein. Sie musste allein ihren Job und Luises Betreuung miteinander vereinbaren. Franks Zeit auf der Baustelle im Hafen war begrenzt. Sein Arbeitsvertrag erlaubte es, ihn weltweit einsetzen zu können.

Der verhinderte Weltenbummler kam auf diese Weise vielleicht doch noch an das Ziel seiner Träume.

Daniela war einen Schritt weit entfernt von ihrem Ziel. Sophia stand noch ganz am Anfang, nachdem ihr eigentlicher Wunsch nicht in Erfüllung gegangen war.

Härte.

Biss.

Daniela schüttelte den Kopf.

7. Kapitel
Frühjahr 1992

Robert war ihr nicht mehr von der Seite gewichen. Daniela hatte das Gefühl, auf Schritt und Tritt beäugt zu werden. Sie war den Eindruck nicht losgeworden, in einer immerwährenden Prüfungssituation zu verharren. Es störte sie nicht.

Ihre Sprachbarrieren waren kleiner geworden. Daniela hatte Vertrauen zu Robert aufgebaut. Auch hatte er sich als fröhlicher Zeitgenosse entpuppt.

Robert war soeben hereingeschneit. Sein heutiger Auftritt versprach etwas Erhebendes. Er wirkte beinahe übertrieben förmlich, als er ihr mitteilte, sie würden von Schwerdtfeger erwartet.

Schwerdtfeger, der Kaufmännische Vorstand. Sie hatten einen Termin beim Vorstand. Mit einem hoffentlich verdeckten Schmunzeln rief sich Daniela ins Gedächtnis, was sie inzwischen verinnerlicht hatte: Einen Termin zu haben, stellte etwas wirklich Besonderes dar. Ganz gleich wann und wo. Termin klang wichtig und entschuldigte alles.

Daniela lächelte Robert an. Ihre Knie fühlten sich nicht weich an, als sie aufstand, ihren Rock glattzog und die Jacke überstreifte. Ohne Jacke erschien man nicht bei einem Termin. Auch das hatte sich inzwischen herumgesprochen.

Ihr Blick auf Robert signalisierte, dass sie ihm furchtlos zu Schwerdtfeger folgen würde. Robert schien nichts anderes erwartet zu haben. Er wedelte mit der Zugangskarte, die sie in eine für Daniela gesperrte Etage bringen würde.

Schwerdtfeger war ein Mann. Daniela fühlte den Fakt bestätigt, als sie ihm gegenüberstand. Sie registrierte, was sie mehr oder weniger erwartet hatte: Er taxierte sie. Das übliche Procedere: Größe, Gewicht, Haarfarbe ... Ihr Blick hielt seinem stand. Sie verspürte große Lust, ihre Augen auf die Stelle unter seiner Gürtelschnalle zu heften. Im allerletzten Moment nahm sie jedoch Abstand von dieser Idee. Besser so, sagte sie sich und wusste, diese Entscheidung war richtig. Dann musste sie schmunzeln.

Dass sie es überhaupt gedacht hatte.

Schwerdtfeger fasste ihr Lächeln als Freundlichkeit auf. Er schien bei bester Laune zu sein. „Nehmen Sie Platz", sagte er. Schon wieder fühlte sich Daniela gemustert. Jedoch musste sie nicht lange warten, um zu erfahren, weshalb. Schwerdtfeger sagte: „Sie sind das Küken hier im Haus."

Im Haus war sie das ganz bestimmt nicht. In den oberen Hierarchieebenen, zu denen sie bisher nicht zählte, schon. Ihr nächster Geburtstag würde der Dreißigste sein. Im Moment passten ihre Körpergröße und ihr Alter zusammen. „Küken" fand sie tatsächlich ganz passend.

„Robert hat mir empfohlen, Ihnen Prokura zu erteilen. Was sagen Sie dazu?"

Schwerdtfegers Blick haftete an ihr.

Was konnte sie auf diese Frage antworten? Dass es die einzig richtige Empfehlung war? Diese Antwort hätte ein Mann gegeben.

Sie sagte: „Lassen Sie sich davon überzeugen, dass ich die richtige Wahl bin."

„Zufrieden?" Robert schaute sie an. „Ja, und hart erarbeitet." Diesen Nachsatz hielt sie für angebracht. Robert lächelte. Daniela wusste genau, dass er wusste, dass sie recht hatte.

Ihr war nach Feiern zumute. Jedoch nicht mit Robert. Oder den Kollegen. Sie hatte das Gefühl, einmal allein sein zu müssen. Den Stress abstreifen. An etwas anderes denken.

In den letzten Monaten hatte sie gespürt, wie wichtig es für sie geworden war, Zeit zu erleben, ohne durch Heerscharen von Menschen belagert zu sein. Leute, die auf sie einredeten oder etwas von ihr forderten. In diesem Augenblick dachte sie an Thomas.

Robert hatte sich verabschiedet. Daniela griff zum Telefon und wählte die Nummer, die sie inzwischen im Schlaf beherrschte. Sekunden später hörte sie seine Stimme. Mit wenigen Worten schilderte Daniela, was soeben passiert war und dass sie sich freuen würde, wenn er heute Abend Zeit für sie hätte.

Schon seit ewigen Zeiten hatte Daniela kein Kino mehr von innen gesehen. Ohne zu zögern war sie auf seinen Vorschlag eingegangen, gemeinsam einen Film anzuschauen. Mit der Aussicht auf ein Treffen mit ihm widmete sie sich zufrieden ihrer Arbeit.

Ein Blick auf die Uhr sagte Daniela, dass sie sich beeilen musste, wollte sie Thomas nicht warten lassen. Eigentlich hatte sie geplant, noch einmal kurz nach Hause zu fahren. Daraus war nichts geworden. Sie würde so, wie sie war, ins Kino gehen müssen.

Daniela parkte das Auto und stieg aus. Das letzte Stück des Weges musste sie zu Fuß gehen. Sie fröstelte. Der Wind pfiff unter ihren kurzen Rock. Die Eisheiligen hatten ihren Landstrich fest im Griff. Die Kostümjacke war zu dünn, um Wärme zu spenden. Daniela verschränkte die Arme, um ihren Mantel enger an sich zu schmiegen. Gegen den scharfen Wind konnte sie dennoch nichts ausrichten. Dann sah sie ihn. Thomas stand am Eingang. In diesem Moment hatte auch er sie bemerkt. Er winkte. Das Frösteln verschwand.

Thomas hatte beizeiten Feierabend gemacht. Daniela sah es sofort. Selten hatte sie ihn in Freizeitkleidung gesehen. Thomas war berufsbedingt zum Anzugtragen verdammt. Jetzt trug er Jeans und eine gesteppte Jacke. Damit war er ihr gegenüber deutlich im Vorteil.

Während sie ihn begrüßte, sah sie an ihm hinunter. Thomas brauchte keinen Maßanzug. Er sah auch leger gekleidet umwerfend aus. Sie musste schmunzeln.

Ihr war aufgefallen, was gerade in ihr abgelaufen war. Sie hatte getan, was normalerweise ihr widerfuhr: Sie hatte ihn nach Äußerlichkeiten begutachtet.

Thomas hielt die Eintrittskarten in seinen Händen. Daniela blickte gebannt auf diese Hände. Sie hatten von Beginn an ihre Phantasie beflügelt.

Der Saal war bereits gut gefüllt, als sie ihn betraten. Daniela folgte ihm. Thomas schaute nach der Nummerierung der Reihen. Danielas Blick hing an ihm. Die Menschen um sie herum blendete sie aus.

Thomas war fündig geworden. Er griff nach ihrer Hand und zeigte auf ihre Reihe und die beiden Plätze. Dann ließ er sie los, damit sie vor ihm den Platz einnehmen konnte.

Sie gehörten zu den letzten Besuchern. Als sie sich setzten, wurden die Saaltüren bereits geschlossen. Wenig später erlosch das Licht.

Es hatte einen Augenblick gedauert, bis sich ihre Augen an die Dunkelheit gewöhnt hatten. Daniela schaute zur Seite. Ihr mangelte es an der nötigen Aufmerksamkeit. Sie spürte das Kribbeln. Immer wieder ertappte sie sich dabei, Thomas anzusehen. Jedes Mal, wenn sie den Kopf drehte, schaute auch er zu ihr. Im Grunde hätten sie aufstehen und gehen können.

Sie hatten durchgehalten. Daniela wusste allerdings nicht, worum es in dem Film gegangen war, als sie im Sog der Masse das Gebäude verließen.

„Was machen wir jetzt?“ Thomas fragte zuerst. Daniela war erleichtert. Sie hatte befürchtet, er könne sich verabschieden.

„Du warst noch nie bei mir. Hast du Lust mitzukommen? Mein Kühlschrank ist ausnahmsweise ordentlich bestückt." Daniela erwartete gespannt seine Antwort. „Das klingt verlockend. Lass uns gehen", sagte er. Ihr Herz schlug bis zum Hals.

Als sie ihre Wohnung betraten, empfing sie wohlige Wärme. Daniela hatte die Heizung heute Morgen aufgedreht. Nach einer für die Jahreszeit extrem kalten Nacht hatte sie gefroren.

Thomas zog seine Jacke aus und hängte sie in den Garderobenschrank. Dann streifte er den dicken Pullover ab. Daniela schaute ihm dabei zu. Sein dünnes Shirt brachte seinen muskulösen Oberkörper zur Geltung. Sie hatte Mühe, ihren Blick abzuwenden.

Thomas hatte es bemerkt.

Bevor sie sich fragen konnte, was sie nun tun sollte, streckte er seine Arme nach ihr aus. Einen kurzen Moment lang zögerte sie, dann kuschelte sie sich an ihn. Seine Hände streichelten ihren Rücken. Als sie ihren Kopf hob, suchten seine Lippen ihre.

Daniela hatte niemals einen Joint geraucht. So wie dieser Kuss musste es sich jedoch anfühlen, wenn man auf Droge war.

Sophia und sie waren zu einer gemeinsamen Mittagspause verabredet. Daniela fragte sich, wie sie der Freundin beibringen sollte, welchen Bock sie gestern geschossen hatte. Einen Augenblick lang hatte sie erwogen, das Treffen abzusagen. Dann entschloss sie sich zur Beichte.

„Du hast ihn nach Hause geschickt?" Sophia konnte nicht glauben, was sie hörte. „Warum?"

Nachdem sie eine Kleinigkeit gegessen hatten, war ihr Gespräch ins Stocken geraten. Daniela fühlte die Müdigkeit, die sie befiel. Ein anstrengender Tag forderte seinen Tribut. Dann hatte sie an ihr Gespräch mit Robert denken müssen. Plötzlich wusste sie nicht mehr, wie sie sich verhalten sollte.

Robert hatte ihr einen Auftrag gegeben und sie sofort eine Vorstellung entwickelt, wie sie diesen erfüllen könnte. Thomas spielte dabei eine wichtige Rolle.

Er hatte ihr Schweigen bemerkt und gesagt, dass es wohl besser sei, aufzubrechen. Sie hatte nicht widersprochen.

Thomas war aufgestanden, hatte sich angezogen und war gegangen.

„Du bist nicht bindungsfähig.“ Sophia schaute sie an.

„Will ich mich binden?“, antwortete sie.

Sophia schüttelte sorgenvoll den Kopf. „Du bist bescheuert, ehrlich. Du bist ja nicht einmal spaßfähig. Falls es so etwas gibt. Etwas Besseres als Thomas kann einem nicht passieren. Weißt du eigentlich, dass ich dich beneide?“

Sophia übertrieb. Etwas Besseres gab es nicht? Weder sie noch Sophia kannten Thomas wirklich gut. Richtig war allerdings, dass sie Thomas bisher wenige Chancen eingeräumt hatte, sie besser kennenzulernen.

Sophias Anmerkung, sie sei ein stures Arbeitstier, hörte sie nur am Rande. Ihre Gedanken waren schon wieder woanders.

Sie würde mit Robert sprechen. Er hatte sie gebeten, zwei Hausbanken zu benennen, mit denen sie künftig zusammenarbeiten wollten. Robert versprach freie Hand. Daniela dachte sofort an Thomas. Gestern Abend war ihr klar geworden, dass eine private Beziehung mit dienstlichen Belangen nicht vereinbar wäre.

„Hallo?“ Sophia wedelte mit den Händen. „Kannst du mich hören?“

Daniela schaute sie an. „Ja, ich kann dich hören. Ich kann dir auch erklären, weshalb ich nichts unternommen habe, damit er bleibt.“

Sophia hörte gebannt zu. Mit deutlicher Ironie in der Stimme sagte: sie „Könntest du dir vorstellen, Thomas mit in dein Bett zu nehmen und währenddessen keine unterschwellig komischen Abläufe in deinem Hirn zuzulassen? Sagt dir das Wort Spontaneität etwas? Wie kannst du beim Anblick dieses Adonis an so etwas wie Hausbanken denken?“ Während sie sprach, tippte sie mit dem Zeigefinger ihrer rechten Hand gegen ihre Stirn. „Ehrlich, Daniela, du hast einen Vogel.“

Wahrscheinlich hatte Sophia recht. Daniela ärgerte sich bereits ausreichend über ihr gestriges Verhalten. Dennoch: Was passiert war, konnte sie nicht rückgängig machen. Sie entschloss sich, das Thema zu wechseln.

„Sag, wie ist es mit Frank und dir?“

Daniela blickte in eine abgeklärte Mimik. „Geregelt.“ Sophia sah nicht aus, als würde sie weitere Worte verschwenden wollen. Allein Danielas fragender Blick ließ sie hinzufügen: „Es ist vorbei. Ich habe mich neu orientiert. Er ist umwerfend charmant und anziehend.“

8. Kapitel
Sommer 1992

Langsam wurde Daniela ungeduldig. Immer wieder ging ihr Blick zur Uhr. Thomas sollte längst da sein. Heute war schließlich der Tag der Wahrheit. Thomas, Stephan und sie würden gemeinsam zur Submission fahren. In ihrem Beisein sollten die Angebote aller Bieter eröffnet werden. In weniger als zwei Stunden wüssten sie endlich, ob sich die Arbeit eines halben Jahres für sie gelohnt hatte. Ob die zahllosen Meetings mit und ohne Streitereien zwischen Schwerdtfeger und Hansgen zu einem guten Ende geführt hatten.

Thomas war der Berater ihrer Hausbank geworden. Robert hatte nichts gegen Danielas Vorschlag einzuwenden gehabt. So war Daniela von diesem Zeitpunkt an eine Kundin. Und genau so behandelte er sie auch. Sie trafen sich nur noch im Dienst. Privat ging er ihr aus dem Weg. Jeden Versuch eines zärtlichen Blickkontakts wehrte er ab. Daniela spürte, wie sehr es sie schmerzte.

Endlich traf Thomas ein. Daniela war froh, ihn zu sehen. Ihre Sorge, er könne zu spät kommen, war von Minute zu Minute gewachsen. Noch ehe er ihr die Hand reichen konnte, verfiel sie in Hektik. „Lass uns starten. Stephan wird schon auf dem Parkplatz warten. Wir nehmen mein Auto."

Ihr Auto war ein Dienstwagen. Vor einem knappen halben Jahr, mitten im Büroalltag, hatte plötzlich ein Kollege vom Fuhrpark in Danielas Büro gestanden. Sie kannte ihn schon seit langer Zeit. Daniela bemerkte sofort den eleganten Anzug. Gleichzeitig hatte sie ein Bild aus älteren Tagen vor Augen. Sie wusste noch sehr genau, wie es damals war, als sie am Ende der Achtziger im Fuhrpark einen Dienstwagen für den nächsten Tag hatte bestellen wollen. „Toll, haben Sie auch schon ausgeschlafen?“, hatte er gewettert. „Für morgen. Eigentlich ist es zu spät.“ Damals war sie geneigt, militärische Haltung anzunehmen und die Hacken zusammenzuschlagen. Jetzt aber stand er vor ihr, deutete eine leichte Verbeugung an und sagte: „Dürfte ich Sie kurz stören? Ich habe den Auftrag, Ihnen die Wagenschlüssel zu überbringen. Unten steht Ihr Fahrzeug. Ich würde Ihnen gern eine kleine Einweisung geben.“ Daniela hatte ihn angestarrt und konnte an die Einhundertachtzig-Grad-Wendung nicht glauben. In diesem Moment hatte sich zum zweiten Mal die Tür geöffnet. Schwerdtfeger war eingetreten. Er sagte: „Jetzt bin ich zu spät. Ich wollte Ihnen mitteilen, dass sie einen Dienstwagen erhalten. Der Vertrag ist unterschriftsreif. Sie können das Fahrzeug übernehmen.“

Daniela war zu keiner Regung fähig gewesen. Völlig entgeistert saß sie da und sah die beiden an, einen nach dem anderen. Im gleichen Moment drängte sich eine ganz andere Frage auf: Was sollte sie mit diesem Auto anfangen? Sie benutzte öffentliche Verkehrsmittel, hatte eine gute und schnelle Verbindung.

Sie hatte sich einen Ruck gegeben, war dem Kollegen nach draußen gefolgt und hatte die Instruktion über sich ergehen lassen. Sie konnte sich erinnern, sehr froh gewesen zu sein, als alles vorbei war und sie an ihren Schreibtisch zurückkehren konnte. Erst nach und nach entwickelte sie ein Verhältnis zu diesem Benz.

Daniela war das reinste Nervenbündel. In wenigen Augenblicken würden die Umschläge mit den Angeboten geöffnet. Ihre Offerten würden nach der Höhe der Preise sortiert. Endlich hätten sie eine erste Standortbestimmung. In den nächsten sechs Wochen würde ihr Finanzkonzept geprüft.

Nur der Erste konnte gewinnen. Schon ein zweiter Platz machte sie zum Verlierer. Sie brauchten diesen Auftrag hier am

Ort, auch wegen der dringend benötigten Referenz eines Großprojektes. Daniela empfand die Spannung als unerträglich. Sie musste nach einer Möglichkeit suchen, sich abzulenken. Krampfhaft fahndete sie nach einem Thema, mit dem sie ihre Gedanken fesseln konnte, ohne ständig an den Inhalt der Briefumschläge denken zu müssen. Mit einem Seitenblick auf Thomas erfasste sie Traurigkeit. Der schaute starr geradeaus. Ihr Verhältnis zueinander machte Daniela zu schaffen. Sie wusste, dass sie die Schuld an dieser verkorksten Situation trug.

Daniela bemerkte ihre zitternden Hände. Noch einmal schaute sie zur Seite. Stephan verkörperte die Ruhe in Person. Thomas zeigte noch immer keinerlei Regung.

Endlich griff der Verantwortliche nach den Umschlägen. Scheinbar ewig dauerte es, bis er mit seinem Brieföffner das schützende Papier durchtrennt hatte. Langsam, für Danielas Geschmack viel zu langsam, entnahm er die Dokumente. Er legte sie vor sich auf den Tisch. Danielas Nerven waren zum Zerreißen gespannt. Ein kurzer Blick wanderte zu ihren Mitstreitern. Dann begann das Verlesen der Angebotspreise.

Sie waren Fünfter. Fünfter von zwölf. Der Wettbewerb war für sie zu Ende. Sie würden keine Chance haben, von Platz fünf auf Platz eins zu segeln. Ein halbes Jahr Arbeit war vergebens. Der Nervosität folgte augenblicklich die Ernüchterung.

Wie konnten sie so deutlich daneben liegen? Sie waren am Ort ansässig. Sie produzierten hier.

Der Erste hatte einen Kampfpreis abgegeben. Daran bestand kein Zweifel. Einen solchen Preisabschlag konnten sie sich nicht leisten. Doch auch vom Zweiten waren sie ziemlich weit entfernt. Daniela rang um Fassung. Die Mienen ihrer Mitstreiter waren versteinert. Ihr Finanzierungskonzept würde den Rückstand nicht aufholen können. Selbst im günstigsten aller Fälle unterschieden sich ihre Konditionen nur marginal. Das war zu wenig, um diesen Preisunterschied wettmachen zu können. Sie hatten verloren. Sie konnten gehen, um sich neuen Aufgaben zu stellen. Die nächsten sechs Wochen durften andere hoffen. Sie erhoben sich von ihren Stühlen und schauten sich schweigend an. Dann folgten sie den anderen und verließen den Raum.

Thomas wollte zurück in die Bank. Daniela schaute ihn an und sagte: „Fahr mit uns. Ich kann dich dort absetzen."

Er musste das Elend allein verdauen. Sie und Stephan waren wenigstens zu zweit. Daniela wünschte, er würde endlich etwas sagen. Thomas schwieg jedoch beharrlich. Ihrem Blick wich er aus. Daniela konzentrierte sich auf den Straßenverkehr und versuchte, nicht mehr über ihn nachzudenken.

Mehr als ein „Tschüss" hatte er nicht über seine Lippen gebracht, als Daniela anhielt, um ihn aussteigen zu lassen.

Auch Stephan schwieg. Er hatte die Hand bereits am Sicherheitsgurt und wollte ihn lösen. Dann bemerkte er, dass Daniela keine Anstalten machte, ihren Fuß vom Gaspedal zu nehmen. Nichts deutete darauf hin, dass sie vor dem Bürogebäude parken wollte. Stephan schaute sie von der Seite an. „Siehst du nicht, jeder Winkel belegt. Wir müssen es ein paar Straßen weiter versuchen", sagte sie. Stephan runzelte die Stirn. Alle Führungskräfte hatten eigene Parkplätze. Daniela und er benutzten diese tagtäglich. Er konnte sehen, dass ihr Stellplatz frei war.

Daniela war fest entschlossen, Zeit zu schinden. Sie hatte keine Lust, vor dem Haus auszusteigen. Daniela verspürte den dringenden Wunsch, ein paar Schritte zu Fuß zu gehen. Den Kopf zu lüften.

Sie fuhr weiter und stoppte in deutlicher Entfernung zur Firma. „Ich brauche einen kurzen Augenblick", sagte sie. Stephan nickte verständnisvoll. Sie stiegen aus und liefen los. Viel zu schnell gelangten sie dennoch zum Gebäude.

Danielas erster Blick fiel auf das Aquarium, das im Foyer die hintere Wand einnahm. Ein Blickfang. So hatte es sich der Architekt gedacht, als er diesen Raum gestaltete. Die Fische schwammen genüsslich ihre Bahnen. Der mit den großen Augen hatte es Daniela besonders angetan. Jeden Morgen zwinkerte sie ihm zu.

Die teure Designercouch war verwaist. Die Empfangsdame langweilte sich. Als sie Daniela und Stephan eintreffen sah, ging sie plötzlich geschäftig irgendeiner Sache nach.

Sie gingen zum Fahrstuhl, obwohl Daniela lieber die Treppe benutzt hätte.

Sekunden später bereute sie ihren Entschluss. Der Fahrstuhl war bereits auf dem Weg zu ihnen. Das leise „Kling“ verriet, dass sich gleich die Türen öffnen würden.

Plötzlich standen sie Holger gegenüber. Daniela und Stephan tauschten einen Blick. Es konnte kein Zufall sein. Er musste sie vom Fenster aus beobachtet haben. Stephans Miene verfinsterte sich. Daniela hatte den ausdruckslosesten Blick, zu dem sie fähig war, aufgesetzt. In ihr rumorte es.

Dieses unverschämte Grinsen, das er hinter einer Fassade aus gespieltem Bedauern versteckte, war ekelhaft. Er sprach tatsächlich Sätze wie: „Schade, vielleicht beim nächsten Mal. Ärgert euch nicht.“

Aus seinem Mund klang das Wort „schade“ nach Schadenfreude. Es wäre auch sein Auftrag gewesen. Geld, das auch ihn ernährt hätte. Er war hier für den Vertrieb mitverantwortlich. Doch so wollte er offensichtlich nicht denken.

Sophia, wo hat der Charme? Wo kannst du hier Liebreiz und Anziehungskraft sehen? Er ist ein Mistkerl und gehört in die Verbannung, schoss es Daniela durch den Kopf.

Holger war der Mann, den Hansgen ihnen im vorletzten Meeting als Vertriebsverstärkung präsentiert hatte. Er war der Zweiunddreißigjährige mit der gereiften Lebenserfahrung und dem unschlagbaren Know-how. Schlimmer war jedoch, dass er auch der Lebensgefährte von Sophia war. Der Mann, der nach Frank kam.

In Sophias letzten Tagen an der Uni waren sie sich über den Weg gelaufen.

Freudestrahlend hatte Sophia ihn bei nächster Gelegenheit Daniela vorgestellt.

Anschließend, als sie wieder allein waren, hatte sie wiederholt von seinem Charme geschwärmt. Daniela war sprachlos und irritiert zugleich. Die Freundin hingegen befand sich im Freudentaumel.

Die Wörter „Mistkerl" und „Verbannung" standen in diesem Moment in Danielas Gesicht geschrieben. Anders war es nicht zu erklären, dass Stephan sie am Arm packte und beiseite dirigierte. Behutsam schob er sie in den Fahrstuhl, mit dem Holger gekommen war.

Sie ließen sein Gefasel unkommentiert verhallen.

Ihre Sorgen waren nicht seine Sorgen.

„Sag mal, woher weiß der, dass wir verloren haben?" Daniela schaute Stephan an.

„Ich habe telefoniert. Das war so abgemacht."

„Aber doch nicht mit ihm?"

„Nein, mit Hansgen", antwortete er.

Stephan folgte ihr. Sie brauchten jetzt einen Kaffee und eine Analyse.

„Weshalb haben die uns geschickt?" Daniela war diese Frage bereits im Auto durch den Kopf gegangen. „Haben sie gewusst, dass wir verlieren?"

Stephan schaute sie an und sagte: „Dass sie es gewusst haben, glaube ich nicht. Es kann jedoch gut sein, dass Hansgen es geahnt hat."

„Und Schwerdtfeger?" Die Frage hätte sie nicht stellen müssen. Daniela konnte die Antwort selbst geben. Inzwischen kannte sie ihn ganz gut. Daniela wusste, dass Verlieren nicht zu seinem Bild von sich selbst passte.

Ihr Telefon klingelte. Schwerdtfegers Sekretärin rief an. Daniela sah es im Display.

„Stephan, wappne dich. Es geht los“, sagte sie und nahm ab.

Schwerdtfeger war nicht allein in seinem Büro. Der Übergewichtige fläzte auf einem der schwarzen Stühle am Besprechungstisch.

Stephan und sie hatten einen kurzen Moment Zeit, einen Blick zu wechseln. Weder er noch sie hatten Lust, als Sündenböcke vorgeführt zu werden. Dennoch war ihnen klar, dass sie es nicht verhindern können würden.

Schwerdtfeger bat sie, sich zu setzen. Er selbst hatte einen Stuhl gegenüber Hansgen gewählt. Daniela und Stephan hatten keine andere Wahl, als sich jeweils zwischen den beiden niederzulassen.

„Wer beginnt?“ Schwerdtfeger schaute sie nacheinander an.

Stephan würde beginnen. Das hatten sie auf ihrem Gang hierher vereinbart.

Daniela sah Schwerdtfeger ins Gesicht. Seine Mimik verriet nicht die kleinste Gefühlsregung. Er vermittelte Gelassenheit.

Daniela drehte den Kopf und schaute auf Hansgen. Ob der sich einmal aufrecht hinsetzen konnte? Spontan dachte Daniela an die alten Bürostühle in ihrem ersten Domizil. Die hätten Hansgens Gewicht keine Stunde lang ausgehalten. Aber auch die neuen Stühle schienen unter der Last zu ächzen.

Ganz so, als hätte Hansgen Danielas Gedanken gelesen, stand er auf. In der rechten Hand hielt er seine Lesebrille, die er in diesem Moment zum Gesicht führte. Aus für Daniela unerklärlichen Gründen begann er, auf einem der Brillenbügel zu kauen.

Stephan blickte irritiert. Er war noch nicht am Ende seiner Ausführungen angekommen. Hansgen stand und kaute. Stephan saß und sprach. Schwerdtfeger blickte noch immer regungslos geradeaus.

Daniela und Stephan schauten sich an, während Stephan zügig weitersprach. Daniela wusste, er wollte schnell fertig werden.

Hansgen war inzwischen schräg hinter Daniela getreten. Sie rührte sich nicht. Dann wandte sie den Kopf. Vorsichtig schaute sie an ihm hinauf. Die Brille befand sich jetzt auf seiner Nase. Sie schaute an ihm hinunter. Daniela sah auf seine Schuhe. Die schien er gerade erst gekauft zu haben. Im Gegensatz zu seiner sonstigen Garderobe sahen sie neu aus.

Dann begann Hansgen zu sprechen. Daniela vernahm das Wort „Dumpingpreis“.

Stephan blickte starr in den Raum. Daniela spielte mit dem Gedanken, aufzustehen und zu gehen.

Plötzlich spürte sie, wie Hansgen seine Hände auf ihre Schultern legte, während er ohne Inhalt Satz an Satz reihte. Er musste jetzt direkt hinter ihr stehen.

Daniela überkam Ekel.

Hansgen machte keine Anstalten, seine Hände von ihr zu nehmen. Während Daniela darüber nachdachte, was sie tun sollte, kam ihr Schwerdtfeger zu Hilfe.

„Würden Sie sich setzen?“, sagte er mit scharfem Ton und Blick auf seinen Kollegen.

Schwerdtfeger hatte seine Sprache wiedergefunden. Daniela war dankbar. Er hatte ihr eine Entscheidung abgenommen, würde Hansgen sich endlich wieder hinsetzen.

Daniela atmete tief durch. Sie kämpfte gegen Übelkeit. Und den Wunsch, den Dicken zu erwürgen. Dann endlich entfernte Hansgen seine Hände von ihren Schultern. Jetzt stand er wieder neben ihr. Daniela blickte an ihm herab. Er wusste nicht, dass in letzter Sekunde seine neuen Schuhe verschont geblieben waren.

Das Gespräch war beendet. Weder Hansgen noch Schwerdtfeger hatten ein Wort über die eigene Verantwortung für dieses Desaster verloren.

Daniela hatte genug von diesem Tag. Am liebsten wäre sie gegangen. Aber es war erst kurz nach Mittag und sie hatte noch kein Stück vom Tagwerk vollbracht.

Die Sonne ging bereits unter, als sie auf die Uhr blickte. Langsam aber sicher sollte sie die Segel streichen und nach Hause fahren. Wenn sie ehrlich war, hatte sie dazu keine Lust.

Entsprechend gelaunt schlenderte sie zu ihrem Auto. Sie stieg ein, startete den Motor und fuhr los. Ohne nachzudenken nahm sie den Weg zu Sophia. Dort angekommen, parkte sie und stieg aus. Sie hatte noch nicht einmal etwas zum Betrinken dabei, dachte sie und erschrak. Was wäre, wenn Holger ihr die Tür öffnen würde? Dessen Existenz hatte sie völlig ausgeblendet. Einen Augenblick lang überlegte sie, wieder ins Auto zu steigen. Dann entschied sie, bei Thomas zu klingeln.

Der Türöffner wurde betätigt. Daniela betrat das Haus. Wie eine Diebin schlich sie an Sophias Tür vorbei. Sie hoffte inständig, diese würde nicht zufällig geöffnet werden. Daniela beeilte sich. Sie nahm zwei Stufen auf einmal. Zügig hatte sie das oberste Stockwerk erreicht.

Sein Gesichtsausdruck war eindeutig. Thomas war überrascht, sie zu sehen.

„Ich wollte zu Sophia. Vor einer Minute habe ich entschieden, bei dir zu klingeln“, sagte sie ziemlich außer Atem nach ihrem Spurt durch das Treppenhaus.

Thomas sah in ihre Augen, als er sagte: „Ich bin daran gewöhnt, bei dir nur zweite Wahl zu sein.“

Daniela erschrak. Was hatte sie erwartet?

„Komm trotzdem rein, wenn du noch willst. Ich koche gerade. Es reicht für zwei." Seine Stimme klang in diesem Moment sehr viel freundlicher.

Seit ihrem letzten Besuch wusste Daniela, wo sie ihre Jacke aufhängen konnte. Thomas stand schon wieder am Herd, als sie ihn fragte, ob sie helfen könne. „Du kannst den Tisch decken." Dabei zeigte er auf einen der Küchenschränke. Daniela vermutete dort Geschirr und Besteck. Er würdigte sie keines Blickes. Seine Aufmerksamkeit gehörte dem Gemüse, das er soeben ziemlich professionell mit einem Messer bearbeitete.

Daniela werkelte schweigend mit Gläsern, Tellern, Messern und Gabeln.

„Stell Weingläser dazu. Ich habe einen Château Lanessan aus dem Haut Médoc. Du magst doch Wein aus Bordeaux", sagte Thomas. Daniela spürte Erleichterung.

„Den Tag sollten wir schleunigst vergessen, oder?" Daniela schaute ihn an. Sie erwartete Zustimmung.

„Vielleicht sollte man einfach daraus lernen?" Thomas blickte ziemlich streng. Daniela sah ihn an und blieb stumm.

„Auch ich muss meinen Aufwand rechtfertigen. So wie ihr es getan habt, kann man die Dinge nicht anfassen. Hansgen hätte sein Ohr am Geschehen haben müssen. Offensichtlich kennt er niemanden, den man in solchen Projekten einfach kennen muss. Nicht die kleinste Insiderinformation ist durchgedrungen. Dank Hansgen sind wir blind angetreten. Dann auch abgetreten." Daniela kaute. Insofern musste sie nicht reden.

„Schmeckt es dir?", fragte Thomas. Daniela wusste nicht, ob die Frage ironisch gemeint war. Sie antwortete: „Es schmeckt." Dann schwieg sie wieder.

Daniela wusste, wie recht er hatte. Im selben Moment fragte sie sich, wie sie beide jemals die Kurve zu einem entspannten und nicht durch berufliche Dinge belasteten Miteinander bekommen würden. Es war ein Fehler gewesen, hierher zu kommen. Sie sollte nach Hause gehen.

„Du hast gekocht. Ich räume auf. Dann gehe ich." Daniela stand auf und beugte sich über den Tisch, um das Geschirr zusammenzustellen.

„Wir räumen gemeinsam auf. Ich würde mich freuen, wenn du noch ein wenig bleibst", antwortete er.

Sie schaute in seine Augen. Braune Augen, kein anderer Farbton störte das warme Braun. Das Braun seiner Augen passte zur Farbe seiner Haut, die selbst im Winter leicht sonnengebräunt schimmerte. Und zu seinen dunklen Haaren.

Thomas sagte noch einmal: „Ich würde mich freuen, wenn du bleibst." Während er sprach, behielt er sie fest im Blick. Daniela machte keine Anstalten, antworten zu wollen.

Der Klang seiner Stimme berührte sie. Thomas sprach in einem Tonfall, der ihr unter die Haut ging. Sie wusste, wie seine Stimme im Dienst klang: sonor, exzellent artikuliert, dabei war er sachlich und distanziert. Jetzt war er nah. Ziemlich nah. Daniela spürte die Gänsehaut, die sich auf ihrem Körper ausbreitete.

„Ja", sagte sie und ging auf ihn zu. Daniela legte ihre Arme um seinen Nacken und küsste ihn. Sie kam erst wieder zu sich als Thomas in ihr Ohr flüsterte: „Bleib bis morgen."

Daniela erschrak. Was sollte sie tun? Sie konnte nicht bleiben. Ihr Auto stand vor Sophias Tür. Hinter dieser Tür konnte Holger sein.

„Ich glaube, das geht nicht", flüsterte sie zurück, den Tränen nahe.

Stephan wirkte erstaunlich gut gelaunt, als er am nächsten Morgen Danielas Büro betrat und einen Kaffee einforderte. Sie wunderte sich und sagte: „Für einen Chefingenieur, der gestern ein Megaprojekt verloren hat, bist du gut drauf."

„Du musst das wegstecken. Neues Spiel ... Lass uns das Thema wechseln. Erzähl mir etwas über Thomas“, sagte er. Dabei löffelte er unaufhörlich Zucker in seine Tasse.

„Du solltest sparsamer damit sein“, antwortete sie. Daniela zeigte zuerst auf die Zuckerdose. Dann auf seinen Bauch.

„Findest du?“ Seine Erschrockenheit war nicht gespielt.

„Hast du ihn dir einmal angeschaut?“, sagte sie, „Thomas und seinen Traumbody? Der verdrückt gewiss nicht so viel wie du von diesem Zeug.“ Daniela konnte sich ein Feixen nicht verkneifen, obwohl sie das Thema Thomas heute mehr denn je schmerzte.

Stephan war etwa so groß wie Thomas. Das war jedoch die einzige äußerliche Gemeinsamkeit der beiden Männer. Stephan war blond, hatte blaugraue Augen und wirkte unsportlich. Obwohl er felsenfest behauptete, Sport zu treiben. Daniela hatte über die Jahre nicht herausbekommen können, um welche Sportart es sich handelte. Stephan hatte einen deutlichen Bauchansatz. Und der Bauch wuchs weiter. Auch wenn er es immer bestritt.

Daniela lächelte. Stephan schmollte. Dann siegte seine Neugier. „Stimmt es, dass ihr ein Paar seid?“

Daniela atmete tief ein. „Wer sagt das?“ Sie schaute Stephan an.

„Sag einfach Ja oder Nein“, antwortete er.

So einfach war es nicht. „Jein“, sagte sie und wusste, dass das keine Antwort war.

Stets war sie in Ratlosigkeit versunken, wenn sie über eine Lösung ihres Problems nachdachte. Sie sagte: „Mit dem Auftauchen von Holger ist das Ganze nicht einfacher geworden. Weder Schwerdtfeger noch Robert interessieren sich für mein Privatleben. Hansgen und Holger schon. Realistisch betrachtet ist es ein Konflikt. Thomas verdient mit uns nicht wenig Geld für die Bank. Sollten Hansgen und Holger intrigieren, müsste Schwerdtfeger eingreifen. Thomas müsste das Mandat abgeben. Er würde den Umsatz verlieren, an dem er gemessen wird. Auch er steht in Konkurrenz. Und das im eigenen Haus. Ein erfolgreicher Ossi, noch dazu ein Quereinsteiger, wird auch von den eigenen Kollegen beäugt."

Stephan sah sie an: „Möglicherweise reden wir nicht nur über seinen Umsatz. Das Ganze könnte vor allen Dingen dir Probleme bereiten. Ihr solltet eine Lösung suchen. Im Zweifel sollte er schnell an einen seiner Kollegen übergeben." Daniela nickte, als Stephan weitersprach: „Wenn wir schon in dieser Angelegenheit nicht weiterkommen, wie wäre es, wenn du mich in ein paar Einzelheiten im Fall Holger einweihen würdest?"

Sophia war an ihre Fakultät zurückgekehrt, um ein paar letzte Dinge zu erledigen. Dort war ihr Holger über den Weg gelaufen. Im Schlepptau eines Professors aus dem Westen hatte er den Weg in ihre Stadt gefunden. Ohne Promotion, das war ihm klar, würde es schwierig für ihn werden. Er war schon zweiunddreißig. Zu alt für eine wissenschaftliche Karriere.

An vielen Stellen der hiesigen Wirtschaft wurden Leute gesucht, die qualifiziert waren. Jedoch nicht mithilfe eines Headhunters, sondern abends in der Kneipe, war er auf Hansgen getroffen.

Einsame Glücksritter waren zu Hauf bei ihnen eingefallen. Sie regelten Geschäfte wie Personalangelegenheiten am Kneipentisch. Daniela schauderte, wenn sie sich vorstellte, wie Hansgen am Biertisch agierte.

Stephan hatte ihr aufmerksam zugehört. „Wir haben einiges an Schrott abbekommen. Was meinst du?" Er verzog das Gesicht. Stephan kannte Danielas Antwort bereits.

Daniela war schnell klar geworden: Sie fand Holger weder attraktiv noch schön. Sobald er längere Zeit sprach, ging ihre Konzentration flöten. Seine geistigen Ergüsse waren für sie weder interessant noch spannend.

Wie konnte es so sein, wenn doch Sophia alles anders sah?

Es war zum Verzweifeln. Sie waren dreißig Jahre lang gemeinsam durch Höhen und Tiefen gegangen. Nun steuerten sie auf eine Zerreißprobe zu. Wegen eines Mannes.

Liebe war nichts Rationales. Liebe war anstrengend. Daniela schüttelte den Kopf. Mit dieser Erkenntnis konnte der Tag nur beschwerlich werden.

9. Kapitel
Spätsommer 1992

Daniela durfte auf keinen Fall vergessen, Punkt zwölf auf Deck 8 zu erscheinen.

Deck 8 war der Name ihres neuen Mitarbeiterrestaurants. Heute würde es feierlich eingeweiht werden. Schwerdtfeger und Robert würden das Band durchschneiden.

Daniela hatte schon einmal einen Blick in die neuen Räumlichkeiten werfen können. Sie fand die Ausstattung umwerfend schön.

Deck 8 befand sich im achten Obergeschoss. Über den Büros der Vorstände. Die großen Glasfenster ermöglichten einen Blick auf ihre Stadt, wie man ihn selten fand.

Das Catering zur Eröffnung würde ein benachbartes Hotel übernehmen. Getrost konnte man es als eines der besten Häuser am Platz bezeichnen. Daniela hatte das Preisangebot in den Händen gehalten. Kurzzeitig war sie erstarrt, als sie die letzte Seite aufgeklappt und einen Blick auf die Gesamtsumme geworfen hatte.

Schwerdtfeger meinte, man könne sich das schon einmal leisten. Daniela hatte nicht widersprochen. Sie wusste, dass die Wohltaten an die Mitarbeiter auch von dem ablenken sollten, was neben Deck 8 eingerichtet worden war.

Hinter einer nur mit Codekarte zu passierenden Tür verbarg sich das neue Vorstandscasino. Das war an Luxus nicht zu übertreffen. Daniela hatte auch diese Räume besichtigt. Dabei hatte sie alles genau inspiziert. Sie hatte die Küchenschränke geöffnet und vorgefunden, was sie erwartet hatte. Porzellan und Besteck waren von edlen Marken. Die Küchengeräte würden jeden Profikoch vor Neid erblassen lassen. Einen Hobbykoch sowieso. In diesem Moment hatte sie Thomas beim Gemüseschneiden vor Augen. Schnell war sie auf dem Absatz umgekehrt. Eilig hatte sie ihre Schritte in das eigentliche Casino gelenkt. Sie wollte nicht wissen, wie kostspielig allein der Marmor gewesen war. Wenngleich sie auch Zugriff auf diese Rechnung haben würde. Die verwendeten Stoffe kamen wahrscheinlich aus Mailand. So jedenfalls stellte sie sich das vor. Noch hatte ihre Zeit nicht ausgereicht, nach Italien zu reisen und nachzuschauen, welche Waren dort angeboten wurden.

Das Klingeln ihres Telefons riss sie aus ihren Gedanken. Robert wollte sie sehen. Schwerdtfeger und sie. Sofort, noch bevor das Band durchgeschnitten werden sollte. Daniela wunderte sich. Jedoch: Sofort hieß sofort.

Ohne strenge Disziplin funktionierte Führung nicht. Das galt auch in einem Unternehmen, in dem man sich beim Vornamen nannte. In dem das „you" wie „du" klang. Daniela schaute kurz in den Spiegel. Dann machte sie sich auf den Weg.

Sie hatte Platz genommen. Keine Spur von Schwerdtfeger. Roberts Miene verfinsterte sich zusehends. Es kostete ihn Mühe, seinen Zorn zu unterdrücken. Selten hatte Daniela ihn in einer solchen Verfassung erlebt.

Währenddessen beschlich sie der Gedanke, Schwerdtfeger könne noch nicht im Haus sein. Nicht zum ersten Mal wäre das der Fall. Sie wusste, er hatte eine alte Villa erworben. Die ließ er sanieren. Jede Woche einmal veranstaltete er eine Bauberatung. An diesen Tagen schwänzte er.

„Gut, wir sollten nicht länger warten." Robert richtete seinen Blick auf Daniela. „Ich möchte dir etwas mitteilen." Daniela schaute ihn aufmerksam an.

„Mein Engagement in Deutschland ist zu Ende. Meine Aufgabe war es, dieses Investment bis zu einem bestimmten

Punkt zu begleiten. Der ist erreicht. Auf mich warten neue Aufgaben. Du wirst mit Schwerdtfeger nach New York reisen. Dort werdet ihr Eddy und Claire kennenlernen."

Den Namen Claire hatte Daniela irgendwann schon einmal gehört. Genaueres wusste sie nicht. Anders im Fall von Eddy. Eddy war der CEO. Das wussten alle.

Schwindel erfasste Daniela. Ihn und Claire kennenlernen. Nach New York reisen. Sie war sprachlos. Weniger als eine Stunde zuvor hatte sie noch über Mailand sinniert. Nun sollte sie auf einen anderen Kontinent reisen.

Ihre Gedanken überschlugen sich, als sie Roberts Büro verlassen hatte. Beinahe war sie nicht in der Lage, ihre schlotternden Beine zu beherrschen.

New York war der Inbegriff der Ferne für jemanden wie sie, die noch vor kurzer Zeit ihr Dasein hinter dem eisernen Vorhang hatte fristen muüssen.

New York war der Wahnsinn.

Daniela war kein Mann. Demzufolge würde sie keinen schwarzen Anzug tragen können. Sie benötigte etwas Brauchbares für diesen Anlass.

Was, verdammt noch mal, trug man in New York?

Der Einzelhandel in ihrer Stadt glich einer Katastrophe. Hatten sie sich unmittelbar nach der Grenzöffnung darüber gefreut, dass man ihnen auf Schritt und Tritt Waren anbot, die sie nicht kannten und schon aus diesem Grund umso mehr begehrten, so fühlten sie sich inzwischen wie in der Altkleidersammlung der Nation. In ihren Geschäften wurde angeboten, was im Westen niemand mehr kaufen wollte. Daniela fuhr nach Berlin oder Hamburg, um sich einzukleiden. Gedanklich sah sie sich bereits am Samstag auf der Autobahn. Sie sollte Sophia anrufen und sie bitten, mitzukommen. Holger könnte sich um Luise kümmern. Bei diesem Gedanken ertappte Daniela sich dabei, zu hinterfragen, ob sie das dem kleinen Mädchen zumuten sollte.

Daniela ließ sich auf ihren Stuhl fallen. Ohne weiteres Grübeln griff sie zum Hörer. Kurze Zeit später hatte sie Thomas' Stimme im Ohr.

„Fährst du mit mir am Samstag nach Hamburg? Ich muss mich für eine Dienstreise nach New York ausstaffieren." Am anderen Ende der Leitung blieb es still. „Thomas?"

„Shoppen gehört zu den beliebtesten Männeraktivitäten", antwortete er.

Die Ironie war nicht zu überhören. Wie war sie nur auf diese Idee gekommen?

Thomas hatte tatsächlich zugesagt. Sie waren gemeinsam nach Hamburg gefahren.

Den Einkauf wickelten sie zügig ab. Daniela hatte kurzzeitig gezögert. Sich dann aber entschieden und ihre Kreditkarte gezückt. Angemessen, in Escada gekleidet, stand der Reise in die Weltmetropole nichts mehr im Wege.

Beim Mittagessen hatte sie allen Mut zusammengenommen und ihn gefragt.

„Kannst du dir vorstellen, dein Engagement bei uns an einen deiner Kollegen abzugeben?" Thomas setzte sein Glas ab und sah sie an. „Bin ich nicht der Richtige? Hast du Grund zur Beschwerde?"

Daniela hörte seinen Unterton und antwortete: „Du weißt sehr wohl, dass es nicht daran liegt. Du musst auch nicht den Arroganten herauskehren. Ich denke einfach nur, dass das unser privates Verhältnis entspannen könnte."

Thomas schwieg. Daniela sah ihm in die Augen. Ein unterkühlter Blick traf sie.

„Kann es sein, dass du nach einem Vorwand suchst? Ich glaube nämlich, du bist einfach nicht entschlossen, dich zu entscheiden. Für mich", sagte Thomas.

Dann hatte sie geschwiegen.

Nun war sie hier. In New York.

Ehrfurcht war das richtige Wort. Daniela fühlte sich winzig klein zwischen diesen Häuserschluchten. Respektvoll schaute sie auf das kolossale Gebäude, vor dem sie standen. Trotz deutlichem Schlafdefizit erkannte sie in Sekundenschnelle, welche Dimension sie erwarten würde.

Daniela nahm ihre Besucherlegitimation entgegen. Sie spürte, es wurde ernst und wurde von einem Gefühl befallen, das sie zum letzten Mal vor einer Prüfung verspürt hatte.

Als Robert sie zu Schwerdtfeger gebracht und sie ihm ein „testen Sie mich" vorgeschlagen hatte, war sie vollkommen unbeschwert gewesen. Dieses Mal war alles anders.

Sie fühlte Schwäche in ihren Beinen. Im Bauch rumorte es. Ihr Puls ging schnell. Dabei bewegte sie sich im Moment noch nicht einmal.

Sie musste das Vorstellungsritual unbeschadet durchstehen. Der erste Eindruck war entscheidend. Das wusste sie nur zu gut. Ihre Nerven waren zum Zerreißen gespannt. Hoffentlich bekam sie keine feuchten Hände.

Dann standen sie sich gegenüber. Die Frau rechts neben dem älteren Herrn mit Glatze musste Claire sein. Claire war Amerikanerin mit französischen Wurzeln. Sie war die Chefin der Finanzabteilung. Mit zweiunddreißig Jahren war sie gerade einmal zwei Jahre älter als Daniela.

Robert hatte ihr zu diesem Wissen über Claire verholfen. Er hatte Danielas Aufregung gespürt und gemeint, sie solle sich entspannen. Sie sei gut gerüstet. Während er sprach, hatte er sie angelächelt. In Daniela war die Ruhe zurückgekehrt.

Bis hierher. Daniela atmete durch.

Claire sah fahl aus. Das rote Kostüm, das sie trug, machte die Blässe noch deutlicher. Auf Daniela wirkte sie kühl und distanziert.

Was hatte sie erwartet? Das hier war keine private Party, sondern ein knallharter Geschäftstermin.

Daniela hatte das Bekanntmachen überstanden. Sie hatte den Platz eingenommen, den man ihr zugewiesen hatte. Daniela sah Eddy ins Gesicht.

Der kam ohne Umschweife auf die verlorene Ausschreibung zu sprechen. Eddy wollte wissen, weshalb die Bewerbung um das Großprojekt verloren worden war. Daniela zuckte zusammen. Selbstverständlich hatte sie nicht geglaubt, ihre Gesellschafter würden kommentarlos auf diese Pleite reagieren. Spontan dachte sie jedoch an Hansgen. Der sollte diese sensible Frage beantworten müssen.

Man hatte jedoch nicht ihn eingeladen.

Eddy erteilte Schwerdtfeger das Wort.

In seiner Haut wollte sie nicht stecken. Daniela zwang sich zur Konzentration. Aufmerksam verfolgte sie Schwerdtfegers Bericht. Er zeigte keine Nervosität, strahlte Gelassenheit aus. Seine Worte deuteten nicht darauf hin, dass hier über einen negativen Sachverhalt berichtet wurde. Er sprach von Erfahrung sammeln, nächsten Projekten. Daniela traute ihren Ohren nicht. Schwerdtfeger versuchte tatsächlich, das verlorene Projekt als Erfolg darzustellen.

So sehr sie sich auch mühte, Daniela konnte nicht erkennen, was Eddy und Claire dachten. Deren Mienen verrieten nicht den kleinsten Ansatz einer Wertung.

Akzeptierten sie den Fehlwurf, weil es der erste war?

Würden sie jetzt gleich, wenn Schwerdtfeger zum Ende gekommen war, die rote Karte zücken? Das passende Kostüm trug Claire bereits.

Nichts passierte. Claire ergriff das Wort. Sie redete von Zukunft, Budgets und Finanzplanungen.

Daniela sah Claire an. Sie glaubte, in deren Gesicht eine Botschaft lesen zu können. Die lautete: einmal und nie wieder!

Sie wusste nicht, wie sie zu dieser Einschätzung kam. Für sie waren die Zwischentöne dennoch deutlich. Auch wenn Daniela zunehmend Mühe verspürte, sich auf die fremde Sprache zu konzentrieren. Sie musste zuhören, verstehen und werten. Ihre Aufmerksamkeit schwand. Sie konnte sich noch so anstrengen. Ihre Akkus waren leer. Daniela sehnte den Flieger und ihre Muttersprache herbei.

Noch wurde sie nicht erlöst. Die Prozedur dauerte eine weitere Stunde. Schwerdtfeger vermittelte nach wie vor einen entspannten Eindruck. Ganz so, als sei er im Urlaub.

Daniela litt.

Plötzlich ging alles ganz schnell. Daniela spürte Erleichterung.

Eddy und Claire verabschiedeten sich. Beiläufig trug Claire Daniela auf, Holger einen Gruß auszurichten.

Daniela glaubte, den Überblick zu verlieren.

Was hatten Claire und Holger miteinander zu tun? Claire hatte Danielas Irritation bemerkt: „Er hat mich angerufen und sich vorgestellt. Er scheint sehr nett zu sein. Ich komme bald nach Deutschland. Dann haben wir Gelegenheit, uns besser kennenzulernen."

Noch im Flugzeug gingen Daniela Claires Sätze nicht aus dem Kopf. Sie konnte Schwerdtfeger nur oberflächlich zuhören. Der redete irgendetwas von Erfolg.

Danielas Gedanken kreisten.

Claire fand Holger nett.

Sophia fand, Holger hatte Charme.

Daniela meinte, er sei ein Mistkerl und gehöre verbannt.

Es musste an ihr liegen. Eine andere Erklärung gab es nicht.

Total übermüdet nach Hin- und Rückreise innerhalb von 48 Stunden betrat Daniela das Bürogebäude. Der Erste, der ihr über den Weg lief, war Holger.

„Hallo Holger. Beste Grüße von Claire", sagte sie und blickte ihm in die Augen.

Holger zeigte keine sichtbare Reaktion. Er hatte sein Pokerface aufgesetzt. Über ein „Danke“ kam er nicht hinaus.

Es war nicht anders zu erwarten: geredet und nichts gesagt. Aber: etwas gespürt? Neid? Ein klein wenig Neid, der aus seiner Haltung sprach? Weil sie vor ihm in New York gewesen war?

Darauf hätte sie gern verzichtet. Der Anlass ihrer Reise war ein verlorenes Projekt. Viel lieber wäre ihr ein gewonnener Auftrag gewesen. Daniela hatte schon seit Tagen das Gefühl, Holger könne oder wolle in diesen Bahnen nicht denken.

Daniela lächelte ihn an. Sie versuchte zu strahlen. „New York ist eine tolle Stadt. Claire ist nett. Der Firmensitz ist beeindruckend. Du solltest auch einmal hinfahren.“

Dann ging sie weiter.

„Ihr habt über New York gesprochen?“ Stephan wich ihr nicht von der Seite.

„Keine Ahnung, frag mich etwas Leichteres. Bei dem weiß ich nie, worüber wir reden.“

Daniela lief zielgerichtet zu ihrem Büro. „Ich kann dieses Dauergrinsen nicht ertragen.“

Sie spürte, wie angewidert sie war. Jede Begegnung mit Holger war ihr ein Grauen.

„Er hat Claire angerufen und sich bei ihr vorgestellt. Sag mir, was hat ein Vertriebsleiter mit einer Finanzchefin zu schaffen?“ Daniela blickte Stephan an. Der zuckte die Schultern und antwortete: „Kleiner Karrierist? Der hat doch BWL studiert, oder?“

„Ich komme von Hansgen“, sagte er dann.

Daniela verdrehte die Augen. Die Kombination Hansgen und sie war mindestens so furchtbar wie die Verbindung zwischen Holger und ihr.

Dann musste sie lachen. In ihrer Erinnerung spielte sich eine Episode ab, die sie mehr als erheitert hatte.

Für Hansgen war ein Päckchen ohne Absender eingegangen.

„Persönlich“ hatte darauf gestanden. Seine Sekretärin traute sich nicht, es auszuwickeln. Er bat darum, sie solle bei ihm sein, wenn er es öffnen würde.

Hansgen hatte wahrscheinlich Angst, man wolle ihm ans Leder.

Zum Vorschein war etwas ganz und gar Ungefährliches gekommen: ein Spiegel.

Die Sekretärin mühte sich, die Entrüstung zum Ausdruck zu bringen, die er von ihr erwartete.

Keine Stunde dauerte es, bis sich das Ereignis herumgesprochen hatte. Als die Geschichte bis zu Daniela vordrang, hatte sie sofort die Auszubildenden im Verdacht. Zu oft war er den Mädels hinterhergeschlichen. Kurzzeitig spielte Daniela mit dem Gedanken, sie zu einem Eis einzuladen. Dann nahm sie Abstand. Sie wollte die jungen Damen nicht in Verdacht bringen.

Ihr half die Geschichte fortan, Hansgens Existenz gelassener zu ertragen. Das einzig Bedauerliche war, dass in ein normales Postpaket kein Ganzkörperspiegel passte.

Daniela horchte auf. Stephan sagte in diesem Moment, dass ein zweites großes Projekt ausgeschrieben worden war.

10. Kapitel
Sommer 1993

Sie hatte sich diesen Schritt genauestens überlegt. Entschlossen betrat Daniela das Reisebüro. Das Hotel, das sie jetzt buchen würde, entsprach passgenau dem Anlass.

Viele Male war sie in den vergangenen Wochen mit Stephan in Prag gewesen. Gemeinsam mit den dort ansässigen Kollegen hatten sie an ihrem neuen Projekt gefeilt.

Diesmal war es ihnen gelungen, als Sieger aus dem Wettbewerb hervorzugehen. Ihre Freude war riesig.

Jedoch wussten Stephan und sie nur zu genau, welche Anstrengungen alle Beteiligten zu verkraften hatten.

Holger hatten sie erfolgreich fernhalten können. Es war um die beste technische Lösung und um die Finanzierung gegangen. Hansgen hatte bei dieser Konstellation keine Chance, ihnen Holger unterzujubeln. Auch wenn er sie gern unter Kontrolle gesehen hätte. Für Schwerdtfeger schien die Welt in Ordnung, soweit sie vorankamen. Er war mit sich beschäftigt. Darüber hinaus zweifelte er nicht an ihrer Motivation.

„Die Suite soll es sein“, sagte Daniela. Die Mitarbeiterin des Reisebüros freute es. Die Provision fiel gewiss nicht niedrig aus. „Dazu benötige ich zwei Flüge Berlin–Prag und zurück auf die Namen Daniela Klimt und Thomas Nolden.“ Sie bemerkte, wie ihr Herz raste. Den heutigen Abend würden sie gemeinsam verbringen. Sie hatte keine Ahnung, wie er auf ihr unerwartetes Geschenk reagieren würde.

„Du hast dich in die Stadt verliebt“, sagte er zwischen zwei Bissen. Daniela führte die Gabel zum Mund. Sie wollte nicht antworten. Seit einer halben Stunde schwärmte sie von Prag – mit einem einzigen Ziel. Jetzt kaute sie.

„Dabei würde ich mir wünschen, du würdest dich endlich in mich verlieben." Provokant schaute Thomas sie an.

„Treffer", dachte Daniela und griff nach dem Umschlag. Langsam schob sie ihn über den Tisch.

Er stutzte.

„Für dich", sagte sie und beeilte sich, den nächsten Bissen hinterher zu schieben. Thomas legte sein Besteck beiseite. Er beäugte das Kuvert. „Reisebüro?"

„Schau rein", antwortete sie.

Thomas entfaltete die Papiere und las. „Prag? Du und ich? Bist du sicher? Ein Doppelzimmer hätte es nicht getan?"

Daniela antwortete: „Ich dachte, in einer Suite kann einer von uns immer noch auf dem Sofa schlafen." Dann registrierte sie erschrocken, dass zwischen ihnen tatsächlich nichts unmöglich schien. Rasch verdrängte sie den Gedanken.

Es war spät geworden gestern Abend, als sie auf dem Prager Flughafen gelandet waren. Sie waren beide gleich nach dem Start eingeschlafen. Kurz vor dem Landeanflug waren sie aufgewacht. Enttäuscht hatte Daniela bemerkt, dass es in Strömen regnete.

„Das fängt ja gut an", sagte sie enttäuscht mit Blick zum Himmel. Thomas sah sie an: „Weshalb bist du enttäuscht? Ich fühle mich ausgeschlafen und bereit für schöne Dinge. Es gibt Sachen, für die braucht man gar kein Wetter. Also, wo ist das Problem?"

Daniela hatte theatralisch den Kopf geschüttelt und geantwortet: „Aber mit Wetter ist alles schöner, glaub mir." Dann waren sie zum Hotel gefahren.

Die Suite hielt, was sie im Prospekt versprochen hatte.

Daniela räkelte sich genüsslich vor dem Bett stehend, als Thomas an sie heran trat, sie umfasste und ihr zuflüsterte: „Dani, bist du sicher, dieses Bett mit mir teilen zu wollen?“

Daniela erstarrte.

Man sagte nicht ‚Dani‘ zu ihr. ‚Dani‘ klang klein und niedlich. Oder niedlich und brav. Sie war keins von beiden. Im Bruchteil einer Sekunde hatte sie sich gefangen. Sie antwortete: „Ganz sicher.“

„Dann schlage ich vor, heute auf einen Restaurantbesuch zu verzichten. Zimmer-Service?“, fragte Thomas. Daniela nickte.

Ein Sonnenstrahl kitzelte Daniela im Gesicht, als sie aus einem erholsamen Schlaf erwachte. Behutsam drehte sie sich auf die Seite. Thomas schlief fest. Seine Gesichtszüge waren entspannt. Sein Atem ging ruhig und gleichmäßig. Liebevoll betrachtete sie ihn. Vom ersten Tag an hatte sie ihn gemocht. Seit ihrer ersten Begegnung waren tatsächlich beinahe drei Jahre vergangen. Endlich hatte sie seine Nähe zugelassen.

Vorsichtig schob Daniela die Bettdecke beiseite. Auf Zehenspitzen verließ sie das Zimmer. Sie wollte ihn nicht wecken.

Das Wasser der Dusche temperierte sie bewusst niedrig. Der Kälteschauer auf ihrer Haut verwandelte sich kurze Zeit später in eine prickelnde Erfrischung. Daniela freute sich auf diesen Tag. Sie schlüpfte in den flauschigen Bademantel.

Leise öffnete sie die Balkontür und trat hinaus. Aus dieser Perspektive eröffnete sich ein atemberaubender Blick. Die Regenwolken von gestern hatten sich komplett verzogen. Prag glänzte. Die goldene Stadt zeigte ihr schönstes Gesicht.

Während ihrer Aufenthalte hatte sie gemeinsam mit Stephan die Stadt durchstreift. Immer wieder hatte sie dabei der Wunsch überkommen, diese Erlebnisse mit Thomas teilen zu können. Endlich waren sie gemeinsam hier.

Unbemerkt hatte auch er das Bett verlassen und war hinter sie getreten. Sie spürte seine Lippen in ihrem Nacken und genoss.

„Guten Morgen, Dani. Ich verschwinde ins Bad. Lauf nicht weg."

Daniela überhörte den ungeliebten Kosenamen. Sie ließ ihren Gedanken freien Lauf.

Prag hatte in der Vergangenheit zu den wenigen erreichbaren Reisezielen gehört. Oft war sie hier gewesen. Sie hatte beobachten können, wie auch in dieser Stadt das Grau dominierender wurde. Nun war Aufbruch zu spüren.

Erste frische Farbtupfer erfreuten das Auge der Betrachter. Die Stadt lebte.

Während ihrer Arbeitsbesuche hatten sie immer im selben Hotel gewohnt. Mit ihnen gemeinsam bevölkerten Heerscharen westeuropäischer Geschäftsreisender das Haus. Während des Frühstücks konnten sie das bunte Sprachengewirr hören. Vergessen waren in diesen Momenten Hansgen, Holger und andere Widrigkeiten ihres beruflichen Alltages. Alles bewegte sich in eine Richtung: nach vorn. Das allein zählte. Stephan und sie hatten tausendfach debattiert. Und immer mit diesem Schluss geendet.

Sie roch sein Duschgel und kuschelte sich an ihn. „Sag etwas zu diesem Blick!" Daniela veranstaltete eine ausladende Armbewegung. Zwangsläufig musste sie sich dafür aus seinen Armen befreien.

Bevor er antworten konnte, redete sie weiter: „Weißt du, ich war als Teenager zum ersten Mal in Prag. Ich habe Sankt Veits besichtigt. Ein gotisches Bauwerk dieses Ausmaßes war im Ostblock nicht häufig zu finden. Zarte Gewölbe und anmutig schlanke Säulen, eine sagenhafte Statik, das sind die Erinnerungen, die ich in mir trage, wenn ich dort hinüber schaue."

„Du interessierst dich für alte Steine und Statik?"

Daniela überhörte seine Frage. Sie redete weiter: „Weißt du, was dann passiert ist? Ich habe die Kathedrale mehrfach besucht. Mit jedem Mal schien sie ein wenig kleiner geworden zu sein. Irgendwann wurde mir bewusst, wie sich der Blick verändert. Gewöhnung tritt ein. Es passiert mit rasanter Geschwindigkeit."

Thomas hatte sie wieder in seine Arme genommen. Er antwortete: „Ich glaube, dass man das Schöne ganz schnell für sich in Besitz nimmt. Man sieht es als selbstverständlich an. Ganz im Gegensatz zu Unangenehmem. Daran gewöhnt man sich entweder schlecht oder gar nicht. Menschen sind so gestrickt."

Daniela schmiegte sich fest an ihn, als sie leise sagte: „Lass mit uns alles so bleiben, wie es letzte Nacht war. Ja? Aber: Gewöhn dich nicht daran."

„Frühstück und anschließend Aufbruch? Ich bin eifersüchtig auf Stephan, der alles schon mit dir gemeinsam gesehen hat, was diese Stadt uns jetzt zeigen wird." Thomas schaute sie an. Daniela nickte zustimmend. „Frühstück und anschließend Aufbruch", sagte sie.

Der Tross war eingetroffen. Kurz zuvor waren Danielas Augen ein letztes Mal durch den Konferenzraum gewandert. Alles war perfekt vorbereitet. Das Ambiente stimmte. Der große neue Konferenztisch glänzte matt. Peinlich genau hatten sie an der Sitzordnung gefeilt. Daniela würde auf ihrer Seite als Verhandlungsführerin mittig sitzen. Ihr gegenüber befand sich der Platz für ihr Pendant, von dem sie bisher nur den Namen kannte.

Mit Amüsement sah Daniela Männer in schwarzen, blauen und dunkelgrauen Anzügen, über denen jeweils ein nicht geschlossener Trenchcoat wehte, auf sie zukommen. Die Träger dieser Kluft schwappten einer homogenen Masse gleich in den Raum. Danielas Blick wanderte von einem zum anderen.

Sie entschloss sich, dem Ältesten von ihnen entgegenzutreten. Laut sagte sie: „Herzlich Willkommen!“ und streckte ihm die Hand entgegen. Mit einiger Irritation blieb er regungslos vor ihr stehen. Sie konnte ihm ansehen, dass er nicht beabsichtigte, eine Sekretärin auf diese Weise zu begrüßen. Nur zögerlich entschloss er sich, doch zuzugreifen.

Daniela verzichtete bewusst darauf, ihren Namen zu nennen, als sie erkannte, was in ihrem Gegenüber ablief.

Rastlos wanderten seine Augen durch den Raum auf der Suche nach dem vermeintlich richtigen Gesprächspartner. Sein Blick blieb an Stephan hängen. Der aber stand etwas seitlich hinter Daniela und schien sich zu unterhalten. Wortfetzen drangen an ihr Ohr.

Die Kollegen aus dem Prager Büro begannen, die Mäntel der Gäste einzusammeln. Der Alte wirkte verlassen in der Mitte des Raums. Er war der Letzte, der noch im Trenchcoat dastand. Die anderen hatten intuitiv einen Halbkreis um Daniela und ihn gebildet. Daniela fragte ihn, ob er nicht auch seinen Mantel ablegen wolle. Eine der Kolleginnen stand bereit, das Kleidungsstück entgegenzunehmen. Dann endlich reagierte er.

Daniela sah ihn an und wies mit der rechten Hand auf den Platz ihr gegenüber, bevor sie sich setzte. Beinahe hilflos schaute der Alte auf Stephan, der inzwischen seinen Platz eingenommen hatte. Der Rest der Szene ging in einem kurzen Moment des Stühlerückens unter. Daniela fühlte sich bereit.

Sie sagte: „Meine Herren, ich begrüße Sie herzlich und darf mich vorstellen. Mein Name ist Daniela Klimt. Ich bin die Prokuristin unseres Unternehmens und von diesem beauftragt, die heutige Zusammenkunft zu leiten.“

Kaffee wurde gereicht und Wasser eingeschenkt. Daniela blieb ein kurzer Augenblick für das Studium der Physiognomie ihres Gegenübers.

Das Leben hatte Spuren in diesem Gesicht hinterlassen. Dennoch war seine Gesichtshaut gepflegt. Kein Grauschleier, der ihn kränklich aussehen ließ. Der Alte schien fit. Er war mindestens sechzig Jahre alt. Vielleicht sogar ein wenig älter. Seine Haltung deutete auf eine nicht zu beschreibende Arroganz. Daniela wusste, wie sie sich verhalten würde.

„Thomas, willst du wissen, wie es mir hier dienstlich ergangen ist?", fragte Daniela, nachdem sie einen Bissen Brötchen hinuntergeschluckt hatte. „Kampfszenen aus Prag gefällig?"

Dann erzählte sie, woran sie sich soeben erinnert hatte.

„Respekt. Die Nuss war schwer zu knacken."

Stephan hatte entspannt die Beine von sich gestreckt. Daniela hatte keine Chance, es ihm gleich zu tun. Sie hatte das Kostüm von Escada an. Der Rock war ziemlich kurz.

Das Gesicht des Alten ließ sie nicht los.

„Stephan, den kennen wir. Ich weiß nur nicht woher", sagte sie und trommelte mit ihren Fingern auf der Tischplatte.

Der Alte war Bauingenieur. Er arbeitete für einen großen Konzern in München. Seine Firma sollte das Bauwerk errichten. Sie würden die Anlagen liefern. Gemeinsam mussten sie einen Vorschlag einreichen, der baulich und anlagentechnisch überzeugte. Vor allen Dingen aber musste der Preis stimmen.

„Stephan, hast du heraushören können, wo er zu Hause ist? Ich meine, in welcher Region?", fragte sie.

„Der Sprache nach zu urteilen aus Berlin, oder? Weshalb ist das so wichtig?", antwortete Stephan.

„Thomas, so war es, mein erstes Zusammentreffen mit dem Ex-DDR-Zentralkomitee-Mitglied, das für einen riesigen westdeutschen Konzern arbeitet. Ich habe noch ein wenig Zeit gebraucht, dann wusste ich wieder, woher ich ihn kenne."

Der Baumensch hatte gehofft, Schwerdtfeger in Prag zu begegnen. Diesen Gefallen tat der ihm jedoch nicht. Schwerdtfeger war nie nach Prag gereist, um die Sitzungen zu leiten. Erst als alle Unterlagen fertiggestellt waren, trafen beide aufeinander. Gemeinsam gewannen sie das Projekt.

Daniela schaute Thomas an.

„Ex-DDR-Zentralkomitee-Mitglied? Schnell gewendet mit der Wende." Thomas zog die Brauen nach oben.

„Mit seiner Kenntnis des Ostblocks ist er wie geschaffen für die Eroberung neuer Märkte. Keine Pfeife wie Hansgen, der niemanden kennt. Wir haben den Auftrag bekommen. Mit ihm oder wegen ihm. Ich weiß es nicht. Du kannst davon ausgehen, dass seine Bosse zufrieden mit ihm sind."

„Dani, wie hast du dich gegen ihn zur Wehr gesetzt? Und weshalb hält Schwerdtfeger sich so dermaßen zurück?"

„Was Schwerdtfeger betrifft: keine Ahnung. Ich kann es nicht erklären, obwohl ich oft darüber nachdenke. Was soll ich tun? Ich kann sein Verhalten letztlich nur zu meinem Vorteil nutzen. Solange er mich gewähren lässt, kann ich mich ausprobieren. Ich weiß, Schwerdtfeger kämpft mit den Nöten seiner Frau, die in unserer Stadt keinen gescheiten Hummer zu essen bekommt. Er muss sie nach Berlin ins KaDeWe begleiten, um ihre Gelüste zu befriedigen. Wie soll er unter solchen Umständen Zeit für Prag haben? Und der Baumensch?" Daniela winkte ab. Sie hatte ihn behandelt wie jeden anderen an ihrem Tisch auch. Personenkult war ihr zuwider. Sie punktete mit Wissen.

Thomas schaute sie an.

Daniela kokettierte: „Sag, was glaubst du, welche der beiden Rollen steht mir besser? Prokura oder Hummer?"

Thomas schmunzelte. „Ich weiß es nicht, Dani. Ich glaube, ich würde die Frau mit dem Hummer bevorzugen", antwortete er und feixte.

„Kannst du bitte aufhören, mich ‚Dani' zu nennen?" Die Gelegenheit schien ihr günstig. Sie musste ihm diese blöde Abkürzung ihres Namens ausreden.

„Wie soll ich dich nennen?“ Thomas war sichtlich irritiert.

„Sag einfach Daniela. Wie alle anderen auch sagen.“

„Wie alle anderen auch. Ich verstehe.“

„So war es nicht gemeint. Ich mag diese Kurzform einfach nicht. Denk dir etwas Schlaueres aus. Und lass uns endlich losgehen.“

Gemeinsam verließen sie das Restaurant. Daniela griff nach seiner Hand.

„Ist dir bewusst, dass wir noch nie Hand in Hand spazieren gegangen sind? Heute ist unsere Premiere. Wir gehen zur Moldau, überqueren die Karlsbrücke und laufen zum Hradschin. Später essen wir Knödel und trinken Bier.“ Daniela zog ihn zu sich und küsste ihn. Leise sagt sie: „Thomas, ich liebe dich.“

„Und ich frage mich, was ich mit dieser anstrengenden Prokuristin anfangen soll. Weshalb kann ich die Frau mit dem guten Hummergeschmack nicht bekommen?“, fragte Thomas pathetisch. Er fasste Daniela fest an der Hand. Flüsternd fügte er hinzu: „Lass mich nie mehr allein.“

Auf der Karlsbrücke herrschte dichtes Gedränge. Junge Künstler präsentierten rechts und links des Weges ihre Bilder. Touristen blieben stehen. Sie schauten oder versuchten sich durchzuzwängen. Daniela hatte Lust zum Betrachten. Thomas und sie mussten sich gegen die vorwärts strebende Masse behaupten.

Nicht anders ging es in den engen Gassen auf dem Weg zur Burg zu. Tische und Stühle vor Cafés versperrten zusätzlich den Weg. Daniela genoss es, eng an Thomas geschmiegt den Anstieg zu bezwingen.

„Sankt Veits“, Daniela zeigte in Richtung der Kathedrale.

„Dann lass mal deine alten Steine sehen“, meinte Thomas. Sie liefen in Richtung des Einganges. Drinnen war es nicht ganz so überfüllt. Kühle schlug ihnen entgegen. Daniela trug ein luftiges Sommerkleid. Thomas bemerkte, wie sie fröstelte.

Er wechselte von Hand halten auf Umarmung, um ihr ein wenig von seiner Wärme abzugeben.

Kein schlechtes Gefühl, gehalten und gewärmt zu werden, dachte sie und sah ihn zärtlich an. Thomas registrierte ihren Blick. Er zog sie noch dichter an sich.

Daniela wusste nicht, weshalb. Plötzlich wanderten ihre Gedanken zu Sophia.

Seit langer Zeit hatten sie nichts voneinander gehört. Immer wieder hatte sie sich vorgenommen, Sophia darum zu bitten, mit ihr einen Nachmittag im Seebad zu verbringen. Daniela sehnte sich nach Luise. Das Mädchen trug keine Schuld am derzeitig verkorksten Verhältnis zwischen ihrer Mutter und ihrer „Beinahe-Tante". Immer wieder hatte es Gründe gegeben, weshalb Daniela den geplanten Anruf verschoben hatte. Einmal war es die fehlende Zeit. Dann eine Begegnung mit Holger im Büro.

„Woran denkst du?", fragte Thomas.

„An Sophia und Luise. Und daran, wie schön es hier mit dir gemeinsam ist. Aber auch daran, dass es Sophia schön finden würde, wäre sie mit Holger hier."

Thomas zögerte. Daniela konnte es ihm ansehen. „Was willst du mir sagen?" Sie blickte fragend.

„Ich habe Sophia letzte Woche getroffen. Sie kam aus dem Büro. Ich habe sofort gesehen, wie müde sie war. Ihre Trainee-Ausbildung strengt sie an. Holger hatte Luise bereits vom Kindergarten abgeholt. Deshalb war sie allein. Sie hat nach dir gefragt und genauso traurig ausgesehen wie du jetzt. Findest du nicht, ihr solltet miteinander reden?"

„Holger bringt und holt Luise?" Daniela stutzte. „Ja, natürlich sollten wir reden. Sie ist meine beste Freundin."

„Ich weiß, dass es schwer für dich ist", sagte Thomas, „aber wie wäre es, wenn du Holger eine zweite Chance gibst?"

Würde Daniela das können? Selbst wenn sie zu einem Versuch bereit wäre, wie sollte sie jemals sein bisheriges Verhalten ausblenden?

„Lass uns das Thema wechseln. Dieses Wochenende gehört allein uns, Thomas."

Viel zu schnell war die Zeit vergangen. Wehmütig hatten sie ihre Taschen gepackt und waren zum Flughafen gefahren.

Nachdem sie in Berlin gelandet waren, unterbreitete Thomas den Vorschlag, einen Abstecher ins KaDeWe zu unternehmen. Er meinte, sie müssten auch mal nach dem Hummer schauen. Daniela hatte lachend den Kopf geschüttelt und gesagt: „Nein danke." Es war ihr erstes Lachen, seitdem sie ihre Suite verlassen hatten.

„Du bist nicht mehr traurig?" Thomas sah sie an. „Musst du auch nicht. Wir nehmen uns ab sofort die Zeit, die wir brauchen."

„Schau an", sagte Sophia, während sie damit beschäftigt war, Luise vor den Wellen in Sicherheit zu bringen. „Thomas und du."

Nach ihrer Rückkehr aus Prag hatte Daniela nicht gezögert und Sophia angerufen. Nur zwei Sekunden später waren sie für den heutigen Tag verabredet. Dieser Samstag gehörte ihnen.

Luise hatte großen Spaß daran, dem Wasser hinterher zu jagen. Nur konnte sie die Kraft des Wassers nicht einschätzen. Schon mehrere Male war sie unsanft auf dem Sand gelandet. Ein jeweils kurzer schriller Aufschrei war die Folge. Sophia versuchte erfolglos, Luise dazu zu bewegen, in gebührendem Abstand zur Brandung ihre Sandburg zu bauen.

„Sie ist wie du. Dabei ist sie doch meine Tochter." Sophias vorwurfsvoller Tonfall war nicht zu überhören. Daniela gönnte sich ein ausgedehntes Grinsen. Das verschaffte ihr eine kurze Verschnaufpause. Dann erst erklärte sie Sophia, wie ihr

Sinneswandel im Hinblick auf Thomas vonstatten gegangen war.

„Ich hatte keine Lust mehr auf dienstliche Rücksichtnahme“, sagte Daniela. „Ich bin verliebt wie ein Teenager. Mögliche Konsequenzen sind mir egal. Ich bin einfach nur glücklich.“ Daniela schaute Sophia an. „Sag, wie ist es mit dir?“

„Ich weiß es nicht. Ich bin dabei, es herauszufinden“, antwortete sie.

Luise hatten sie dazu bewegen können, mit ihnen zum Strandkorb zurückzukehren. Sie lagen im warmen Sand, als Sophia den Kopf aufstützte und sagte: „Wie ist es mit euch beiden?“

Es dauerte einen Moment, bis Daniela gedanklich die Kurve von Thomas zu Holger bekommen hatte. „Wie immer“, antwortete sie.

„Wie immer schlecht, heißt das, nehme ich an.“

„Du sagst es. Ich glaube nicht, dass es besser wird. Sag mir, was soll ich tun? Was macht ihn für dich sympathisch? Glaub mir, ich würde etwas dafür geben, wenn ich seinen Charme entdecken könnte. Eigentlich wäre ich schon mit Ehrlichkeit und Verlässlichkeit zufrieden.“

Luise wollte beschäftigt werden. Daniela setzte sich auf und fing an, die kleinen Beine mit Sand zu bedecken. Luise jauchzte.

Sophia sagte: „Daniela, er war da, als ich ihn brauchte. Als ich allein war. Er hat sich gekümmert: Zuerst um mich und dann um mich und meine Tochter. Von ihm habe ich die Streicheleinheiten bekommen, die mir Frank verwehrt hat.“ Sophia endete so plötzlich, wie sie begonnen hatte. Daniela war sprachlos.

So einfach sollte die Erklärung sein, nach der Daniela tausendfach gesucht hatte? Es ging Sophia lediglich darum, dass sich jemand um sie kümmerte? Das allein hatte der starken, abgeklärten Sophia gereicht? Sehr genau hatte Daniela die Sätze im Kopf: „Geregelt. Es ist vorbei. Ich habe mich neu orientiert."

Hinter der steinernen Fassade sah es völlig anders aus. Charme, menschliche Wärme. Daniela dämmerte es. Im selben Moment war sie erschrocken. Hätte sie wissen können, was Sophia antrieb? Seit Prag verging kein Tag, an dem sie Thomas nicht traf oder wenigstens mit ihm telefonierte. Sie genoss seine Nähe, sehnte sich nach seinen Berührungen. Sie verspürte Angst bei dem Gedanken, er würde plötzlich nicht mehr an ihrer Seite sein.

Jetzt erst realisierte sie, wie verletzt Sophia tatsächlich gewesen war, als Frank sie im Stich gelassen hatte, dann wiedergekehrt war, um anschließend zu gehen.

„Sophia, ich verspreche dir, einen zweiten Versuch zu starten. Vielleicht können Holger und ich jeweils einen Schritt aufeinander zugehen. Was meinst du?"

11. Kapitel
Frühjahr 1994

Daniela freute sich riesig, als Stephan ihr Büro betrat. Sie hatten sich eine gefühlte Ewigkeit nicht gesehen. Die Großbaustelle in Prag verlangte ihm alles ab. Seit Wochen wohnte er in einer kleinen Pension in der Nähe des Geschehens. Nur dann, wenn es unbedingt notwendig war und kleinere Projekte seine Unterstützung benötigten, reiste er nach Deutschland. Viel zu selten hatte er Zeit, am Stammsitz vorbeizuschauen.

„Setz dich und erzähl mir die Neuigkeiten“, sagte sie und sah ihn gespannt an.

„Auf das Neueste hoffe ich eigentlich heute und hier. Stimmt es, dass Claire einfliegt?“

Claire war schon da. Nicht in der Firma, jedoch im Hotel. Sie war gestern Abend eingetroffen und hatte sich kurz bei Daniela gemeldet. In weniger als einer Stunde würde sie eintreffen und die Bilanzpressekonferenz leiten. Bis kurz vor ihrer Abreise hatte Daniela Zahlen aufbereitet, wieder verwerfen müssen und neu bearbeitet. Sie hoffte inständig, dass Claire keine weiteren Änderungswünsche hatte. Ansonsten würde es zeitlich eng.

„Ja, es stimmt“, sagte Daniela, als ihr Telefon klingelte. Daniela hob ab und war erstaunt, Thomas’ Stimme zu hören.

„Daniela, ist Claire im Haus?“, fragte er ohne Begrüßung. Sie hatten sich seit zwei Tagen nicht gesehen. Daniela fand, er könne etwas weniger gehetzt sein. „Claire ist noch nicht hier. Weshalb ist das wichtig?“

Thomas rief an, weil er Daniela etwas sagen musste, bevor er selbst als Gast der Bilanzkonferenz hier erscheinen würde.

Thomas kannte Claire nur aus den Erzählungen Danielas. Sie hatte ihm Claires Äußeres lediglich beschrieben. Dennoch war er sicher, Claire und Holger gestern Abend im Restaurant gesehen zu haben.

Er sagte: „Daniela, ich war mit einem Kunden dort. Holger und Claire saßen ganz in meiner Nähe. Das Stichwort lautet: Nähe!“

„Nein“, sagte Daniela. Das war alles, was ihr in diesem Moment einfiel. Stephan blickte in ein erstarrtes Gesicht.

„Claire und Holger. Lass es dir nachher von Thomas erzählen. Ich brauche jetzt einen Moment für mich allein. Wir sehen uns später, ja?“, sagte sie und fühlte sich elend. Sie hatte sich auf Stephan gefreut, der in diesem Moment ihr Büro verließ.

Claire betrat die Eingangshalle und steuerte auf Daniela zu. Wieder sah sie blass aus. Daran konnte auch das grüne Kostüm nichts ändern, das sie heute trug.

Seit ihrem Besuch in New York war Claire zwei Mal nach Deutschland gekommen. Den größten Teil ihrer Zeit hatte sie Schwerdtfeger gewidmet. Nur kurze Zeit verbrachten Daniela und sie miteinander. Immer schien Claire in Eile zu sein. Stets war sie kurz angebunden. Alles schien ihr zu langsam zu gehen. Darüber hinaus hatte sie immer recht.

Daniela erwartete nicht, dass Claire sie mochte. Dennoch wünschte sie sich ein gewisses Maß an Objektivität. Und subjektiv betrachtet benahm sich Claire ihr gegenüber, als wäre sie ihre Rivalin.

Daniela hatte sich bereits dabei ertappt, sich beinahe sehnsuchtsvoll an die Zeit mit Robert zu erinnern.

Claires Gesicht schien aus Wachs zu sein. Ihr Lächeln trügerisch. Daniela war gewarnt. Spontan beschloss sie, keine Mine zu verziehen. Sie streckte Claire die Hand entgegen. Dann gingen sie zum Konferenzraum. Auf dem Weg dorthin tauschten sie lediglich ein paar banale Sätze. Über das gestrige Zahlenwerk verlor Claire kein Wort.

Wenigstens das, dachte Daniela und war froh, Schwerdtfeger am anderen Ende des Ganges zu sehen. Ihre Muskulatur begann sich zu entspannen. In wenigen Sekunden würde Schwerdtfeger Claires Aufmerksamkeit einfordern. Daniela wünschte sich nichts mehr, als in Ruhe der Konferenz folgen zu können.

Ihre Zahlen waren nicht schlecht. Sie waren aber auch nicht gut. Claire würde eine überzeugende Leistung abliefern müssen, wollte sie die Gunst der anwesenden Banken sicherstellen.

Daniela hatte einen Augenblick lang das Geschehen auf dem Korridor nicht verfolgt. Überrascht sah sie in Holgers Gesicht. Noch bevor Schwerdtfeger Claire erreicht hatte und ihr die Hand reichen konnte, stand er ihnen gegenüber.

Diese gespielte Begrüßung zwischen Claire und ihm war nicht das erste Aufeinandertreffen an diesem Morgen. So, wie sie sich anschauten. Das waren Blicke, wie Daniela und Thomas sie tauschten, wenn sie morgens nebeneinander aufwachten.

Claire hatte keine Augen für Schwerdtfeger, der inzwischen vor ihr stand. Erst im zweiten Anlauf gelang es ihm, Claire freundlich willkommen zu heißen.

In Daniela gewann das Entsetzen die Oberhand. Ihre Gedanken gingen zu Sophia. Sie bemerkte, wie ihre Hand sich zur Faust ballte. Sie sah in Schwerdtfegers Gesicht. Der war noch dabei, das Geschehen einzuordnen. Für Daniela hingegen stand fest: Es stand 1:0 für Holger.

„Er scheint sehr nett zu sein“, hatte Claire in New York zu ihr gesagt. Daniela konnte momentan nur schwerlich einen klaren Gedanken fassen. So, wie das hier aussah, war es anders gelaufen, als sie vermutet hatte.

Es war nicht Schwerdtfeger, dem Claires Interesse gegolten hatte. Sie und Holger hatten die Zeit während ihrer Besuche miteinander verbracht.

Noch immer standen sie auf dem Korridor. Nur mit viel Mühe gelang es Schwerdtfeger, Claires Aufmerksamkeit auf sich zu lenken. Holger verhielt sich so, als gäbe es keinen Schwerdtfeger. Claire ließ ihn gewähren. Eine winzige Spur von Unsicherheit machte sich auf dem Gesicht des Kaufmännischen Vorstandes breit.

Plötzlich kam mehr und mehr Bewegung in seine Gestik. Daniela hatte ihn fest im Blick. Die Evolution hatte ihm mitgegeben zu erkennen, wann er zum Sprung ansetzen musste. In Windeseile hatte sich eine unbeschreibliche Spannung zwischen den Männern aufgebaut. Doch Holger wich nicht einen Millimeter von seiner Position. Schwerdtfeger müsste zu Pfeil und Bogen greifen, würde er Claire für sich allein haben wollen.

Es stand 2:0.

Daniela beobachtete die Szene inzwischen aus gebührendem Abstand. Sie schwankte zwischen nicht denken können, belustigt sein und Kopf schütteln. Sie hatte nicht den Hauch einer Idee, wie sie mit dieser Situation umgehen sollte. Sie hatte das Gefühl, neben dem Geschehen zu stehen.

„Da hat aber Einer ganz ehrgeizige Pläne“, flüsterte Stephan, der hinter Daniela getreten war und sich zu ihr hinabbeugte.

Inzwischen war auch Thomas eingetroffen. Er reichte Daniela die Hand. Sein Blick sagte: „Ich habe dich gewarnt.“ Er musste das Schauspiel, von Daniela unbemerkt, bereits einen Moment lang beobachtet haben.

Ihre Miene war versteinert. Sie zwang sich zu Besonnenheit. Schwerdtfeger gab sie zu verstehen, dass sie mit der Veranstaltung beginnen sollten, sobald die Gäste vollständig anwesend waren. Das Catering hatte einen Zeitplan. Sie hatten viel Mühe investiert, um Deck 8 ansprechend herauszuputzen. Ein verkochtes warmes Buffet fehlte Daniela gerade noch. Es musste ihnen gelingen, dieses miese Schauspiel von ihren Gästen fernzuhalten.

Daniela ließ einen letzten Blick über die Stuhlreihen schweifen, bevor sie Schwerdtfeger ein verdecktes Zeichen gab, dass er anfangen könne. Der schien inzwischen sehr froh zu sein, zum Rednerpult gehen und diesem unsäglichen Small Talk entfliehen zu können.

Sie hatten nicht nur gute Nachrichten zu überbringen. Ihr Geschäftsjahr war durchwachsen verlaufen. Wer sich auskannte, wusste, dass es noch Jahre dauern konnte, bis sie ihren Platz im Markt gefunden hatten. Fraglich blieb sowieso, ob man ihnen die nötige Zeit gewähren würde.

Schwerdtfeger meisterte die schwierige Aufgabe souverän. Daniela bewunderte ihn dafür, in welchem Tempo er in der Lage war, schlechte Stimmungen zu übertünchen. Er wirkte tatsächlich wieder überlegen. Sie erinnerte sich an seinen Auftritt in New York.

Als er Claire dem Auditorium präsentierte, wählte er seine Worte, als würde er sie lieben. Die Wirkung blieb nicht aus. Claire fühlte sich geschmeichelt.

Der Anschlusstreffer war gefallen. Daniela wandte ihren Kopf in Holgers Richtung. Auch der hatte das Tor gesehen.

Nach Schwerdtfegers Vortrag lag die Messlatte hoch. Daniela war gespannt. In einer solchen Situation hatte sie die Blasse noch nicht erlebt. Würde sie überzeugen können?

Claires Vortrag war sachlich. Sie schönte nichts. Dann sagte sie, dass man in New York alle erforderlichen unternehmerischen Entscheidungen treffen würde.

Daniela fragte sich, was das wohl heißen würde. Sogleich konzentrierte sie sich wieder auf Claires Ausführungen.

Sie hatte ein einfaches Mittel mitgebracht, die anwesenden Bankvertreter bei Laune zu halten. Dieses hieß Patronatserklärung. Daniela erinnerte sich an ihre erste Begegnung mit dem Wort Aval. Patronatserklärung bedeutete, einen Freibrief herauszulegen. Höhe unbegrenzt. Daniela schaute kurz zu Thomas.

Der offizielle Teil war zu Ende. Die Gäste widmeten sich dem Buffet. Die Stimmung war entspannt. Die Patronatserklärung hatte überzeugt.

Allein Hansgen machte Daniela Sorgen.

Seit geraumer Zeit beobachtete sie ihn. Sein Anzug zeigte deutliche Gebrauchsspuren: Sitzfalten an den Oberschenkeln und Knitterfalten im Rücken. Von hinten betrachtet sah er aus wie eine Flunder. Von vorn offenbarte sich das ganze Elend. Über den Gürtel schob sich deutlich sichtbar seine Speckrolle. Die Hemdknöpfe hielten mit letzter Kraft zusammen, was zu bersten drohte. Statt zu fasten, quoll sein Teller beinahe über.

Daniela ärgerten im Augenblick jedoch weder diese Äußerlichkeiten noch sein Essverhalten. Das Problem bestand in Wirklichkeit darin, dass Hansgen Thomas' Kollegin beängstigend nahe gekommen war.

„Müssen wir eingreifen?" Thomas schaute Daniela fragend an, als sein Blick in Richtung des Geschehens ging.

„Ich weiß nicht. Kann sie sich selbst helfen? Du kennst sie. Ich nicht."

Thomas entschloss sich, zu handeln. Mit forschem Schritt ging er auf Hansgen zu. Was genau er zu ihm sagte, konnte Daniela nicht hören. Im Bruchteil einer Sekunde jedoch hatte Thomas seine Kollegin sanft am Arm gefasst und vorwärts geschoben. Nach wenigen Schritten stand sie vor Daniela, die bereits die Hand zum Gruß ausgestreckt hatte. Aus dem Augenwinkel nahm sie den hasserfüllten Blick des Dicken wahr. Dann wandte sie ihm demonstrativ den Rücken zu. Daniela widmete sich Thomas und seiner Begleitung.

Schwerdtfeger hatte Claire fest im Griff. Emsig stellte er sie jedem einzelnen Gast persönlich vor. Auf ihrem Gesicht zeigten sich erste Ermüdungserscheinungen. Jetlag und lange Nächte gingen an niemandem spurlos vorbei. Daniela schämte sich nicht für die Häme in ihren Gedanken. Sie gönnte Claire jede erdenkliche Qual von Herzen.

Holger war brav zur Tagesordnung übergegangen. Er unterhielt sich mit einigen Gästen. Jedoch nicht, ohne dann und wann Blickkontakt zu Claire aufzunehmen.

Stephan gesellte sich zu ihrer Runde. Zwanglos und herzlich plauderte er mit Thomas und dessen Kollegin. Daniela genoss es, ihnen zuzuhören. Einen kurzen Moment lang beugte sich Stephan zu ihr. Er flüsterte: „Bis gestern habe ich wirklich geglaubt, dass er nur gegen dich kämpft."

Den heutigen Abend musste Daniela noch überstehen. Claire hatte zum gemeinsamen Essen geladen. Schwerdtfegers Sekretärin hatte das Restaurant ausgesucht und einen Tisch für vier Personen reserviert. Ganz so, wie sie es von Claire aufgetragen bekommen hatte.

Daniela hatte innerlich aufgestöhnt, als sie Zeit und Ort übermittelt bekommen hatte, zusammen mit der Information, dass sie zu viert sein würden. Sie dachte an Hansgen und fragte sich sogleich, wie sie seine Gesellschaft ertragen sollte.

Es war nicht Hansgen, der mit ihnen am Tisch saß.

Schwerdtfeger schauspielerte. Wortreich empfahl er die Vorspeise und den passenden Hauptgang. Außenstehende würden nicht vermuten, dass hier zwei männliche Kontrahenten am Tisch versammelt waren. Selbst Insider hatten bis heute Morgen nicht gewusst, welche Rivalitäten tatsächlich bestanden.

Claire folgte Schwerdtfegers Vorschlag. Allerdings traf das nur auf die Wahl der Speisen zu. Im Hinblick auf ihren Gesprächspartner hatte sie ihren Favoriten längst ausgemacht. Daniela fragte sich, wie lange Schwerdtfeger in der Lage sein würde, diese Nummer durchzustehen. Weder kraft seiner Position noch mit Mannhaftigkeit würde er das Match gewinnen können. Auch wenn Holger sich zurückhaltend zeigte und nur dann antwortete, wenn er gefragt wurde.

Claire hielt sich nicht zurück. Mit ihren Blicken fummelte sie an Holgers Kleidung. Schwerdtfeger musste längst registriert haben, in welches Bett Claire nach diesem Essen steigen würde. Und das möglichst schnell.

Daniela hatte keinen Appetit. Sie hatte auch keine Lust auf eine Unterhaltung. Sie schwieg.

Die Vorspeisen wurden serviert. Carpaccio, klassisch vom Rind. Außer für Daniela. Sie hatte sich für Räucherlachs entschieden. Sie griff zum Vorspeisenbesteck, als Claire völlig unvermittelt und ziemlich emotionslos sagte, sie würde Geld zur Verfügung stellen.

Schwerdtfeger und Daniela hoben die Köpfe. Sie sahen Claire ins Gesicht. Geld wofür?
Die Belegschaft der Firma sollte noch einmal um zweihundert Mitarbeiter verkleinert werden.

Daniela schoss Claires Satz von den notwendigen unternehmerischen Entscheidungen durch den Kopf. Ihr Blick wanderte zwischen Schwerdtfeger und Holger hin und her. Schwerdtfeger hatte das Essen eingestellt. Er sah Claire immer noch an. Holger aß ungerührt weiter. Die Neuigkeit schien für ihn nicht neu zu sein. Schwerdtfeger rang sichtlich um Fassung.

Auf dem Rückflug von New York hatte er von einem Erfolg gesprochen. Das war ein Irrtum. Ihre Gesellschafter hatten das verlorene Großprojekt nicht verdaut. Der Prager Auftrag reichte nicht aus, um das Vertrauen herzustellen, das sie dringend brauchten. Die Firma war auf ihre Eigentümer angewiesen. Auf absehbare Zeit würden sie nicht genügend Geld verdienen. Es galt, nicht nur das Alltagsgeschäft zu meistern. Ein riesiger Berg Altschulden lastete auf ihnen. Die alten Staatsbankkredite waren nicht verschwunden. Lediglich im Verhältnis 1:2 waren sie umgestellt worden.

Zweihundert Leute. Die Zahl klang nach. Ihr Hall schien unendlich.

Sie waren anfangs zweitausend gewesen. Dann eintausend. Danach würden sie noch achthundert sein.

Daniela ließ ihre Vorspeise unberührt zurückgehen. Schwerdtfeger kaute, als sei das Rindfleisch aus Gummi. Claire redete ohne Unterlass. Soeben erläuterte sie, welche Informationen sie erwartete.

Die Höhe der zu überweisenden Summe war zu bestimmen. Es würde Danielas Aufgabe sein, zu ermitteln, welche Ausgaben zu welchem Zeitpunkt für jede einzelne Entlassung zu planen waren. Claire gab ihr vier Wochen Zeit.

Vier Wochen für zweihundert Schicksale. Daniela hatte nur noch einen Wunsch: Sie wollte endlich diesen Tisch verlassen. Auch vom Hauptgang hatte sie nur gekostet. Die Nachspeise hatte sie gar nicht erst bringen lassen.

Holger verputzte indessen ungerührt sein Dessert.

Daniela hatte gestern kurzzeitig mit dem Gedanken gespielt, Thomas anzurufen. Sie wollte ihm die bedrückenden Neuigkeiten erzählen. Ein Blick auf die Uhr hielt sie davon ab. Nachts hatte sie schlecht geschlafen. Entsprechend übermüdet war sie heute in ihrem Büro angekommen.

„Hast du eben gesagt, zweihundert? Das kann man niemandem vermitteln." Stephan war das Entsetzen anzumerken.

„Es ist nicht unsere Aufgabe, irgendetwas zu vermitteln. Für diese Art von Arbeit sind hier drei sehr gut bezahlte Leute angestellt. Sie haben es zu erledigen. Nur sie. Anschließend können sie auswürfeln, wer von ihnen geht."

Danielas Gesichtsausdruck war bissig. Während der Nacht, als sie nicht schlafen konnte, waren ihre Gedanken gekreist: Das verlorene Projekt, die mittelmäßigen Zahlen. Was hatten sie geglaubt, wie es weitergehen würde?

Ihre Eigentümer hatten nichts zu verschenken. Die Gesellschaft, in der sie lebten, hatte nichts mit Wohlfahrt zu tun. Es ging um Profit. Also dem, was sie nicht erwirtschafteten. Insofern war die Reaktion verständlich.

Stephan sah sie an. „Karl Marx, latente Arbeitslosigkeit, du erinnerst dich?“ Sarkasmus schwang in seiner Stimme. „Dennoch: Besser als real existierender Sozialismus, der auch bloß nicht funktioniert“, fügte er leiser hinzu.

Die vielen kleineren Aufträge, die in ihren Büchern standen, ernährten sie nicht. Prag würde zu Ende gehen und ein großer Auftrag war nicht in Sicht. Daniela und Stephan wussten dies.

Mit mehr Vertriebsaktivität und entsprechenden Erfolgen hätte die Sache anders ausgesehen. Über dieses Thema redete jedoch niemand.

Stephan sah sie an: „Wie kann man das verkraften?“ Daniela konnte seinem Gedankengang nicht folgen. „Was soll wer verkraften?“ Sie verstand nicht, worauf er hinaus wollte.

„Du sollst zweihundert Schicksale berechnen. Ich möchte nicht in deiner Haut stecken.“

Daniela musste unwillkürlich an die Fassade denken, hinter der Sophia sich versteckt gehalten hatte. Wahrscheinlich benötigte sie selbst eine Felswand.

Sie würde berechnen. Claire tätigte eine Überweisung. Positiv betrachtet, würde es immerhin eine Zahlung für jeden Betroffenen geben. Jeder Einzelne würde für den Verlust seines Arbeitsplatzes abgefunden werden. Es war besser als nichts. Auch wenn es wünschenswert gewesen wäre, dem Einzelnen die Erfahrung einer Entlassung ersparen zu können.

Jeden Betroffenen erwartete ein einschneidendes Ereignis, dessen Auswirkungen niemand vorhersagen konnte. Die Gedanken quälten Daniela. Dennoch wusste sie, dass es vor allen Dingen um die anderen achthundert ging. Es klang hart: Sie mussten an die denken, die blieben.

Sie sagte: „Stephan, was kommt danach?"

Er sah sie an und fand keine Worte.

Nicht erst seit heute wussten sie, auf welch wankendem Fundament sie standen. Was hatte Sophia zu ihr gesagt? „Du bist hart geworden."

Dinge dieser Art konnte man nur mit Härte ertragen.

Tatsächlich drängte sich eine ganz andere Frage auf. Nämlich die, ob ihre Härte ausreichen würde.

Daniela hatte keine andere Wahl. Sie musste nach vorn denken. Ausblenden. Nur das konnte ihr helfen. Auszublenden, was nicht zu ändern war, hatte sie in jungen Jahren gelernt. Sie durfte nicht in Mitleid verfallen. Diese Schicksale waren nicht ihr Schicksal. Sie selbst musste damit rechnen, ihrem persönlichen Unheil noch zu begegnen. Im schlimmsten Fall könnte es sie mit einer Härte treffen, die sie heute noch nicht einmal ahnen konnte.

„Das ist alles nicht wahr, oder?" Thomas schaute sie an.

„Meinst du das Techtelmechtel oder die Entlassungen?" Daniela sendete einen fragenden Blick.

„Ich meine beides. Ich frage mich die ganze Zeit, ob da jemand wegen fortwährenden Hummeressens den Anschluss verpasst hat." Selten hatte sie Thomas so sarkastisch erlebt. „Thomas, die Amerikaner haben diese Personen ausgesucht. Von Beginn an zeichneten sich die Inkompetenzen ab. Der eine kann nicht. Der andere will nicht. Der Dritte kann sich tot arbeiten. In dieser Konstellation hat er keine Chance. Das Ergebnis ist keine Überraschung." Dann fügte sie an: „Am meisten mache ich mir im Moment um Sophia Sorgen. Holger ist die zweite Pleite. Ich frage mich, wie sie das verkraften wird."

Daniela hatte versprochen, den Weg einer zweiten Chance zu suchen. Sie hatte mit Sophia verabredet, dafür zu sorgen, dass auch Holger einen Schritt auf sie zugehen würde. Um einen Praxisversuch zu starten, waren sie zu fünft ins Seebad gefahren. Dort verbrachten sie einen Sonntag miteinander. Daniela hatte sich riesig auf Luise gefreut. Das Tempo, mit dem die Kleine heranwuchs, zeigte Daniela einmal mehr, wie schnelllebig ihre Zeit war. Jedes Mal, wenn sie das Mädchen sah, war es um einige Zentimeter gewachsen. Ihr Sprachvermögen entwickelte sich rasant. Daniela war voller Bewunderung. Sie liebte Luise und deren Unbeschwertheit.

Holger benahm sich völlig anders als im Dienst. Daniela registrierte es sofort. Sein Verhalten machte es ihr leichter. Sie entspannte sich. Thomas drückte ihre Hand und nickte ihr zu.

Sie verbrachten die gemeinsame Zeit tatsächlich in Harmonie. Dennoch ging Daniela eine Frage nicht aus dem Kopf: Wie ehrlich war dieser Mann?

Nachdem sie und Thomas abends zurückgekehrt waren, hatte sie ihm exakt diese Frage gestellt und Thomas ihr geantwortet, dass er es nicht wisse.

„Thomas, kannst du dich an unseren gemeinsamen Ausflug erinnern? Stichwort: Ehrlichkeit. Wir haben dem Frieden niemals ganz getraut. Während der paar Mal, die wir gemeinsam unterwegs waren, hat uns immer eine Portion Skepsis begleitet." Thomas nickte. „Sag, hat er dich gestern im Restaurant bemerkt?"

„Hat er, aber aus seiner Sicht zu spät. Ich denke, er hat begriffen, dass ich bereits registriert hatte, wie eng er mit Claire verbandelt ist. Ich habe einen kurzen Schreck bei ihm gesehen, als ich ihn mit einem Kopfnicken gegrüßt habe."

Daniela würde Sophia sagen müssen, was sie und Thomas wussten.

Sie dachte an Luise. Auch die musste mit der Situation umgehen. An Frank hatte sie keine Erinnerungen. Der erledigte seine Vaterpflichten mit einem monatlichen Scheck. Soweit Daniela wusste, war er nie wieder in der Stadt gewesen. Für Luise war Holger der Vater. Oder wenigstens der männliche Teil der Familie.

„Thomas, eine solche Situation braucht kein Mensch“, sagte sie und sah ihn an.

Er nahm sie behutsam in den Arm und küsste sie. Ewig lange schaute er ihr in die Augen, bevor er zu reden begann: „Die Situation ist verkorkst. Ich traue mich nicht, mit dir über etwas zu sprechen, was mich seit längerer Zeit bewegt.“

Danielas Neugier war geweckt. „Worüber willst du mit mir reden?“

Thomas sagte, dass er sehen könne, wie sehr Daniela Luise möge.

„Oh nein, bitte nicht.“ Sie ahnte, was folgen würde. Vorsichtig legte sie vertikal zwei Finger ihrer rechten Hand auf seine Lippen. Sie wollte ihm signalisieren, er möge nicht weitersprechen.

Thomas schob ihre Hand beiseite. „So einfach mache ich es dir nicht. Ich finde schon, wir könnten wenigstens darüber nachdenken, ein eigenes Kind zu haben.“

Seitdem Luise auf der Welt war, fragte Daniela sich in regelmäßigen Abständen, ob sie jemals ein eigenes Kind haben würde. Dann hatte sie Sophia vor Augen. Dass der Traum einer Professur nicht in Erfüllung gegangen war, hatte nichts mit Luise zu tun. Sophias derzeitige Situation schon. Sie war alleinerziehend. Nun Trainee. Was würde folgen? Eine große Karriere schien ziemlich ausgeschlossen. Es war ein Trugschluss, zu glauben, Beruf und Kind wären einfach miteinander zu vereinbaren. Daniela freute sich darüber, von Montag bis Freitag wenigstens ein paar Stunden mit Thomas verbringen zu können. Meistens waren sie jedoch zu müde, um etwas zu unternehmen. Lediglich an den Wochenenden und im Urlaub reichten Zeit und Kraft für gemeinsame Aktivitäten. Wo war da Platz für ein Kind? Daniela schüttelte den Kopf, als sie sagte: „Thomas, wie soll das funktionieren?“

Er zögerte. Dann antwortete er: „Lass die Hansgens dieser Welt ihren Dreck allein machen.“

„Das meinst du nicht ernst. Du sagst nicht, dass ich meinen Job aufgeben soll?“ Daniela wusste nicht, was sie denken sollte. So etwas konnte er nicht ernsthaft in Erwägung ziehen. Daniela drehte sich um und ging ins Badezimmer. Sie brauchte einen Augenblick allein. Sie musste verdauen, was gerade zwischen ihnen passiert war. Dann dachte sie wieder an Sophia und daran, dass sie ihr sagen musste, was sie über Holger und Claire wusste.

Sophia und sie hatten sich untergehakt. Sie schlenderten entlang des Stromes. Ihr Ziel war der Leuchtturm. Dieser Gang war bei jedem Besuch Pflicht. Nur bei dreißig Grad im Schatten oder wenn es so sehr stürmte, dass das Wasser über die Mauer der Mole spritzte, erlaubten sie sich eine Verkürzung des Weges. Heute war herrliches Wetter. Das bedeutete für sie, es ging über die volle Distanz.

Das Wetter hatte Massen von Leuten ins Seebad gezogen. Es war beschwerlich, sich einen Weg zu bahnen.

Der Gehsteig war schmal. Bei rücksichtsvollem Gehen kamen jeweils zwei Leute aneinander vorbei. Drei waren unmöglich.

Sophia blieb ruckartig stehen. Ihr gegenüber stand ein Spaziergänger aus der entgegengesetzten Richtung. Er hatte nicht die Absicht, die Hand seiner Partnerin loszulassen. Er war stehengeblieben, weil Sophia ihm den Weg verstellte. Das jedenfalls schien seine Sicht auf die Dinge zu sein.

Daniela deutete Sophia, standhaft zu bleiben. Sophia bewegte sich nicht. Daniela stand hinter ihr.

Der Mann gegenüber Sophia war um die einsachtzig groß und von kräftiger Statur. Er blickte auf sie herab. Sophia verharrte regungslos. Dann endlich trat der Mann hinter die Frau. Sophia und Daniela gingen weiter.

„Was war das denn?“ Sophia schüttelte den Kopf. Daniela, die inzwischen wieder neben ihr lief, sagte: „Gegenseitige

Rücksichtnahme stellt offensichtlich eine größere als angenommene intellektuelle Herausforderung dar. Kurz gesagt, es funktioniert nicht. Und bei großen Männern schon gar nicht."
Sophia sah sie an: „Große Männer, wie meinst du das?"

„Du musst mal drauf achten. Groß gewachsene Männer verhalten sich selbst ihren Geschlechtsgenossen gegenüber, so wie wir es eben erlebt haben, wenn die kleiner sind."

Sie kamen nicht weit. Alle drei Meter mussten sie stehen bleiben, dem Gegenüber fest in die Augen sehen und warten, bis er realisiert hatte, dass der Zug an ihm war.

„Das nervt heute, oder?" Sophia wollte umdrehen.

Daniela war anderer Meinung. Sie schüttelte den Kopf. Es stürmte nicht. Es gab auch keinen anderen plausiblen Grund für sie, das Feld zu räumen. Nur weil die Menschheit selbst im schnöden Alltag glaubte, die Muskeln spielen lassen zu müssen, würde sie sich nicht zurückziehen.

Sophia lachte und sagte: „Ich habe verstanden."

Die frische Luft hatte sie hungrig und durstig gemacht. Trotz des Massenansturms gelang es ihnen, einen freien Tisch zu finden. Von ihrem Platz aus konnten sie zur Werft hinübersehen.

Das Drama um die Werften im Norden war eine scheinbar nicht enden wollende Geschichte. Fast täglich erreichten sie neue Hiobsbotschaften. Einmal war es das Streichen von Stellen. Dann wurden Eigentümerwechsel verkündet. Das Karussell drehte sich unaufhörlich. Am Ende war es kein Wunder, wenn der Normalbürger den Überblick verlor.

Daniela war noch immer damit beschäftigt, gedanklich zu durchleuchten, wem momentan ihre ortsansässige Werft gehörte, als sie bemerkte, dass Sophia fremd kommunizierte.

Sie hielt inne, setzte sich leicht schräg und folgte Sophias Blicken. Drei Tische entfernt entdeckte sie zwei Männer, mit denen Sophia flirtete. Einer der beiden sah sehr sympathisch aus. Daniela schubste unter dem Tisch mit ihrer Schuhspitze gegen Sophias Fuß. Sie sagte betont lehrerhaft: „Was soll denn das werden?“

„Du wirst mir gleich sagen, dass Holger und Claire ein Paar sind. Insofern darf ich alles! Sieh mal, wenn wir heute nicht zeitig fahren müssten, würde es garantiert ein sehr netter Abend werden.“

„Du weißt es schon?“ Daniela sah sie an.

„Ich habe es seit längerer Zeit geahnt. Ich wusste von dir, wann Claire hier ist. Jedes Mal hat Holger nicht bei mir übernachtet, sondern einen Vorwand gefunden, in seiner eigenen Wohnung zu schlafen. Ich denke, dass er nie dort, sondern immer im Hotel war. Bist du froh, dass es endlich vorbei ist?“ Ihr letzter Satz klang eher nach einer Feststellung als nach einer Frage.

„Wie kann ich froh sein, wenn es dir schlecht geht?“ Daniela sah ihr ins Gesicht. In ihrem Kopf liefen die Ereignisse im Zeitraffer ab.

Begonnen hatte alles damit, dass bereits ihre erste Begegnung unglücklich verlaufen war. Weder sein Äußeres noch sein Temperament hatten Daniela überzeugt. Ein wenig später hatten sie alle gemeinsam am Kaffeetisch gesessen und er bereits gewusst, dass sie in absehbarer Zeit Kollegen sein würden. Kein Wort hatte er über seine Lippen gebracht. Er hatte selbst Sophia davon überzeugt, zu schweigen. So war sein Auftauchen in der Firma für Daniela zur Überraschung geworden. Zu keiner Zeit hatte sie bei ihm Emotionen wahrgenommen. Sie hatte ihn als Langweiler eingestuft. Jedes Gespräch mit ihm empfand sie als Qual. Sie vermisste die Verbindlichkeit seiner Worte, so wie sie es von Stephan und Thomas kannte. Genau wie Hansgen kam Holger im Gespräch niemals über Phrasen hinaus. An Stelle konkreter Arbeit schien er durch die Firma zu schweben. Stets suchte er nach dem Weg des geringsten Widerstands. Er schmeichelte denen, die er für sein Fortkommen zu brauchen glaubte. Das war je nach Lage der Dinge mal

Hansgen und mal Schwerdtfeger. Letzterer schien Geschichte zu sein, nachdem Claire die Bühne betreten hatte.

Sophia sagte: „So schlecht fühle ich mich nicht. Ich habe viel nachgedacht. Ich glaube, ich wollte es nicht sehen.“ Daniela schaute sie an.

„Anfangs hat er tatsächlich komplett den Neutralen gegeben. Er hat sich zurückgehalten, wenn es um eine Wertung deiner Person und um euer Verhältnis im Dienst ging. Erst zu einem späteren Zeitpunkt hat er ab und zu eine spitze Bemerkung im Sinne von Frauenpower und dergleichen von sich gegeben. Ich habe es nicht für voll genommen. Dann wurde sein Vokabular schärfer. Das Wort Emanze fiel mir einfach zu oft. Irgendwie musste ich das Gesagte ja wohl auch auf mich beziehen. Spätestens an der Stelle hat es bei mir klick gemacht. Ich habe mich gefragt, wie sich ein Mensch so verstellen kann. Ob du es glaubst oder nicht: Er kann unterhalten, flirten, schmeicheln, das volle Programm. Seit ein paar Wochen weiß ich verbindlich, dass er auch über das Gegenmittel verfügt.“

Daniela hörte gebannt zu.

„Als er hier ankam, war er allein. Genau wie ich. Die menschliche Wärme, die er mir gegeben hat, hat er selbst mindestens ebenso gebraucht. Das allein war der Grund, weshalb wir zusammengekommen sind. Je sesshafter er in der Stadt geworden ist, umso mehr hat er sich von mir und Luise abgewandt.“

Daniela fragte sich, ob sie blind war.

Hatte sie Holger jemals flirten sehen?

War sie auch taub?

Konnte Holger tatsächlich unterhaltend sein?

Wahrscheinlich konnte er beides. Irgendwie musste es zwischen ihm und Claire ja gefunkt haben.

Es lag an ihr. Das hatte sie sich schon immer gedacht.

„Sophia, wann setzt du ihn vor die Tür?“ Daniela schaute Sophia an.

Dann sagte sie: „Vielleicht ließe sich Claire überzeugen, ihn mit nach New York zu nehmen. Es wäre allen geholfen." Im selben Moment dachte sie, dass Claire ihnen diese Freude nicht gönnen würde. Und wer wusste schon, wie viele Holger weltweit auf Claire warteten.

Daniela mahnte zum Aufbruch. Das, was Sophia heute noch zu erledigen hatte, duldete keinen Aufschub.

Sophia verließ das Café nur widerwillig. Sie drehte sich zu ihren Flirts um. Mit einem kessen Augenaufschlag hob sie die rechte Hand und winkte den beiden zu. Wie zur Entschuldigung zuckte sie mit Blick auf Daniela die Schultern.

Sie startete einen letzten Versuch, Daniela davon zu überzeugen, noch nicht aufzubrechen. Die aber lachte und zog Sophia am Ärmel durch die Tür.

„Ich mache mir ein paar Sorgen um dich", sagte Sophia, während sie den Rückweg antraten.

„Gebe ich dir Anlass dazu?"

Sophia sah die Dinge aus ihrem Blickwinkel. Schon lange hatte sie den Eindruck, der Freundin stets im Laufschritt zu begegnen. Sie vermisste Danielas Lässigkeit und sah mit Sorge, wie kompromisslos sie sich gegen jegliche Widerstände durchsetzte. „Ich erinnere dich an unseren Spaziergang vorhin", sagte sie.

„Gegen deine These der Kompromisslosigkeit spricht, dass ich letzte Woche mit Thomas über Familienplanung gesprochen habe."

„Und?"

„Nichts und."

Sophia schüttelte den Kopf. „Doch kompromisslos."

Er war der Erste, der ihnen heute zu früher Stunde über den Weg lief.

Holger sah übernächtigt aus. Daniela bemühte sich, emotionslos an ihm vorbeizugehen. Sie holte ein „Guten Morgen" aus sich heraus. Mühsam. Stephan schubste sie an und raunte: „Welche Laus ist dem über die Leber gelaufen?“ Daniela flüsterte zurück: „Seine Lebensgefährtin hat ihm heute Nacht den Laufpass gegeben.“ Sie sah Stephan an, dass er das Gesagte erst einmal sortieren musste. Plötzlich schlug er sich mit der Hand an den Kopf. Er hatte begriffen. „Respekt.“ Stephan nickte, als wolle er seiner eigenen Äußerung zustimmen.

12. Kapitel
Winter 1994

Daniela würde in den sauren Apfel beißen müssen. Für das, was sie jetzt vorhatte, brauchte sie Holgers Unterstützung.

Claire hatte sie gebeten, eine Analyse ihres kurzfristigen Finanzbedarfes einzureichen. Dazu musste sie wissen, welche Projekte der Vertrieb erwartete. Ihr stand ein ungeliebter Weg bevor.

Holger durfte sich eine eigene Sekretärin leisten. Hansgen hatte es ihm erlaubt.

Daniela hingegen griff im Bedarfsfall auf die Leistungen der Kolleginnen im Schreib-Pool zurück. Sie wusste diesen Komfort zu schätzen. Als sie von Holgers Neueinstellung hörte, war sie auf eine überaus junge und attraktive Frau gefasst. Etwas irritiert hatte sie zur Kenntnis genommen, dass die Dame seine Mutter hätte sein können.

Schwungvoll öffnete sie die Bürotür. Sie blickte in ein überraschtes Gesicht.

Daniela befand sich nicht in der Position nachzufragen, ob sie eintreten durfte. Schnurstracks bewegte sie sich vorwärts. Die Tür zu Holgers Büro stand offen. Er war nicht zu sehen. Auf ihre Frage, wo er zu finden sei, zuckte die Sekretärin die Schultern. Für Daniela stand fest, dass sie sich mit dieser Geste nicht abfertigen lassen würde.

„Wo ist er?“, fragte sie noch einmal in scharfem Tonfall. Die Sekretärin brachte mühsam einen Satz heraus.

Holger hatte mit der Codekarte für das Casino sein Büro verlassen.

Daniela stutzte. Er hatte keine eigene Karte. Es gab eine Bedarfskarte. Man brauchte einen triftigen Grund, wenn man Zutritt zum Casino wünschte. Hatte er wichtige Gäste? Kunden? Daniela zögerte einen Moment lang. Sie überlegte, ihre Finanzplanungen auf später zu verschieben.

„Hat er Besuch?“, fragte Daniela. Die Sekretärin verzog das Gesicht.

Hieß das nun „Ja“ oder „Nein“? Die Situation wurde ihr allmählich zu dumm.

Sie hatte ihre eigene Codekarte dabei. Rasch entschied sie sich nachzusehen, was Holger trieb.

Mit wenigen Schritten war sie in der achten Etage angekommen. Sie zog die Karte durch den Schlitz und vernahm das Summen, das ihr Eintritt verschaffte. Daniela griff nach der Türklinke und drückte sie hinunter. Mit einem Fuß stand sie bereits im Raum. Dann erstarrte sie. So schnell wie sie das Casino betreten hatte, war sie wieder draußen.

Daniela wusste nicht, ob ihr auf dem Rückweg jemand begegnet war. Wenn ja, dann hätte sie denjenigen nicht gesehen. Sie ließ sich auf ihren Stuhl fallen und versuchte, zu begreifen. Es gelang ihr nicht, einen klaren Gedanken zu fassen.

Daniela hatte am nächsten Morgen gerade ihr Büro betreten. Sie war dabei, ihre Jacke abzulegen, als plötzlich Stephan vor ihr stand. Sie schaute ihn an und sagte: „So früh?“

„Ich dachte, bei dir gibt es einen Kaffee“, antwortete er.

„Den gibt es. Aber deswegen kommst du doch nicht vor acht in mein Büro?“

„Darf man gute Freunde nicht vor acht besuchen?“ Stephan grinste. „Ich hörte, Claire ist auf Überraschungsbesuch.“

„Wer sagt das?“

„Die, die das sagt, sagt auch, dass du gestern Zeugin einer sehr peinlichen Angelegenheit geworden bist.“

Holgers Sekretärin hatte offensichtlich gequatscht. Obwohl sie nicht dabei war, hatte sie geahnt, was Daniela erleben würde. Sie war nicht grundlos zurückhaltend mit ihren Antworten gewesen.

Claire war nach Deutschland gekommen. Sie hatte sich nicht angemeldet. Ihr Flugzeug musste in den Morgenstunden gelandet sein. Für das Einchecken im Hotel war es zu früh. Deshalb amüsierte sie sich mit Holger im Casino. Daniela konnte auch heute noch nicht verstehen, wie Holger und Claire das Risiko eingehen konnten, erwischt zu werden.

„Stephan, ich habe keine Zeit für Holgers Eskapaden. In einer halben Stunde wird Thomas eintreffen. Ich habe ihn gestern nicht mehr gesehen. Vorhin hat er mich angerufen und mir gesagt, dass er auf seinem Weg zur Bank vorbeikommen wird."

„Ich bin schon weg", sagte Stephan und trank seinen Kaffee in großen Schlucken.

Der Stoff seines Anzuges war edel. Die Krawatte passte perfekt. Die Sachen hatten sie gemeinsam in Mailand gekauft.

Daniela stand auf und ging auf ihn zu. Thomas stand auf der Türschwelle. Er bewegte sich nicht. Daniela überlegte, wie sie sich verhalten sollte. Am liebsten hätte sie ihn umarmt und geküsst. Während sie ihm in die Augen schaute, entschloss sie sich zu Zurückhaltung. Ihre linke Hand griff nach seinem Revers. Mit ihrer Rechten strich sie ihm über die Wange. Zwischen ihnen blieb dennoch ein gediegener Abstand.

„Willst du nicht hereinkommen?", fragte sie.

Er wollte nicht. Thomas war lediglich auf einen Sprung vorbeigekommen, um ihr zu sagen, dass er heute Abend kochen wollte. Er würde sich freuen, wenn sie käme.

Sie konnte gerade noch „Gern!", sagen. Dann war er verschwunden.

Daniela schloss die Tür. Sie setzte sich. Ihre Augen durchsuchten den Raum, als würde sie eine Chance haben, ihn zu finden. Das Einzige aber, was er zurückgelassen hatte, war der Duft seines Aftershaves.

Seit ihrem Gespräch über ein Kind hatte sich zwischen ihnen etwas verändert. Dabei hatten sie nicht einmal gestritten.

Noch vor einem halben Jahr hätte sie nicht gezögert. Sie hätte Thomas sofort von ihrem Casino-Erlebnis berichtet. Gestern war sie stumm geblieben. Das Erlebte hatte sie mit sich selbst ausgefochten.

Nun war er hier gewesen und doch nicht da. Daniela seufzte.

Sie durchwühlte ihren Kleiderschrank einmal komplett. Schließlich war sie bei legeren Jeans und einem Pulli gelandet. Genauso angezogen würde sie zu ihm gehen. Kein Kleid, kein Rock, kein Dekolleté. Sie wusste ja nicht, was sie erwarten würde.

Thomas hatte sich genauso entschieden. Als er ihr die Tür öffnete, sah sie ihn in Jeans und Flanellhemd vor sich stehen.

Daniela zögerte. Seine Haltung signalisierte Distanz. Sie entschloss sich, ihm einen flüchtigen Kuss auf die Wange zu hauchen. Dann gab er den Weg in seine Wohnung frei. Sie wollte zur Küche gehen, doch Thomas fasste sie am Arm. Er dirigierte sie in sein Wohnzimmer.

Für dieses Ambiente waren sie beide falsch gekleidet. Daniela war beeindruckt.

Den Tisch hätte man perfekter nicht decken können. Die Kerzen sorgten für eine romantische Stimmung. Sie war sprachlos. Ihre Augen blickten fragend.

„Ich möchte etwas mit dir besprechen", sagte Thomas sehr feierlich.

Daniela sah auf den Tisch. Sie kannte das Design des Porzellans. Das war Kurland. KPM, Königliche Porzellanmanufaktur. Die Griffe des Bestecks zierten Lilien. Die Bremer Lilie. Aus der Manufaktur Koch & Bergfeld. Thomas hatte Stoffservietten aufgelegt. Die steckten in silbernen Ringen. Das Design war das des Kerzenhalters. Dann sah sie an sich hinunter.

Sie hätte nicht die Jeans anziehen sollen.

„Ich bin völlig underdressed. Und du auch. Was wird das hier?"

Thomas schwieg. Er sah sie an. Sein Blick traf ihr Herz. Es verdoppelte im Bruchteil einer Sekunde seine Schlagzahl.

Er war an sie herangetreten, legte seine Arme um sie und küsste sie. Danielas Gedanken gingen wild durcheinander. Kurzzeitig dachte sie darüber nach, was sie tun sollte, würde er Eheringe aus der Hosentasche zaubern. Dann sagte er: „Ich muss nach dem Essen sehen."

Thomas trieb die Spannung ins Unermessliche. Mehrfach hatte sie ihn gebeten, endlich den Grund dieses perfekten Essens bekannt zu geben. Inzwischen waren sie beim Nachtisch angekommen und Daniela wusste, dass sie vorhin das Falsche vermutet hatte: Das hier würde kein Antrag werden.

Vorsichtig tastete Thomas sich heran. Es sei an der Zeit, sich zu verändern.

Daniela blickte auf. Sie begann zu ahnen, weshalb er sich bis zum Dessert Zeit gelassen hatte. Von welcher Veränderung sprach er?

Man hatte ihm den Posten eines Abteilungsdirektors angeboten.

Daniela dachte nach. Abteilungsdirektor. Es war ein Schritt auf der Karriereleiter. Ein Schritt zur richtigen Zeit. Thomas war seit fünf Jahren Berater. Er war erfolgreich. Ein Aufstieg war die logische Folge. Konnte sie anders, als sich mit ihm zu freuen?

Plötzlich sagte ihr sein Gesichtsausdruck, dass sie noch nicht alles wusste.

„Ich habe mich entschieden, die Herausforderung anzunehmen. Das bedeutet, ich werde ab Januar kommenden Jahres in Berlin arbeiten."

Daniela versagte die Stimme. Im selben Augenblick spürte sie, wie Tränen über ihre Wangen flossen. Thomas saß regungslos auf seinem Stuhl.

Daniela rang um Fassung. Als sie sich einigermaßen gefangen hatte, sagte sie: „Du hast es allein entschieden. Ich gehe davon aus, dass du Absolution erwartest."

Thomas zeigte kein Mitgefühl. „Was ändert sich für uns? Wir sehen uns werktags kaum und an den Wochenenden fahre ich von Berlin hierher. Ich bin der Auffassung, ich sollte meine Chance nutzen."

„Ich", dachte Daniela und atmete spürbar ein.

„Kommst du mit nach Berlin?" Thomas schaute sie fragend an.

„Und dann?", antwortete sie.

„Ganz einfach. Du suchst dir einen neuen Job."

Daniela hatte für heute genug gehört. Schon zum zweiten Mal erklärte ihr Thomas, was sie tun sollte. Zuerst sollte sie wegen eines gemeinsamen Kindes den Job aufgeben. Nun sollte sie in Berlin einen neuen Job suchen. Jobs in ihrer Klasse lagen schließlich auf der Straße. Frauen wurden in einer Position wie ihrer regelrecht herbeigesehnt.

Sie schaute Thomas an und schüttelte wortlos den Kopf. Dann stand sie auf und begann, das Geschirr zusammenzustellen. Sie trug es in die Küche. Thomas war ihr mit den restlichen Utensilien gefolgt.

„Bleibst du?", fragte er.

Daniela spielte mit dem Gedanken, ihn zu ohrfeigen.

Dann dachte sie: „Wie hättest du dich entschieden?"

Wahrscheinlich nicht anders. Abteilungsdirektor in Berlin. Was kam danach? Bankdirektor in München?

Daniela spürte bleierne Müdigkeit. „Wen werdet ihr mir schicken? Ich meine, welchen Berater?“, fragte sie und bemerkte, wie ihr die Kräfte schwanden. Sie schaute ihn an.

„Ist das deine einzige Sorge? Ich hätte gedacht, dass du auf meine Frage antwortest“, sagte Thomas wütend. Daniela blieb nicht verborgen, dass er das teure Porzellan malträtierte. Er schmiss das wunderschöne schwere Besteck mit Schwung auf den Tellerstapel.

Daniela drehte sich um und ging zur Garderobe. Sie zog ihre Jacke über und verließ grußlos seine Wohnung.

Hastig nahm sie die Stufen. Sie wollte einfach nur weg. Vor dem Haus holte Thomas sie ein. „So kannst du nicht gehen“, sagte er. Daniela sah Verzweiflung in seinen Augen.

„Lass uns später darüber reden, Thomas. Ich brauche ein bisschen Zeit zum Nachdenken.“ Sie fasste ihn am Arm. Längst tat es ihr leid, dass sie weggerannt war. Sie wusste genau, dass man Probleme so nicht löste. Sie versprach ihm, übermorgen wieder zu kommen. Er ließ sie gehen.

Achtundvierzig Stunden später stand Daniela Schulze-Henning gegenüber.

Dessen Lebensalter begann mit einer zwei. Sie hatte sich vorgenommen, ihm ohne Vorurteile begegnen zu wollen. Jetzt, wo er hier war, fiel es ihr verdammt schwer, diesen Vorsatz in die Tat umzusetzen.

Daniela zwang sich zu einem neutralen Tonfall, als sie ihn bat, Platz zu nehmen. Schulze-Henning besaß ein Pokerface. Er sprach über seinen beruflichen Werdegang und seine Erfahrungen. Demnach musste sich Daniela bezüglich der zwei geirrt haben. Schulze-Henning war wohl doch schon Mitte vierzig. Daniela bemerkte, wie genervt sie war. Sie schielte nach seiner Visitenkarte. Die Karten hatten sie nach dem Händedruck ausgetauscht. Daniela hatte sie auf ihren Tisch gelegt, ohne einen Blick darauf geworfen zu haben. Ihre Augen suchten nach seinem Titel.

Er war Bankfachwirt mit IHK-Abschluss.

Ihre Gedanken drifteten ab. Sie konnte sich nicht auf Schulze-Hennings Ausführungen konzentrieren. Vielmehr musste sie an ihr erstes Aufeinandertreffen mit Schwerdtfeger denken. Der hatte damals das Gespräch mit den Worten begonnen: „Sie sind das Küken hier im Haus." Zu diesem Zeitpunkt war sie mindestens fünf Jahre älter als der Banker, der ihr heute gegenüber saß. Schulze-Henning riskierte die große Lippe. Daniela erkannte keinerlei Anzeichen von Nervosität oder unsicherem Sitz. Er redete ohne Unterlass. Selbst bei bestem Willen und gutem Vorsatz: So würde er bei ihr nicht punkten. Irgendwie erinnerte er sie an Holger.

Es war spät geworden. Sie hatte keine Zeit mehr, noch einmal nach Hause zu gehen. Thomas wartete auf sie.

„Sag mal, wie ist denn die Generation, die da heranwächst, gestrickt?" Daniela hatte es sich auf der Couch bequem gemacht. Sie sah ihn an. Er schien nicht zu verstehen, worauf sie hinaus wollte.

„Ich hatte heute das Vergnügen, mit Schulze-Henning zu sprechen. Ziemlich selbstbewusst, das Würstchen." Sie merkte, dass Thomas stutzte. „War der schon heute bei dir? Das wusste ich nicht."

„Wie alt ist er eigentlich?", fragte Daniela. Thomas antwortete vage: „ Vierundzwanzig, fünfundzwanzig."

Daniela hatte demnach richtig gelegen mit ihrer Schätzung. Schulze-Henning war Ende der Achtzigerjahre Abiturient und hatte zwischenzeitlich den bankinternen Weg genommen: Lehre, Weiterbildung. Jetzt ließ man ihn auf die Menschheit los. Daniela schüttelte den Kopf und bemerkte nicht, dass Thomas sie ansah.

„Du bist enttäuscht."

Das Wort Enttäuschung traf es nicht. Sie war einfach nicht davon überzeugt, dass sie künftig einem verlässlichen und kompetenten Partner gegenübersitzen würde.

„Du musst ihn nicht mit in die Projektbesprechungen nehmen. Die schwierigen Dinge muss er erst noch lernen." Thomas gab den Diplomaten.

„Du darfst davon ausgehen, dass die Wahrscheinlichkeit, ich würde Schulze-Henning irgendwohin mitnehmen, bei Null liegt. Viel eher werde ich die Hausbank wechseln. Dir kann das doch jetzt egal sein." Thomas reagierte nicht.

Daniela war heute nicht hierher gekommen, um mit Thomas über Schultze-Henning zu sprechen. Sie hatten ein ganz anderes Problem zu klären. Daniela hatte zwei schlaflose Nächte hinter sich. Wenn sie in den Spiegel schaute, sah sie Schatten um ihre Augen. Thomas und seine berufliche Veränderung machten ihr zu schaffen.

„Sag mal, du Direktor, werden wir einen Plan erstellen, der uns zeigt, an welchem Ort wir uns künftig wann treffen? Ich bin eine Meisterin der Planerstellung." Daniela schaute ihn an. Sie hatte sich entschlossen, mit ihm nicht streiten zu wollen.

„Wir könnten unsere Wohnungen kündigen und etwas Gemeinsames hier in Rostock suchen. Was hältst du von dieser Idee? Wir müssten keinen Plan ausarbeiten. Ich müsste dich nicht mehr bitten, zu bleiben, um gesagt zu bekommen, dass du nicht bleiben willst. Und du musst nicht mit nach Berlin kommen." Thomas hatte sie fest im Blick.

„Gute Idee", antwortete sie. „Ob du es glaubst oder nicht, ich finde deine Entscheidung, die Position anzunehmen, richtig. Ich bin davon überzeugt, dass du verdient Direktor wirst. Hättest du mich um Rat gefragt, hätte ich dir zugeraten." Sie wartete auf seine Reaktion.

„Ich habe mit dem Gedanken gespielt, abzusagen." Thomas schaute ihr in die Augen.

„Das musst du nicht. Aber ein Bitte habe ich: Hör auf, mich auf deinem Schachbrett hin- und herzuschieben. Ich werde niemals meinen Job aufgeben. Nicht wegen eines Kindes und nicht deinetwegen."

Sie sah, wie er schluckte.

13. Kapitel
Frühsommer 1995

Danielas Gedanken waren längst bei ihrem nächsten Termin. In einer Stunde sollte Claire eintreffen. Zum ersten Mal nach ihrer Sekundenbegegnung im Casino würden sie sich heute gegenübersitzen.

Claire benahm sich, als sei nichts passiert. Oberflächlich betrachtet, sah es zumindest danach aus. Was hatte Daniela erwartet? Welche Chance hatte Claire, Geschehenes ungeschehen zu machen? Die einzige Möglichkeit schien tatsächlich zu sein, zur Tagesordnung überzugehen. Dennoch glaubte Daniela, heute nicht die gewohnte Überheblichkeit in Claires Stimme zu hören. Das ansonsten so souveräne Auftreten hatte einen Knacks bekommen.

Claire versuchte es mit der Vertrautheitsmasche.

Sie redete vom Wetter, von der frühen Sommerhitze, den Temperaturunterschieden im klimatisierten Büro und im Freien. Dabei lächelte sie puppenhaft unnatürlich und trug ihre Blässe zur Schau.

Claire hatte auf Kostümjacke und Strümpfe verzichtet. Ein Paar weiße Arme und ein Paar noch weißerer unbekleideter Beine blinkten Daniela entgegen.

Die schwankte zwischen Amüsement und Anspannung. Dann musste sie feixen. Wo kam Claire her?

Auf Führungsetagen erschien man nicht ohne Strümpfe. Und sei es noch so warm.

Hatte sie es auf die Schnelle nicht mehr geschafft, die Strümpfe überzustreifen?

Claire riss Daniela aus ihren Gedanken. Sie war auch diesmal nicht ohne Neuigkeiten gekommen.

Bevor sie über Geld redeten, berichtete Claire von einer Personalentscheidung. Während dessen betrieb sie ungebrochen die Freundinnenmasche: Ich sag' dir mal was, aber erzähl' es nicht weiter.

Daniela zeigte keinerlei Emotionen. Regungslos saß sie an ihrem Schreibtisch. Ihren Blick hatte sie auf Claire geheftet. Claires Getue ging an ihr vorbei.

Sie würden personelle Verstärkung im Marketing bekommen. Daniela wurde hellhörig und dachte sogleich, diese Maßnahme sei nicht unvernünftig. Auf diesem Gebiet hatten sie deutliche Defizite.

„Die neue Kollegin" hörte sie Claire sagen und war überrascht. Die Verstärkung würde weiblich sein. Daniela wäre nicht mehr allein unter Männern. Diese Aussicht reizte.

Daniela stutze, als Claire formulierte: „Sie wird das schönste Gesicht der Firma sein."

Daniela musste sich anstrengen, ein Schmunzeln zu unterdrücken. Wie blöd war das denn? Claire installierte vor Holgers Augen eine Schönheit?

Daniela war sicher, die Auswahlkriterien bezüglich der Sekretärin in Holgers Vorzimmer hatte Claire diktiert. Nun das.

Holger würde schmeicheln und flirten, so es ihm nützlich erschien. Und sei es, seinen Trieb zu befriedigen. War ihr das nicht bewusst?

Daniela war froh, als Claire gegangen war. Die schien es eilig zu haben.

Der Besuch, der jetzt bei ihr war, war Daniela tausendmal lieber.

Stephan hantierte mit dem Kaffeegeschirr und versuchte gleichzeitig, die Kaffeedose nebst zugehöriger Maschine zu beherrschen. Daniela beobachtete das Geschehen aus sicherer Entfernung. Alles in allem glaubte sie nicht an Stephans Erfolg. Er aber wollte sich nicht helfen lassen. Dabei hatte sie ihm schon zum wiederholten Mal ihre Hilfe angeboten.

„Lass mal, ich bekomme das schon hin. Sag mir lieber, wie dein Gespräch mit Claire verlaufen ist. Hat sie sich etwas anmerken lassen?“

Daniela wollte dieses Gespräch, so schnell es ging, vergessen. Zu albern erschien ihr noch im Nachhinein die Freundinnennummer. Eine ganz andere Erkenntnis war es, die sich ihr aufgedrängt hatte, während sie Stephan zusah.

Je intensiver sie nachdachte, umso mehr verfestigte sich in ihr die Überzeugung, dass ihr Respekt gegenüber Claire endgültig verloren gegangen war.

Die Situation, als sie zum ersten Mal dieser Frau in New York begegnet war, hatte sich fest in ihr Gedächtnis gegraben. Unter dem Eindruck des pompösen Ambientes hatte sie ihr ehrfurchtsvoll gegenübergestanden. Irgendwie hatte sie Claire vom ersten Tag an als unnahbar empfunden, dies aber nicht als Nachteil angesehen. Konzentriert hatte sie den Ausführungen dieser Frau gelauscht. Sie hatte zu ihr aufgeschaut.

Schnell hatte ihre Bewunderung jedoch abgenommen.

Claires Verhältnis zu Holger trug einen nicht unbedeutenden Anteil zu dieser Entwicklung bei.

Daniela war es inzwischen gleichgültig, dass die beiden ein Paar waren. Viel mehr störte sie, dass Claire sich so dermaßen einwickeln und ganz offensichtlich für Holgers Ziele missbrauchen ließ. Dabei ignorierte sie scheinbar, zum nicht gerade wohlwollenden Gesprächsstoff einer ganzen Belegschaft mutiert zu sein.

„Willst du heute nicht mit mir sprechen?“, fragte Stephan.

„Nur wenn ich endlich Kaffee bekomme“, antwortete Daniela. Stephan lachte und meinte, sie müsse sich nur noch zwei Minuten gedulden. Daniela richtete sich gedanklich auf eine weitere halbe Stunde ein.

„Stephan, sie hat sich selbst disqualifiziert, oder nicht? Ihre Affäre mit Holger hat viel mehr ihrem Ansehen als seinem geschadet."

Nachdenklich antwortete er: „Die Leute sagen zu Recht, sie solle sich endlich ihrer Verantwortung bewusst werden, anstatt hierherzukommen und im Casino ihre sexuellen Gelüste auszuleben. Ich weiß jedoch nicht, wie die Kollegen reagiert hätten, wäre Claire ein Mann und hätte hier eine Liebschaft gefunden. Wahrscheinlich wären sie eher geneigt, zu glauben, das gehört irgendwie zum Leben dazu."

Stephan hatte es tatsächlich fertiggebracht, den Kaffee zu servieren.

„Ich bin begeistert", sagte sie. „Ich danke dir herzlich. Wie lange kennen wir uns? Sechs, sieben Jahre? Etwas länger? Muss ich nun wieder so viele Jahre warten, bis ich ein zweites Mal von dir so dermaßen verwöhnt werde?" Daniela lachte.

„Wie ich sehe, war schon jemand vor mir ganz wild aufs Verwöhnen. Sicher wirst du mir verraten, wer es war."

Mit einem Blick auf den Blumenstrauß, den Stephan geortet hatte, antwortete sie:

„Thomas. Wir haben im Moment keine so richtige Bleibe. Wir sind dabei umzuziehen. In eine gemeinsame Wohnung. Wir verlassen die Sonnenblumenhäuser." Daniela lachte: „Stichwort Blumen: Ich habe mir gedacht, ich nehme die mit hierher. So gehen sie wenigstens nicht im Gewirr von Umzugskartons unter."

Stephan lächelte, als er sagt: „Gratulation. Hat lange gedauert mit euch. Ich bin ein wenig neidisch. Aber sag endlich, hat Claire nun Neuigkeiten verbreitet oder nicht?"

Daniela erzählte ihm vom geplanten Zuwachs. Von der Marketingfrau mit dem schönen Gesicht.

„Sie wird Hansgen unterstellt? Auf gleicher Ebene wie Holger?", fragte Stephan stirnrunzelnd. In seiner Stimme schwang Anteilnahme mit.

Vor ihr lag die Mappe mit der unerledigten Post. Noch immer waren ihre Gedanken bei dem Gespräch, das sie mit Stephan geführt hatte. In diesem Moment wurde ihre Tür geöffnet. Im Türrahmen stand Holger.

Unwillkürlich musste Daniela an einen Pfau denken. Auf sie machte Holger den Eindruck, als würde er sein Gefieder spreizen.

Er konnte sie nicht beeindrucken. Das sollte er wissen. In Daniela regte sich der Wunsch, ihm zu sagen, wie sehr er ihr auf die Nerven ging. Dennoch zeigte sie auf einen der Sessel und meinte, er solle sich setzen.

Zehn Minuten später hatte sie noch immer nicht verstanden, weshalb er eigentlich gekommen war. „Holger, Klartext. Ich habe wenig Zeit."

Sie erntete einen vernichtenden Blick. Dann schien er endlich auf den Punkt kommen zu wollen. Dennoch erörterte er ziemlich umständlich. Es gehe um einen Sachverhalt, dessen Klärung aus seiner Sicht keinen Aufschub duldete.

Daniela stutzte. Eine Sekunde später hatte er ihre Aufmerksamkeit geweckt. Obwohl sie immer noch Mühe hatte, das Gesagte zu verstehen.

Daniela konnte sich des Eindruckes nicht erwehren, Holger wolle ihr etwas schmackhaft machen oder gar Druck auf sie ausüben. Wenn sie ihn richtig verstand, sollte sie etwas für Hansgen erledigen.

Es ging nicht um irgendeine allgemeine Sache. Holger war zu ihr gekommen, weil sie Zahlungen ausführen sollte.

Daniela schaute ihn an. In der Regel zahlten sie Rechnungen pünktlich. Lediglich kleinere Engpässe in der Liquidität hatten sie dann und wann dazu gezwungen, Zahlungsziele zu überschreiten.

Holger sprach von Verträgen mit Handelsvertretern.

Daniela dachte nach. Sie kannte diese Verträge nicht. Auch kannte sie keine externen Vertriebsleute, die für sie arbeiteten.

Vielleicht hatte Schwerdtfeger es versäumt, sie in Kenntnis zu setzen. Daniela sah, dass Holger einen Briefumschlag auf den Tisch legte.

„Lass mir das da. Ich gehe davon aus, dass da drin die Rechnungen sind. Ich sehe sie mir nachher an.“ Sie streckte Holger die Hand entgegen. Der schien nicht bereit zu sein, die Dokumente hierzulassen.

„Ich brauche das. Ansonsten kann ich nicht bezahlen.“ Sie sah ihn an und fragte sich, wie man dermaßen begriffsstutzig sein konnte.

„Hansgen will die Zusage, dass du es gleich erledigst.“

Er war nicht begriffsstutzig. Spätestens im Moment dieser Erkenntnis war Daniela sensibilisiert.

„Diese Zusage gebe ich dir nicht. Wenn du das Zeug nicht hierlassen willst, deine Entscheidung.“ Danielas Gesichtsausdruck zeigte Entschlossenheit. Sie duldete keine Widerrede. Für sie war Vertrag gleich Vertrag. Ergaben sich Zahlungsverpflichtungen daraus, würde sie die erledigen. Wenn es dringend war, dann eben sofort.

Widerwillig legte Holger den Umschlag auf ihren Tisch. Er stand auf und ging. Die Tür ließ er geräuschvoll hinter sich ins Schloss fallen.

Daniela zögerte einen kurzen Moment. Dann siegte die Neugier. Sie öffnete das Kuvert.

Jeweils eine Rechnung und ein zugehöriger Vertrag waren zusammengeheftet. Insgesamt zählte sie fünf Vorgänge. Ausgefertigt in englischer Sprache.

Amerikaner, ging ihr durch den Kopf. Sie schob den Stapel beiseite. Dabei fiel ihr Blick auf die Bankverbindungen. Die Empfängerbank hatte ihren Sitz in Singapur. Das wollte sie jetzt genauer wissen.

Die Absender stellten Vertriebsleistungen in Rechnung. Eine erste Zahlung war laut Vertrag bei Vertragsabschluss ohne Gegenleistung fällig. Sie pfiff durch die Zähne. Die Beträge waren nicht unerheblich.

Für eine Vorabzahlung waren sie hoch. Sehr hoch. Extrem hoch.

Wer waren diese Leute? Daniela hatte ihre Namen bisher nicht gehört.

Wann hatte sie zum letzten Mal mit Schwerdtfeger gesprochen?

Es war üblich, dass sie mindestens einmal pro Woche die Gelegenheit bekam, mit ihm über anstehende Aufgaben zu reden. Er nutzte diese Treffen seinerseits, um sie auf dem Laufenden zu halten. Daniela kramte in ihrem Gedächtnis. Ihre Hand griff nach dem Notizbuch.

Minutiös ging sie ihre Aufzeichnungen der letzten Wochen durch. Sie fand nichts zum Thema Handelsvertreter. Nicht der kleinste Hinweis auf Vertriebsaktivitäten in den Ländern, aus denen diese Rechnungen stammen sollten, war jemals an sie herangetragen worden. Die Sache kam ihr seltsam vor. Vertragspartner war Hansgen. Natürlich. Es war sein Ressort. Daran war nichts ungewöhnlich.

Daniela dachte nach. Sollte sie zu Schwerdtfeger gehen und ihn fragen? Die Unterschrift des Vertriebsvorstandes war ausreichend. Insofern hatte sie keine Veranlassung nachzufragen. Was sollte sie tun? Die Zahlungen ausführen? Das musste sie eigentlich.

Sie versuchte, die Fakten zu sortieren. Es existierten Verträge, die Hansgen unterzeichnet hatte. Aufgrund dieser Vereinbarungen hatten sie jeweils eine erste Rechnung bekommen. Die hatte er abgezeichnet und anschließend Holger in die Hand gedrückt. Nicht ihr, sondern ihm hatte Hansgen die Papiere ausgehändigt. Holger wollte sie dazu bewegen, nicht nachzufragen und sofort zu bezahlen. Seinem Drängen hatte sie nicht nachgegeben.

Was verbarg sich hinter dieser Geschichte? Woher rührte die Eile? Danielas Gedanken kreisten.

Claire hatte ihr im Freundinnentaumel erzählt, dass eine neue Kollegin im Marketing anfangen würde. Sie hatte kein Wort darüber verloren, den Vertrieb durch Handelsvertreter im Ausland stärken zu wollen.

Sollte sie diese Dokumente Schwerdtfeger zeigen? Sie müsste sich wahrscheinlich die Frage gefallen lassen, wofür sie ihr Gehalt bekam, wenn sie bei Kleinigkeiten wie diesen seine Zustimmung erbat. Genau das konnte jedoch auch der Gedankengang von Hansgen gewesen sein, als er allein oder mit Holger gemeinsam ausgeklügelt hatte, wie man Daniela dazu bewegen konnte, ohne kritische Rückfrage einfach zu funktionieren.

Sie würde nicht zahlen, jedenfalls nicht heute.

Das schönste Gesicht der Firma hörte auf den Namen Beate. Stephan war gerade mit ihr gemeinsam zur Tür hereingekommen. Er stellte sie vor. Dabei hatte er eine Röte im Gesicht, die Daniela bei ihm noch nie gesehen hatte. Stephan tänzelte um Beate herum, rückte ihr den Sessel zurecht, wartete artig, bis sie Platz genommen hatte. Daniela glaubte zu sehen, dass er seinen Bauch einzog. Dann setzte auch er sich.

Mit Amüsement nahm Daniela Beates verstecktes Augenzwinkern entgegen. Sie reichte ihr die Hand und sagte: „Ich bin Daniela. Herzlich willkommen.“ Beate war aufgestanden, um Danielas Händedruck entgegenzunehmen. In diesem Moment erhob sich auch Stephan wieder. Daniela sah ihn an. Sie wusste, dass er wusste, wie die Benimmregeln funktionierten. Aber hier waren sie unter sich. Stephan übertrieb eindeutig.

„Wir müssen weiter“, sagte er. „Wir sollten uns morgen auf Deck 8 treffen. Dann haben wir mehr Zeit.“ Stephan schob Beate vor sich her. Daniela sah ihnen kopfschüttelnd nach, als sie zur Tür gingen.

So hatte sie Stephan noch nie erlebt. Daniela setzte sich. Sie hatte nur grobe Umrisse vor Augen. Die Zeit war einfach zu kurz gewesen. Aber Beate war ganz sicher eine Frau, nach der sich die Männer umdrehten. Bei einer geschätzten Körpergröße von einsfünfundsechzig bis einssiebzig wog sie keine sechzig Kilo. Ihr Körper schien durchtrainiert wie der einer Läuferin. Die dunkelblonden Haare hatte sie zu einem Bob frisiert. Ihre Haut war natürlich von der Sonne gebräunt. Beate hatte kein Make-up aufgelegt. Sie trug ein elegantes Kostüm und hochhackige Schuhe. Trotz des Kostüms wirkte sie nicht brav.

Daniela hielt inne. Sie sah Stephan vor sich. Im selben Moment drängte sich ihr die Frage auf, welchen Hormonstoß Thomas' Körper produzieren würde, träfe er auf diese Frau.

Ob Stephan den Ring an Beates rechter Hand bemerkt hatte? Mit dieser Frage im Kopf ging sie zum Schreibtisch und hörte erneut ein Klopfen an ihrer Tür.

Eine der Kolleginnen aus dem Service-Pool stand auf der Schwelle. Daniela winkte sie herein. „Nehmen Sie Platz. Was gibt es?“ Daniela sah sie freundlich an.

„Frau Klimt, ich störe nur ungern. Am Kopiergerät habe ich dies gefunden. Ich dachte, es könnte Ihnen gehören.“ Sie reichte Daniela einen schmalen Aktendeckel. Ein kurzer Blick auf den Inhalt genügte. Daniela sagte: „Vielen Dank. Lassen Sie das hier. Ich werde mich darum kümmern.“

Daniela atmete tief durch. Sie wusste, dass die Pool-Kolleginnen sie mochten. Der Beweis dafür, dass sie ihr auch vertrauten, lag vor ihr auf dem Tisch.

In diesem Ordner befanden sich zahlreiche private Mahnungen, adressiert an Hansgen. Daniela sichtete die Papiere genauer. Einen Moment lang befiel sie Beklommenheit. Im Grunde durfte sie nicht tun, was sie gerade tat. Ihr Herz klopfte.

Vor ihr lag eine Zahlungserinnerung über einhunderttausend britische Pfund einer englischen Universität. Studiengebühren für einen Studenten des Geburtsjahrganges 1975 mit dem Nachnamen Hansgen.

Im Bruchteil einer Sekunde entschied sie, wie sie mit diesem Wissen umgehen und was mit diesem Ordner geschehen würde. Sie griff nach einem Umschlag im Format A4, schob den Ordner hinein und druckte ein Etikett: Hauspost, Vorstand, Herr Hansgen.

Daniela wünschte sich, sie würde heute nach Hause kommen und Thomas wäre da. Sie könnten miteinander reden.

Einen kurzen Augenblick lang zog sie in Erwägung, Stephan ins Vertrauen zu ziehen. Sie verdrängte diesen Gedanken jedoch sehr schnell. Ihr Verhältnis zu ihm war von Ehrlichkeit geprägt. Sie war sicher, ihre Gesprächsinhalte würden niemals an andere Ohren dringen. Dennoch: Stephan war nicht Thomas.

Thomas war ihr Partner für alle Dinge des Lebens. Er war auch ihr Ratgeber. Aber er war nicht hier.

In diesem Moment erinnerte sie sich an Sophias Worte: „Er war da, als ich ihn brauchte. Er hat sich um mich gekümmert …"

Daniela befiel Wehmut. Ihre gemeinsame Wohnung würde leer sein, wenn sie nach Hause kam. Thomas war irgendwo in Berlin unterwegs und sie allein in Rostock.

Den Abend hatte Daniela vor dem Fernseher verbracht. Immer wieder hatte sie an Hansgen und die Papiere denken müssen. Heute Morgen war sie unausgeschlafen erwacht und ins Büro gefahren. Nun wollte Schwerdtfeger sie plötzlich sehen. Überraschend. Sie hatte keine Ahnung, was er von ihr wollte. Dieses Treffen fand außerplanmäßig statt. Sie dachte nach. Sollte sie den Vorgang Hansgen mitnehmen? Hätte er ein Ohr für diese Angelegenheit? Egal. Sie konnte kurzfristig entscheiden, ob sie das Thema ansprechen wollte oder nicht. Daniela griff die Akten und ging los.

„Nehmen Sie Platz.“ Schwerdtfegers Laune war nicht die beste. „Ich will auch gleich auf den Punkt kommen. Ich hatte ein sehr unerfreuliches Gespräch mit Hansgen.“ Er schaute sie an. Daniela dachte: „Wie außergewöhnlich.“

„Sie sind privat umgezogen?“ Daniela stutzte und antwortete: „Ja.“

„Hansgen sagt, Sie sind zu Herrn Nolden gezogen.“

„Da irrt Herr Hansgen“, antwortete sie mit Schärfe im Tonfall.

Nach einer kurzen Pause fuhr sie fort: „Herr Nolden und ich sind zusammen in eine gemeinsame Wohnung gezogen.“ Ihren Blick hatte sie auf Schwerdtfeger gerichtet. Sie fragte sich, was das hier werden solle.

„Daniela, Sie wissen, dass das nicht geht!“

Sie hatte sich entschlossen, ihn einen Augenblick lang schmoren zu lassen.

„Man munkelt schon länger, Sie und Herr Nolden seien ein Paar. Daniela, das ist ein Interessenskonflikt. Ich brauche Ihnen das doch nicht zu sagen!“

Daniela war völlig entspannt, als sie antwortete: „Herr Schwerdtfeger, Herr Nolden arbeitet seit einem knappen halben Jahr nicht mehr für unsere Hausbank, nicht mehr in dieser Stadt und nicht mehr als Betreuer. Herr Nolden ist Abteilungsdirektor einer anderen Bank in Berlin. Der für uns zuständige Mann heißt Schulze-Henning. Ich sehe partout keinen Interessenskonflikt.“

Sie glaubte zu hören, wie ein Stein von seinem Herzen fiel.

„Daniela, Sie hätten mit mir gesprochen, wenn es anders gewesen wäre?“, fragte er ein paar Sekunden später.

„Ja, das hätte ich“, antwortete sie und überlegte, ob sie ihr Hansgen-Problem ansprechen sollte.

Ihr Gefühl sagte ihr jedoch, damit noch zu warten.

Daniela musste sich auf den Weg machen. Sie war mit Beate und Stephan zum Essen verabredet.

Deck 8 war gut gefüllt. Daniela hielt Ausschau. Die zwei waren nicht zu sehen, dafür ein freier Tisch abseits des Gewimmels. Daniela beschleunigte ihren Schritt.

Stephan und Beate mussten kurz nach ihr gekommen sein. Als sich Daniela setzen wollte, steuerten die beiden auf sie zu.

„Nehmt Platz. Ich glaube, hier sitzen wir ungestört", sagte sie.

Spöttisch bemerkte Stephan: „Wir setzen uns gern. Schließlich wird man nicht alle Tage von der Herrscherin über Zweihundert Millionen Deutsche Mark zum Mittagessen empfangen."

Daniela brauchte einen Moment. Dann hatte sie begriffen. Es war ihr in Fleisch und Blut übergegangen, die Regie zu übernehmen. Egal, wo sie und mit wem sie zusammen war.

„Sorry", sagte sie, schüttelte belustigt den Kopf und hatte bereits ihren Blick auf die Angebotstafeln gerichtet.

Schon gestern hatte Daniela gespürt, dass sie für die neue Kollegin Sympathie empfand. Ihr Eindruck verfestigte sich mit jedem Satz, den sie nun hörte.

Die Mittagspause verging wie im Flug und endete mit der Absprache, sich einmal abends privat treffen zu wollen.

Daniela schaute zu Stephan. Ob der inzwischen registriert hatte, dass Beate verheiratet war? Sie hatte mit keinem Wort etwas Familiäres erwähnt. Nur über ihren beruflichen Werdegang gesprochen. Der Ring an ihrem Finger aber war gewiss ein Ehering.

Daniela war froh, dass das Wochenende vor der Tür stand. Sie sehnte sich nach Thomas. Mit großem Fleiß hatte sie alle Umzugskartons ausgepackt und aus der Wohnung ein behagliches Heim gemacht. Sie hoffte, es würde ihm gefallen.

„Wer hat die Möbel aufgebaut? Wie hast du es geschafft, alles auszupacken?" Thomas war ehrlich erstaunt.

„Der Hausmeister war so freundlich, die Lieferanten einzulassen und ein Auge auf sie zu werfen während des Aufbaus. Ich habe ihn anständig entlohnt. Abends habe ich ausgepackt und eingeräumt."

„Gehen wir essen oder gibt unser Kühlschrank etwas her?" Thomas schaute sie an.

„Ich dachte, du kochst. Ich habe keine Lust, auswärts zu essen. Ich finde, dass du auch etwas tun solltest." Daniela lächelte ihn an. „Außerdem gilt es ein neues Bett einzuweihen."
„Dieses Argument ist unschlagbar." Er griff sie bei der Hand und zog sie in Richtung Schlafzimmer. Daniela lachte und sagte. „Langsam, erst die Arbeit, dann das Vergnügen." Dabei zeigte sie auf die Küchentür.

Thomas hatte gekocht. Sie hatten gemeinsam gegessen und sich dann auf ihr neues Sofa zurückgezogen. Daniela kuschelte sich an ihn. Sie genoss seine Nähe und verspürte keine Lust, jetzt mit ihm über ihr Hansgen-Problem zu sprechen. Morgen nach dem Frühstück würde genügend Zeit sein, die Dinge zu erörtern. Vielleicht konnten sie nach Warnemünde fahren. Daniela hatte das Meer vor Augen.

Aber etwas anderes musste sie Thomas heute noch erzählen. Ihr nächstes Wochenende konnte turbulent werden. Daniela hatte Sophia versprochen, ihr zu helfen. Viel zu selten bestand die Gelegenheit dafür.

„Thomas, ich habe Sophia zugesagt, am Freitagnachmittag Luise abzuholen. Sie soll das Wochenende bei uns verbringen. Sophia muss auf ein Weiterbildungsseminar nach Hamburg. Ich hoffe, du hast nichts dagegen." Sie schaute ihn an.

„Weshalb sollte ich? Du weißt, dass ich gegen ein Kind in unserer Wohnung nichts einzuwenden habe."

Sein Unterton traf sie bis ins Mark.

Sie verstauten ihr Frühstücksgeschirr im Spüler, als Daniela sagte: „Thomas, ich muss dir noch etwas erzählen." Er sah sie an und fragte: „Noch ein Kind?" Daniela verdrehte die Augen.

Sie erzählte ihm, was in der letzten Woche passiert war. Daniela schilderte Holgers Auftritt in ihrem Büro und sprach über die Dokumente, die er widerwillig bei ihr gelassen hatte. Sie erwähnte das Erscheinen der Pool-Kollegin samt Aktendeckel und sagte ihm, auf welche Weise sie sich der Dokumente darin entledigt hatte.

Thomas war verblüfft. „Jetzt wird es zum Krimi", brachte er stirnrunzelnd hervor.

Daniela hatte in den letzten Tagen intensiv darüber nachgedacht, wie die private Hansgen-Post in die Firma und neben den Kopierer gelangt sein konnte. Sie war zu dem Schluss gekommen, dass nur eine Möglichkeit bestand, was den Weg des Aktendeckels ins Unternehmen betraf. Hansgen musste die Unterlagen selbst mitgebracht haben. Ob er sie auch aus seiner Aktentasche ausgepackt hatte, war fraglich, dennoch wahrscheinlich.

Wie aber war die Mappe zum Kopierer gelangt? Weshalb war sie dort liegen geblieben? Hatte sie jemand vergessen oder absichtlich liegen lassen? Wenn Letzteres, wer hatte sie finden sollen?

Daniela war keine Detektivin.

„Niemand konnte davon ausgehen, dass du in den Besitz der Dokumente gelangst", sagte er. „Wen hast du im Verdacht?"

Daniela musste die Frage nicht beantworten, Thomas kannte die Antwort bereits.

„Meinst du wirklich, Holger hat die Mappe bei Hansgen mitgehen lassen?"

Daniela nicke. Ihr war eine zweite Variante des Weges der Akte eingefallen: Holger ging bei Hansgen privat ein und aus. Konnte es sein, dass er dort zugegriffen hatte? Sie traute ihm zu, sowohl Schwerdtfeger als auch Hansgen abschießen zu wollen. Gegen Schwerdtfeger war er mit Claire im Bund. Auch gegen Hansgen? Möglich schien tatsächlich alles.

„Wie willst du dich jetzt verhalten?" Thomas schaute sie an.

„Sag du es mir. Gib mir einen Rat. Ich habe nicht grundlos bis jetzt gewartet. Nach dem Wochenende sollte ich allerdings etwas unternehmen. Länger kann ich die Zahlungen nicht mehr aufschieben. Ich muss damit rechnen, dass Hansgen mich anzählt."

„Kannst du Schwerdtfeger sagen, was du weißt? Du würdest dich outen. Am Ende wäre klar, wer die Papiere anonym per Hauspost zurückgeschickt hat."

Darüber hatte sie auch schon nachgedacht. Es war ausgeschlossen, dass sie zu erkennen gab, diese Mahnschreiben jemals gesehen zu haben. Sollte Holger hinter der Sache stecken, würde er dafür sorgen, dass Claire von diesen Dingen erfuhr. Sie konnte ihre Beklommenheit immer noch spüren, die sie beim Sichten der Papiere befallen hatte.

„Du musst das Thema anders anpacken." Thomas war hochkonzentriert, als er ihr einen Vorschlag unterbreitete, der so korrekt erschien, dass er nach Umsetzung schrie.

Am Montagmorgen betrat sie Schwerdtfegers Büro, entschlossen und fest davon überzeugt, das Richtige zu tun. Sie gab sich große Mühe, neutral und abgeklärt zu wirken. Dabei wusste sie nur zu genau, dass es an dem nicht war.

Für ihre Verhältnisse wortreich tastete sie sich heran.

Schwerdtfeger schaute sie aufmerksam an, als sie sagte, sie könne sich erinnern, jüngst mit ihm über die Geschäftsordnung gesprochen zu haben. Dabei würde in ihrer Erinnerung fehlen, ob die Amerikaner festgelegt hatten, ab einer gewissen Größenordnung von Zahlungsverpflichtungen zwei Vorstände gemeinsam entscheiden zu lassen. Oder war es dabei geblieben, den jeweiligen Vorstand für seinen Verantwortungsbereich allein zu betrauen?

Schwerdtfeger ließ sich von ihr narren.

Daniela kannte die Geschäftsordnung in- und auswendig. Sie wusste, dass es eine Diskussion um Obergrenzen gegeben hatte. Letztlich waren sie nicht durchgesetzt worden. Er bestätigte in diesem Moment genau das.

„Gibt es einen konkreten Anlass für Ihre Frage, Daniela?"

Sie antwortete „Ja", und legte fünf Vorgänge auf den Tisch. Sie hatte die Papiere zu ihm geschoben. Er konnte sofort darin lesen. Daniela verharrte.

Schwerdtfeger studierte den Inhalt. Daniela schwieg, bis er zu ihr aufschaute. Dann sagte sie: „Ich wollte diese Zahlungen nicht vornehmen, ohne sicher zu gehen, dass die Verträge entsprechend der bestehenden Regularien zustande gekommen sind."

„Kann man nicht einmal für zwei Stunden dieses Haus verlassen, ohne dass etwas passiert?" Stephan ließ sich auf Danielas Besuchercouch fallen. „Wie meinst du das?", sagte sie.

„Spann mich nicht auf die Folter. Weshalb steht Schwerdtfeger auf dem oberen Korridor und brüllt, als sei er auf dem Kasernenhof?"

„So etwas macht er?", antwortete Daniela sichtlich amüsiert. Sie würde Stephan gern noch ein bisschen weiter schmoren lassen, zeigte dann aber Erbarmen.

„Hansgen hat einen kapitalen Fehler begangen. Einen, der ihm das Genick brechen dürfte." Einen derart ungläubigen Gesichtsausdruck hatte Daniela noch nie gesehen. Stephan hatte es die Sprache verschlagen. „Kannst du das näher erklären?"

Nein, das konnte sie nicht. Noch nicht. Die Zeit würde zeigen, wie konsequent Schwerdtfeger sich mit Hansgen auseinandersetzen würde. Sie wusste nicht, welche Position Claire beziehen würde und welche Rolle Holger spielte. Sie konnte Stephan nichts Konkretes sagen und antwortete: „Wart' es einfach ab."

14. Kapitel
Juli 1995

Schwerdtfeger beaufsichtigte den Abgang. Er hatte sich zwei Hausmeister gegriffen, die er befehligte. Persönlich hatte er Hansgen alle Firmengegenstände abgenommen. Die beiden Angestellten mussten überwachen, welche Privatsachen der Dicke einpackte und mitnahm.

Chief Eddy hatte entschieden, Hansgen solle noch heute das Haus verlassen.

Weder Schwerdtfeger noch Claire waren in Pläne eingeweiht gewesen, Handelsvertreter im Ausland zu beschäftigen. Allein diese Tatsache hatte ihren Unmut erregt. Als Claire die Zahlungskonditionen studierte, war ihre Skepsis gewachsen. Sie hatte eine Überprüfung der Vertragspartner veranlasst. Zwei von fünf besaßen keine Gewerbeanmeldung. Eine weitere Recherche hatte ergeben, dass Vertragspartner und Kontoinhaber in zwei Fällen nicht übereinstimmten. Der darauf folgende Schluss war eindeutig. Claire musste Schwerdtfeger nicht überzeugen. Sie wollten Chief Eddy schnellstmöglich über die Fakten informieren.

Mit den Betrugsvorwürfen konfrontiert, hatte Hansgen geschwiegen. Wortlos tat er heute morgen, was Schwerdtfeger von ihm verlangte. Er packte ein.

Daniela fragte sich, was nun passieren würde.

Konnte es Claire gelingen, Holger auf Hansgens Stuhl zu bugsieren? Wie würde Schwerdtfeger reagieren? Was würde ein solcher Schritt für Stephan und Beate bedeuten? Daniela überkam ein Grauen.

Sie hatte Holger vorhin auf dem Korridor getroffen. Feindselig hatte er zu ihr gesagt: „Du bist respektlos.“

Sie hatte schnell begriffen. Er war tatsächlich der Auffassung, Hansgens Betrug aufzudecken, sei in mangelndem Respekt einem Vorstand gegenüber begründet. Spontan hatte sie ihm geantwortet: „Holger, Respekt zolle ich für eine Leistung. Ein Titel oder eine Position reichen dafür nicht aus.“ Dann hatte sie sich umgedreht und ihn stehenlassen.

Wenn sie sich heute nach langer Zeit wieder einmal mit Sophia traf, würde sie diese Geschehnisse ausblenden. Seitdem sich Sophia von Holger getrennt hatte, waren Daniela und sie stillschweigend übereingekommen, seine Dreistigkeiten nicht mehr zum Gegenstand ihrer Gespräche zu machen. Daniela war froh, dass Sophia nie nachfragte. Sie fand es bedauerlich genug, dass sie ihre und Thomas' Zeit beanspruchten.

Immer wieder hatten sie debattiert. Dennoch wussten sie bis heute nicht, wie es um Holgers fachliche Qualitäten tatsächlich bestellt war. Daniela war nicht in der Lage, verbindlich zu beurteilen, wie viel Ahnung er von Betriebswirtschaft besaß. Ein Vertriebsfachmann war er auf keinen Fall. Manchmal dachte sie, dass er fachliches Wissen besäße und nur faul sei. Dann wieder zweifelte sie und glaubte, er sei einfach nur ein Blender.

Der heutige Abend war tabu für solche Fragen. Sie wollten fröhlich sein. Sophia hatte einen entspannten Eindruck gemacht, als sie telefonierten und sie ihr sagte, Luises Betreuung sei abgesichert. Sie konnten beruhigt ans Meer fahren.

Sie sieht gut aus, dachte Daniela, als sie der Freundin gegenüberstand. Dann bemerkte sie, dass Sophia ziemlich aufgedreht wirkte.

„Gibt es etwas, das ich wissen sollte?“, fragte Daniela. Sophia zögerte, bevor sie antwortete: „Sieht man mir das an?“

Die Neuigkeit hieß Alexander und war in Hamburg zu Hause. Am Freitag waren sie einander wiederbegegnet.

Sophia hatte tatsächlich „wiederbegegnet“ gesagt. Daniela stutzte. Sophia tat sehr geheimnisvoll. „Das heißt, du kanntest ihn schon?“

„Du kennst ihn auch.“ Daniela dachte nach. Sie kannte keinen Mann aus Hamburg. Daniela hatte nicht den Hauch einer Vermutung.

Danielas Entspannung war schlagartig einer eigenartigen Beklommenheit gewichen. Als es um Holger ging, hatte Sophia sie überrumpelt. Nach deren Erzählungen hatte sie den Traumtypen erwartet und war letztlich schwer enttäuscht worden. Was ihr dieses Mal bevorstehen würde, wollte sie einerseits gar nicht wissen, zu groß war ihre Angst, die Dinge konnten sich wiederholen. Andererseits platzte sie beinahe vor Neugier. Schon deshalb wollte sie Klarheit darüber haben, wer er war.

Sophia reichte ihr ein Foto.

Der Kerl mit den dunkelblonden Haaren und den unverwechselbaren Augen war Daniela tatsächlich schon begegnet.

Daniela war sprachlos. Zu ihrem eigenen Erstaunen war sie aber auch verzückt. Der Mann, der sie vom Foto ansah, war der Flirt aus dem Seebad. Einer der beiden vom Nebentisch. Der, dessen Bekanntschaft sie damals nicht gemacht hatten, weil Daniela zum Aufbruch gedrängt hatte.

„Du hast ihn sofort wiedererkannt, habe ich recht?“ Sophia stupste mit ihrem Ellenbogen in Danielas Seite. „Dabei tust du immer so, als seien sie dir egal.“

„Wer ist mir egal? Wovon redest du?“ Daniela schaute unschuldig.

„Ich rede von Männern.“

Daniela lächelte. Natürlich hatte sie die beiden angeschaut. Selbstverständlich hatte sie gesehen, dass der eine von beiden äußerst attraktiv war. Sie hatte in sein Gesicht gesehen und trotz der Distanz bemerkt, wie sehr er über eine lebendige Mimik verfügte.

Alexander war der Chef der Sparte Ost des Versicherungskonzerns, für den Sophia arbeitete.

Sparte Ost. Daniela musste unwillkürlich an Sibirien denken. Sie konnte sich nicht helfen. Jedes Mal, wenn sie das Wort „Ost“ hörte, dachte sie an tiefstes Russland.

Sie lebten im Norden. Sehr viel nördlicher ging es in Deutschland kaum. Lediglich ein paar Inseln lagen weiter im Meer. Weshalb also „Ost“? Daniela hatte sich einmal die Mühe gemacht und die Deutschlandkarte studiert. Einige Gebiete von Bayern waren sehr viel östlicher gelegen als Rostock.

Daniela hatte ihren Exkurs nach Osten beendet und dachte: Alexander.

„Sag mal, ich opfere mein Liebeswochenende und du bringst von einer Weiterbildung deinen Lover mit? Was soll ich denn dazu sagen?“

Sophia zögerte. Offensichtlich konnte sie nicht deuten, wie ernst Daniela das Gesagte meinte. „Hattet ihr Stress mit Luise?“ Sophia war die Sache offensichtlich peinlich.

Daniela lachte. „Quatsch, ich gönn’ ihn dir. Die Zeit mit Luise war für uns fantastisch.“

Das Wort fantastisch traf es auf den Punkt genau. Thomas war unversehens in etwas wie die Vaterrolle geschlüpft. Sie hatte einen Glanz in seinen Augen gesehen, den sie bisher nicht kannte.

„Sag, wie fühlt sich die gemeinsame Wohnung an?“ Sophia hatte sie fest im Blick.

„Gut. Nur haben wir wenig Zeit, die wir gemeinsam darin verbringen können. Thomas kommt am Freitagabend nach Hause. Am Montag muss er in aller Frühe aufstehen, um wieder zu fahren. Bereits am Sonntagabend bemerke ich, wie sich seine Gedanken auf die neue Arbeitswoche fokussieren. Ich glaube nicht, dass das ein Dauerzustand werden kann.“

„Wie weit seid ihr mit dem Thema Familienplanung gekommen?“ Sophia hatte ihre Sorgenfalte auf der Stirn.

„Du weißt sehr genau, wie mein Tag aussieht. Sag mir, wie das funktionieren soll."

Sophia schwieg einen kurzen Moment, bevor sie weitersprach.

„Ist Thomas nach Berlin gegangen, weil ihr kein Kind haben könnt?"

Daniela stutzte. „Du meinst jetzt nicht, weil ich kein Kind haben möchte? Ich sage dir, Thomas wäre so oder so gegangen."

„Auf die Idee, mit ihm zu gehen, bist du nicht gekommen?" Sophia sprach den letzten Satz mit einem gereizten Unterton.

Daniela sah sie schweigend an. Thomas hatte zu ihr gesagt, sie solle die Zelte abbrechen und mit ihm nach Berlin ziehen. Sie war beleidigt aufgestanden und kurze Zeit später gegangen. Als Zumutung empfand sie, dass er davon ausging, sie würde sich einen neuen Job suchen. Alles, was sie sich hier aufgebaut hatte, zurücklassen. Für ihn schien klar, dass er Karriere machte und sie neu anfing. Sophia blies gerade in dasselbe Horn.

In Ruhe hatte Daniela später darüber nachgedacht, wie es wäre, würde sie doch hier wegziehen. Schon das reine Nachdenken ließ die Sehnsucht nach dem Meer, der frischen Brise und allem, was dazugehörte, in ihr aufkommen. Dieses irrationale Empfinden, das sich jedes Mal breitmachte, musste das sein, was man Heimatgefühle nannte.

Sie wollte nicht nur wegen ihres Jobs bleiben.

„Ich kann nicht gehen. Ich klebe an diesem Ort."

Sophia schaute sie an und nickte. „Das kann ich verstehen."

„Können wir ihn einmal persönlich kennenlernen, deinen Alex?", fragte Daniela.

„Sehr gern", antwortete Sophia.

„Ihr könnt uns besuchen kommen. Ich koche. Samstag ist allerdings der einzig mögliche Tag. Würde das bei Alexander passen?“

Sophia zögerte keine Sekunde. Sie nickte. „Nächsten Samstag. Ich freue mich. Du wirst sehen, Alex wird dir gefallen.“

Thomas hatte keine Lust auf den heutigen Abend. Viel lieber hätte er es sich auf dem Sofa bequem gemacht. Daniela hatte ihn am Telefon in Sophias und ihren Plan eingeweiht. Schon da hatte sie wenig Begeisterung gespürt.

Daniela hingegen freute sich seit Tagen. Mit Hingabe hatte sie an ihrem Menü gefeilt. Thomas ging ihr heute auf die Nerven.

Dabei brauchte er nicht einmal in der Küche zu stehen. Lediglich den Tisch sollte er decken. Aber selbst das schien heute zu viel für ihn zu sein.

„Jetzt beeil dich, sonst sind die beiden hier und wir sind nicht fertig.“ Daniela schob ihm das Kurland-Geschirr zu und ihr Silberbesteck mit den Lilien. „Stell Weißweingläser dazu. Alexander ist auch Weintrinker.“

Thomas kam einfach nicht in die Gänge.

Eine halbe Stunde später klingelte es. Thomas öffnete die Tür. Nachdem er und Alexander sich begrüßt hatten, schien seine Stimmung sich zu bessern. Daniela war aus der Küche gekommen. Sie hatte sich noch schnell die Hände waschen müssen.

Daniela drückte Sophia und reichte Alexander zur Begrüßung die Hand. Er ihr einen Blumenstrauß. „Sagt einfach Alex. Das ist kürzer“, meinte er mit Blick auf Thomas und sie.

Thomas dirigierte Sophia und ihn ins Wohnzimmer. In letzter Minute war der Tisch fertig geworden. Erst einmal nahmen sie jedoch auf der Couch Platz. Alex redete munter drauf los. Unkompliziert, gut gelaunt und herzlich versprühte er

Charme. All die Eigenschaften, die Daniela bei Holger von Beginn an schmerzlich vermisst hatte.

Thomas und Alex hatten ein Gesprächsthema gefunden. Sie begutachteten den Wein, den Daniela eingekauft hatte.

Sie wusste, er war gut. Sophia und sie liebten die Weine aus dem Médoc. Dann musste sie zurück in die Küche.

Das Dessert stand bereits im Kühlschrank. Sie hatte Brombeermousse gezaubert. Das konnte noch Kälte vertragen. Die Vorspeise stand ebenfalls bereit. Der Blattsalat mit Ziegenkäse und Feigen war schnell gemacht. Nur der Hauptgang war noch nicht fertig.

Ein wenig bedauerte sie es, Alex nicht zuhören zu können. Aber das war nun einmal das Los der Köchin.

Daniela putzte Gemüse, als Thomas hereinkam und sich hinter sie stellte. „Angenehmer Zeitgenosse", flüsterte er ihr ins Ohr und seine miesepetrige Laune von vorhin schien tatsächlich verflogen zu sein. „Ja, und sehr attraktiv", antwortete Daniela.

Thomas schaute sie an: „Wie darf ich das denn verstehen?" Daniela kniff ihn in den Oberarm und sagte: „Das ist meine Rache dafür, dass du heute keine Gäste empfangen wolltest."

Daniela hatte Alex vorhin betrachtet. Er war ziemlich groß gewachsen. Größer als Thomas und Stephan. Alex war von schlanker Gestalt. Sein Körper durchtrainiert. Daniela würde Sophia fragen, welchen Sport er trieb. Seine dunkelblonden Haare hatte er mit Gel bearbeitet. Dazu seine unkomplizierte und herzliche Art, auf Leute zuzugehen. Er war gutaussehend und sympathisch.

Plötzlich keimte Skepsis in ihr. Alles, so schien es, war ein wenig zu viel des Guten. Der Mann war auf den ersten Blick einfach zu perfekt.

Wie hatte die Beziehung zwischen Sophia und Holger mehr als zwei Jahre lang funktionieren können? Alexander und Holger hatten nichts gemeinsam. Einander gegenüber gestellt ergab ein Bild wie Feuer und Wasser, Sommer und Winter. Daniela würden noch hundert Gegensätze einfallen, die treffender die Unterschiedlichkeit der beiden Männer nicht beschreiben würden. Alexander war nahezu gefährlich attraktiv. Wenn schon auf Holger, den Langweiler, die Frauen flogen, was sollte das erst werden? Einen Mann wie Alexander würde Sophia möglicherweise nicht für sich allein haben können.

Ihre Gedanken wanderten zu Thomas. Als Beate ihr zum ersten Mal begegnet und Stephan im Liebestaumel durch ihr Büro geschwebt war, hatte sie an ihn gedacht. Sie hatte sich gefragt, wie er auf diese Frau reagieren würde. Noch war er Beate nicht begegnet.

Thomas war anders attraktiv als Alex. Seit mehr als einem halben Jahr arbeitete er weit weg von ihr. Gehörte Thomas ihr allein? Diesen Gedanken wollte sie nicht weiterdenken.

Daniela hatte inzwischen den Hauptgang serviert: Seezunge in Weißweinsauce mit Fenchel und Basmatireis. Es schien zu schmecken.

Alex erzählte, dass er seit Kurzem eine Wohnung in der Stadt bezogen hatte. Zweimal in der Woche arbeitete er in der hiesigen Niederlassung. Rostock und Warnemünde gefielen ihm. Mit einem Augenzwinkern verriet er aber auch, dass seine Heimatstadt Hamburg immer sein Favorit bleiben würde.

Sophia himmelte ihn an.

Daniela kaute und dachte nach. Alex war Sophias dritter ernsthafter Versuch. Sie konnte sich nicht helfen. Sie fand, der Verschleiß von drei Männern in sechs Jahren war für ein braves Mädchen mit roten Schuhen und Kleidchen eine verhältnismäßig hohe Quote. Aber irgendwie sah es hier an diesem Tisch danach aus, als würde diesmal alles passen.

„Ihr kanntet Alex schon. Woher?“ Thomas schaute sie fragend an. „Aus dem Seebad. Er saß mit einem anderen Mann am Nebentisch. Beide haben mit Sophia geflirtet. Ich habe weitere Annäherungsversuche verhindert, indem ich Sophia gedrängt habe, nach Hause zu fahren und unter das Kapitel Holger einen Schlussstrich zu ziehen. Wir haben an diesem Tag kein Wort miteinander gewechselt."

„Sympathisch ist er schon, oder?" fragte Thomas. Daniela nickte. Sie konnte nicht reden. Sie hatte die Dessertschüssel aus dem Kühlschrank genommen und war dabei, die Reste zu vertilgen. „Und schön. Ich weiß", fügte Thomas an.

Das Wochenende war vorüber. Die Fische im Aquarium schien es zu freuen. Endlich erfüllte wieder Leben das Haus.

Daniela konnte die Freude ihres Lieblingsfisches mit den großen Augen nicht teilen. In ein paar Tagen erwartete sie Claire.

Mindestens jeder zweite Besuch von ihr war mit schlechten Nachrichten verbunden. Dieses Mal würde sie auf einer Belegschaftsversammlung sprechen. Hoffentlich würde ihr Auftritt sich auf die Mitteilung von Hansgens Rauswurf beschränken.

Sicher hatte sie sich längst einen plausiblen Grund einfallen lassen, weshalb er gefeuert worden war. Die tatsächlichen Vorkommnisse um ihn würde sie nicht kommentieren. Jede Diskussion darum schadete mehr, als sie nützte. Die Gerüchteküche kochte ohnehin seit Bekanntwerden seines unrühmlichen Abganges.

Sie alle würden niemals erfahren, wer er wirklich war. Was genau in seinem Lebenslauf geschrieben stand. Wie viel davon der Wahrheit entsprach. Und welcher Teil gelogen war. Nach all dem, was er hier geboten hatte, drängte sich die Frage auf, ob überhaupt etwas von dem wahr war, was er in seiner Vita platziert hatte.

Irgendetwas musste bei den Amerikanern aber zu der Entscheidung geführt haben, ihn einzustellen. Vielleicht handelte es sich um einen Irrtum im allgemeinen Trubel des Umbruches. Oder es waren tatsächlich Lügen, die er seinem Arbeitgeber aufgetischt hatte.

In jedem Fall waren seine Leistungen schlecht. Er hatte seine Unfähigkeit mehr als nur einmal unter Beweis gestellt. Im Zusammenhang mit dem Prager Projekt hatte letztlich auch Claire erkennen müssen, dass sie nur durch die Fähigkeit eines anderen Vertriebsprofis zum Auftrag gekommen waren. Trotzdem hatte sie zu diesem Zeitpunkt nicht eingegriffen.

Er hingegen musste sich sicher gefühlt haben, bis ihm die eigene Dreistigkeit den Garaus gemacht hatte.

Claire war eingetroffen. Noch bevor sie den Weg zu Schwerdtfeger gefunden hatte, wurde sie in Holgers Begleitung gesichtet. So oder so ähnlich musste Notstand aussehen. Der Frau schien nicht zu helfen zu sein.

Ohne jegliche geschäftliche Etikette ließ sie Schwerdtfeger warten. Mit zwei Stunden Verspätung rauschte sie in sein Büro und wies ihn an, die leitenden Angestellten zu einer kurzen Zusammenkunft zu bitten. In diesem Moment war ihr Tonfall sehr geschäftsmäßig.

Claire sprach über die Abberufung von Hansgen.

Damit hatten alle in diesem Raum Versammelten gerechnet. Allerdings schien Claire mit ihren Ausführungen noch nicht am Ende zu sein.

Daniela horchte auf, als sie sagte, sie hätte noch eine Entscheidung bekannt zu geben.

Sie bemerkte, wie ihr Kreislauf begann, Purzelbäume zu schlagen. Ihr Puls ging schnell. Das Herz raste. Sie suchte den Blickkontakt zu Stephan. Während Danielas Blutdruck in die Höhe geschossen war, schien Stephans in den Keller gegangen zu sein. Er sah blass aus. Seine Augen schauten grimmig.

Ganz tief in ihrem Inneren verspürte Daniela den Wunsch, aufzustehen und zu gehen, diesen Tisch zu verlassen und nie mehr wiederzukehren. Jedoch: Sie fühlte sich wie gelähmt.

Claire sprach ohne jegliche Emotion. Sachlich berichtete sie über die Gründe dieser Entscheidung. Sie sprach über die Gewinnerwartungen ihrer Aktionäre. Über den Beitrag jeder einzelnen ihrer Tochterunternehmungen zu diesem einen gemeinsamen Ziel.

Claire hatte einen Auftrag. Den führte sie aus.

In wenigen Minuten würde Claire vor achthundert Beschäftigten verkünden, dass sie sich von weiteren vierhundert Mitarbeitern trennen würden. Die Umwandlung der Aktiengesellschaft in eine GmbH war beschlossene Sache. Für Hansgen würde es einen Ersatz ergeben. Wie dieser Ersatz hieß, verriet sie nicht.

Niemand im Raum wagte, nach dem Namen zu fragen.

Daniela spürte Übelkeit aufsteigen. Vermutlich war es nur noch eine Frage der Zeit, bis Claire die teure Designergarnitur meistbringend versteigern würde. Den Erlös würde sie entweder bar an ihre Aktionäre auszahlen oder sich gemeinsam mit Holger auf eine Lustreise begeben.

Daniela würde es nicht verhindern können.

In einer Sache war sie jedoch fest entschlossen: Sollte Claire den Fischen ans Leder wollen, würde Daniela eingreifen. Sie würde sie freilassen. Oder, besser noch, in gute Hände geben. Vorausschauend sollte sie schon einmal nachfragen, ob der örtliche Zoologische Garten ihr behilflich sein würde.

Danielas Augen suchten Holger. Sie wollte in sein Gesicht sehen.

Es überraschte sie nicht, was sie dort zu sehen bekam: Sein Pokerface. Er musste vor ihnen allen alles gewusst haben.

Völlig anders erging es in diesen Minuten ihrem Neuzugang. Beates Gesichtsausdruck schwankte zwischen Unglauben, Entsetzen und Ohnmacht.

Wie musste sie sich in diesem Moment fühlen? Voller Tatendrang war sie vor wenigen Tagen hier angekommen. Nun das.

Daniela bewegte sich zwischen Mitleid und dem Lecken ihrer eigenen Wunden.

Zum wiederholten Male würde Daniela diejenige sein, die vierhundert Einzelschicksale „durchzurechnen“ hatte. Claire würde bei ihr am Tisch sitzen, minutiös alle Ansprüche der Beschäftigten mit ihr durchgehen, am Ende eine Summe bilden und dann verschwinden. Aus der Ferne würde sie eine Überweisung tätigen. Damit hatte sie ihren Teil getan.

„Kann es sein, dass wir in diesem Moment unsere Lehrjahre beenden?“, sagte Stephan nachdenklich, als sie auf dem Weg zur Belegschaftsversammlung waren.

„Immerhin, wir hatten welche. Das kann nicht jeder von sich sagen“, antwortete Daniela. „Hier ist vor Kurzem ein Vorstand gegangen und jetzt gehen vierhundert Leute hinterher?“ Beate hatte zu ihnen aufgeschlossen. Stephan und Daniela schauten sie stumm an. Was sollten sie ihr sagen? Dass der Vertriebschef sich nicht um den Vertrieb gekümmert hatte? Dass er lieber Frauen angemacht, anrüchige Verträge geschlossen und in die eigene Tasche gewirtschaftet hatte? Und wenn es tausend Mal so war, was nützte ihnen diese Erkenntnis? Nichts. Er war nicht mehr da. Sie jedoch mussten sehen, wie es weiterging.

Ihnen blieben vierhundert von zweitausend Arbeitsplätzen. Kein Hahn hatte gekräht, als zuerst tausend und dann noch einmal zweihundert hatten gehen müssen. Nicht einmal eine Zeitungsnotiz war es damals wert gewesen. Im Falle der nächsten vierhundert würde es nicht anders laufen. Eintausendsechshundert Schicksale waren – theoretisch betrachtet – eine Unmenge. Praktisch gesehen war es nur ein Bruchteil. Hunderttausende Arbeitsplätze hatten sich seit dem Beginn der Neunzigerjahre in Wohlgefallen aufgelöst.

Wenn Claire das nächste Mal zu ihnen kam, übergab sie ihnen wahrscheinlich die Schlüssel. Einen von ihnen würde sie beauftragen, die Tore abzuschließen. Zuvor würde man ihnen einen Besen in die Hand drücken, um zu kehren. Sie würden das Gelände verlassen, ohne Spuren zu hinterlassen. Daniela bemerkte ihre depressive Stimmung.

Jedes Mal, wenn Claire hierherkam, brachte sie Pläne mit, zu verkleinern, abzubauen, einzureißen. Niemals hatten sie über Unterstützung, Aufbau, Entwicklung gesprochen. Ihr Gesellschafter war es, der ihnen einen unfähigen Vertriebschef vor die Nase gesetzt und nicht reagiert hatte, als noch Rettung möglich gewesen wäre.

Vielleicht sollten sie ja gar nicht gerettet werden?

Als sie in der Werkhalle eintrafen, spürten sie sofort die überheizte Atmosphäre. Mit deutlichem Unbehagen nahm Daniela zur Kenntnis, welche Aggressivität von den Leuten ausging.

Wen überraschte es? Zu oft schon waren die Leute in dieser Weise einbestellt worden. Hatte man ihnen mitgeteilt, dass sie die Kündigung erwartete.

Die Beschäftigten hatten die Nase gestrichen voll. Sie waren verunsichert, gestresst und zunehmend wütend. Es war kein Wunder, dass sie sich verbal nicht mehr zurückhielten.

Claire betrat als Letzte die Werkhalle. Sie hatte einen Herrn im Gefolge, den Daniela nicht kannte.

Wer war er? Und wo war Schwerdtfeger? Daniela konnte ihn nicht sehen.

Claire begann zu reden. Schon nach wenigen Worten gingen ihre Sätze in einem gellenden Pfeifkonzert unter. Die Stimmung kippte endgültig. Noch immer keine Spur von Schwerdtfeger.

In diesem Augenblick wurde Claire vom Rednerpult gedrängt.

Der Mann, der mit ihr gekommen war, versuchte, das Wort zu ergreifen. Nur mit großer Mühe gelang es ihm, die Masse zu beruhigen.

Jener Mann war ihr Ersatz-Hansgen. So sah er also aus. Daniela blickte in die Runde. Keine Spur von Schwerdtfeger. Auch Holger war nicht zu sehen. Stephan und Beate sahen sie an. Sie mussten dasselbe festgestellt haben.

Claire stand im Rücken des Redners. So, als hätte sie sich versteckt.

Die Haut ihres Gesichtes wirkte noch blasser als sonst. Sie machte den Eindruck, als hätte sie nicht in ihren kühnsten Vorstellungen damit gerechnet, jemals in eine solche Situation zu geraten. Angst stand in ihrem Gesicht geschrieben.

Daniela konnte kein Mitleid für sie empfinden. Oft genug war Claire es gewesen, die dafür gesorgt hatte, dass ihnen allen Angstschauer über den Rücken gelaufen waren.

„Wie haben wir einzuordnen, was man uns gerade eben dargeboten hat?" Beate schaute fragend in die Runde. Stephan zuckte die Schultern. Daniela grübelte. In ihrem Kopf herrschte das blanke Durcheinander. Ihre Gedanken sprangen von einem Thema zum anderen. Sie versuchte seit einigen Minuten, sich an etwas zu erinnern, was ihr partout nicht einfallen wollte. Beate sah sie an.

Plötzlich sagte Daniela: „Den kenne ich."

„Wen?"

„Den, der die Rede gehalten hat."

„Woher kennst du ihn?", drängte Stephan.

„Ich weiß es nicht."

„Das ist nicht hilfreich. Vielleicht solltest du dich ein wenig mehr anstrengen", sagte Stephan.

Daniela war bereits angestrengt wie niemals zuvor.

In dieser Sekunde fiel es ihr wieder ein: Der Hansgen-Nachfolger war der zweite Mann neben Alexander, damals im Café im Seebad. Der andere vom Nebentisch. Der zweite Flirt. Alex musste wissen, wer er war.

„Sophia, ich muss mit Alex reden. Wo kann ich ihn erreichen?" Daniela hatte den Telefonhörer zwischen Kopf und

Schulter geklemmt, schaute in die Gesichter von Beate und Stephan und drängte auf eine rasche Antwort.

„Heute Abend bei mir zu Hause. Alex ist hier im Büro. Sag, was ist passiert?"

„Das erkläre ich dir heute Abend. Ich komme vorbei, wenn ich darf", sagte sie ein wenig atemlos, ohne Sophias Antwort abzuwarten.

Entsetzen lag in Alexanders Blick, als er Daniela anschaute. Sie hatte ihm soeben ausführlich vom neuen Hansgen berichtet. Dabei hatte sie nicht unerwähnt gelassen, dass er ihn ganz sicher kannte. Schließlich hatte er mit ihm gemeinsam im Café gesessen.

Alex hatte Sorgenfalten auf der Stirn, als er sagte: „Der ist bei euch eingestiegen? Lichtenhain?"

„Ja, so heißt er", antwortete Daniela. „Aber er hat uns nicht gekauft. Wie kommst du darauf? Er ist unser neuer Vertriebschef."

Alexanders Gesichtsausdruck schwankte zwischen Mitleid und Sorge. „Lichtenhain tritt als Investor auf. Der ist ein Windhund. Er will nicht als Führungskraft im Angestelltenverhältnis arbeiten. Ich weiß gar nicht, ob der überhaupt etwas arbeiten will. Lichtenhain ist in der Stadt, um nach geeigneten Firmen zwecks Übernahme Ausschau zu halten."

Alexander und er hatten einige Male im selben Hotel übernachtet. Irgendwann waren sie gemeinsam ins Seebad gefahren. Dort hatten sie einen Kaffee miteinander getrunken. Am Nebentisch hatten Daniela und Sophia gesessen. Nachdem sie aufgebrochen waren, waren auch Alex und Lichtenhain gegangen. Alex fand seinen Gesprächspartner nicht sympathisch. So war es bei dem einen gemeinsamen Ausflug geblieben.

„Nimmt dieser Irrsinn gar kein Ende?" Sophia hatte bisher nur zugehört. Dann stellte sie diese eine Frage, auf die weder Daniela noch Alex eine Antwort wussten.

In ein paar Stunden würde Claire in den Flieger steigen. In Kürze würden das Erlebte und die Angst für sie Geschichte sein. Sollte Alex recht haben, was eine eventuelle Übernahme betraf, dann würde sie die Leute, deren Schicksal sie in nicht unerheblichem Maße mitbestimmt hatte, niemals wiedersehen.

Claire hatte ihren Job erledigt. Wahrscheinlich so, wie sie ihn immer erledigte. In jedem Fall aber so, wie man es von ihr erwartete.

Einen Job dieser Art hatte sie nicht zum ersten Mal ausgeführt. Bei allem, was sie hier tat, wirkte sie routiniert und abgebrüht. Um ihre Macht zu demonstrieren, war ihr zu jeder Zeit jedes Mittel recht gewesen. Darüber hinaus wusste sie genau, wie sie zu agieren hatte, um den eigenen Druck nach unten weiterzugeben.

Claire hatte sich körperliche Entspannung verschafft. Der Hansgen-Nachfolger hieß Lichtenhain.

Nicht Holger.

15. Kapitel
Ein Jahr später

Beate und Daniela hatten das Gefühl, gegen eine Wand zu rennen. Starker Westwind blies ihnen ins Gesicht. Sie liefen, als gelte es, einen Preis zu gewinnen.

Ihr Preis war der Sieg gegen den eigenen inneren Widerstand. Viel zu lange hatte er Daniela im Griff. Zu lange hatte sie gewartet, sich gegen ihn zur Wehr zu setzen. Was Daniela bis vor Kurzem für unmöglich gehalten hatte, war Wirklichkeit geworden. Zum wiederholten Mal schlossen Beate und sie nachmittags um halb fünf die Bürotür hinter sich ab. Sie fuhren zum Sportverein ins Seebad.

Als sie gingen, hatte Holger sie beobachtet. Auf dem Weg zum Fahrstuhl waren sie aufeinandergetroffen. In seinen Augen konnte Daniela Neugier sehen. Er verkniff es sich jedoch, sie zu fragen, was sie vorhatten.

Vom ersten Tag an pflegte Beate im Umgang mit ihm denselben Stil wie er selbst: reden und dabei nichts sagen. Heute war sie davon abgewichen. Sie hatte gar nichts gesagt.

Langsam verringerten sie ihre Geschwindigkeit. Sie trudelten aus, streckten sich, atmeten tief und strahlten. Das Laufen tat gut. Dem Körper. Dem Geist sowieso.

„Hast du Holger gesehen, als wir gegangen sind?“, fragte Beate.

„Habe ich. Weshalb fragst du?“

„Er machte auf mich den Eindruck, als sei er ein wenig von der Welt abgeschnitten. Was meinst du?“ Sie grinste.

Lichtenhain herrschte unsichtbar.

Schwerdtfeger hatte sie vor einem halben Jahr verlassen. Ein Abstieg vom Vorstand zum einfachen Geschäftsführer war für ihn nicht infrage gekommen. Er hatte Daniela nicht verraten, in welcher Stadt er künftig auf Hummerfang gehen würde.

Zu Holger ging Lichtenhain von Beginn an auf Distanz.

Daniela und Stephan mieden Holger, so gut es nur ging.

Beate sprach, ohne etwas zu sagen.

Claire machte sich rar. Alles zusammengenommen bedeutete das für Holger, ein mehr oder weniger großes Problem zu haben: Ihm fehlten die Mitspieler. Die Informationen sowieso.

Beate und Daniela wollten schnell unter der Dusche verschwinden und sich anziehen. Sie hatten heute noch etwas vor.

Mit eiligen Schritten verschwanden sie im Sanitärgebäude. Auf dem Gang zu den Kabinen begegneten sie einem Mann. Daniela wunderte sich nicht darüber, wie er Beate schon von Weitem anschaute. Als er näher kam, hörte sie Beate sagen: „Hallo Michael, schön dich zu sehen."

Es hatte Daniela einige Mühe gekostet, Thomas dazu zu bewegen, schon am Donnerstag nach Hause zu kommen. Stephan, Thomas, Beate und sie waren nachher in ihrem Lieblingsrestaurant verabredet.

Daniela und Beate arbeiteten an ihrem Abendoutfit, als sich Daniela dabei erwischte, Beate aus dem Augenwinkel zu beobachten. Thomas und sie würden heute zum ersten Mal aufeinandertreffen.

Man hatte ihnen einen Tisch im hinteren Teil des Gartens reserviert. Stephan war bereits eingetroffen. Daniela hielt Ausschau nach Thomas. Der steuerte soeben in Begleitung eines Kellners direkt auf sie zu. Liebevoll nahm er sie in den Arm. Er küsste sie leidenschaftlich. Daniela ließ es geschehen. Als er sich von ihr löste, war ihr das Ganze dann doch ein wenig peinlich. Mit einem Schulterzucken schaute sie Beate an und stellte ihr Thomas vor.

Respektvoll, mit angedeuteter Verbeugung, begrüßte der das schönste Gesicht des Kälteanlagenbauers. Beate schien beeindruckt.

Die Männerbegrüßung fiel deutlich legerer aus. Thomas und Stephan umarmten sich und klopften sich gegenseitig auf die Schulter.

Sie hatten sich alle gesetzt, als Stephan das Wort ergriff.

Seit ein paar Tagen wussten sie, dass er die Firma verlassen würde. Auch die Branche würde er wechseln.

Ein Unternehmer aus der Region hatte ihm die Nachfolge als Inhaber angeboten. Ein Jahr lang wollten sie gemeinsam arbeiten. Danach sollte ein reibungsloser Übergang stattfinden. Daniela hatte Thomas sein Konzept übergeben. In Stephans Auftrag bat sie ihn, seine Kreditchancen einzuschätzen. Dabei nutzte sie die Gelegenheit und erzählte ihm, welche Pläne sie und Beate schmiedeten. Pläne, die noch Zeit hatten, aber die sie fest im Auge behalten wollten.

„Sie ist ein toughes Mädchen, genau wie du." Thomas hielt Daniela fest umschlungen. Er sah sie an. „Beate und du, ihr werdet gut harmonieren. Davon bin ich fest überzeugt." Daniela schmiegte sich an ihn. Seine Wärme gab ihr das Gefühl von Geborgenheit. Mit jedem Tag, den sie zusammen waren, war dieses Empfinden stärker geworden. Sie vermisste ihn bereits, wenn er am Montagmorgen die Tür hinter sich ins Schloss zog. Dann sehnte sie den Freitag herbei.

Allerdings hatte sie festgestellt, dass Thomas von Woche zu Woche abgespannter nach Hause kam. Sein Missmut über den Besuch von Sophia und Alex war nicht das einzige Indiz dafür, dass er auszubrennen schien.

Umso mehr freute sie sich. Heute hatte er es eingerichtet, Berlin zu verlassen. Einen ganzen Tag früher als gewöhnlich. Dazu schien er ausgeruhter. Sie sah zu ihm auf und küsste ihn.

„Was weißt du über Beates Mann?“ Thomas schaute sie an.

War er doch interessiert, fragte sich Daniela und antwortete unschuldig: „Weshalb willst du etwas über ihren Mann wissen?“

„Ich frage mich, ob er über ein geregeltes Einkommen verfügt. Ich denke, ihr solltet wissen, dass eure Vergütungen demnächst weniger üppig ausfallen könnten.“

Doch nur ein routiniertes Banker-Interesse. Daniela spürte Erleichterung.

„Beates Mann ist Gymnasiallehrer für Sport und Biologie. Verbeamtet, sicher und warm positioniert, falls dich das beruhigt.“

„Es muss nicht mich beruhigen, sondern sie“, antwortete er. Sein Blick verriet ihr, was er dachte. Daniela verspürte keine Lust, in eine Diskussion über Abhängigkeitsverhältnisse einzusteigen. Schon gar nicht heute und hier. Thomas war endlich einmal nicht übermüdet nach Hause gekommen. Für diesen Fall hatten sie ein großes Doppelbett angeschafft, das viel zu oft ungenutzt blieb. Sie sagte: „Bitte nicht. Beate und ich machen das nur, wenn wir es auch allein schaffen können.“

Mit den Worten: „Geht mal, ich komme schon klar“, hatte Alex sie soeben in den Abend entlassen. Auf seinem Gesicht spiegelte sich ein zufriedener Gesichtsausdruck. Daniela hatte ihn sofort registriert. Alex schien außergewöhnlich gut gelaunt. Und Sophia auch.

Sie hatten das Auto geparkt und den Weg zum Strand eingeschlagen. „Ich habe Thomas und Beate miteinander bekannt gemacht“, sagte Daniela.

„Gab es dafür einen Grund?“

Daniela zögerte. Weshalb fragte Sophia nach einem Grund? Dann antwortete sie: „Ja, aber ein bisschen muss ich dich noch auf die Folter spannen. Sag, Alex war super gelaunt. Bei euch ist alles in bester Ordnung?"

„Bevor ich dir diese Frage beantworte, muss ich dich noch ein bisschen auf die Folter spannen ..." Sophia lachte.

Daniela verzog das Gesicht zur Grimasse: „Ach, ja?"

„Wie hat er auf Beate reagiert?" Sophia wandte den Kopf und sah Daniela an.

„Worauf willst du hinaus?"

Sophia blieb stehen. „Wie geht es mit euch beiden?"

Daniela verstand noch immer nicht.

„Euch bekommt das Getrenntsein nicht. Ihr verbringt zu wenig Zeit miteinander. Thomas stürzt sich in die Arbeit. Will er etwas, das ihm fehlt, kompensieren?"

Dann erkundigte sie sich, wie es um Thomas und seine Kinder stand.

Daniela war sprachlos. Danach hatte Sophia sie noch nie gefragt. Sie konnte auch nichts antworten. Daniela wusste nicht, wie es um seine Kinder bestellt war.

Einige Zeit nach ihrem ersten Zusammentreffen hatte Thomas beiläufig erwähnt, dass seine Ehe geschieden worden war. Seine Frau wohnte zu diesem Zeitpunkt bereits vierhundert Kilometer entfernt. Sie war eine neue Beziehung eingegangen. Thomas und sie befanden sich in einem kriegsähnlichen Zustand. Daniela war nicht in der Lage gewesen, zu ergründen, wo diese Feindseligkeit ihren Ursprung hatte. Zum Wohl der Kinder hatte Thomas zähneknirschend auf sein Umgangsrecht verzichtet.

Daniela rechnete. Seine Söhne waren inzwischen zwölf und vierzehn Jahre alt. Thomas sprach nicht über seine Gefühle.

„Weshalb interessiert dich das Verhältnis zwischen Thomas und seinen Söhnen?"

„Gegenfrage: Hast du mal darüber nachgedacht, dass Thomas dich verlassen könnte, weil ihr kein gemeinsames Kind habt? Er aber mit einer anderen Frau eins haben könnte? Wenn er eins wollte? Als Ersatz für die beiden?“

Daniela war irritiert. „Sag mal, wie bist du denn drauf?“, fragte sie und schüttelte den Kopf.

„Ich meine ja nur.“ Sophia schaute sie an.

Daniela hatte viel nachgedacht. Aber niemals über das, was Sophia da gerade gesagt hatte.

Plötzlich begann Sophia über ihr fortschreitendes Alter zu sprechen. Darüber, die zweite Hälfte der Dreißig erreicht zu haben. Sie meinte, es bliebe nicht mehr viel Zeit, sich den Wunsch nach einem Kind mit Alex zu erfüllen.

„Weißt du, ich habe Luise. Aber er hat kein eigenes“, sagte Sophia.

Daniela schwieg.

„Du siehst aus, als könntest du mit diesem Thema wirklich nichts anfangen.“

Obwohl Sophia in ihre Frage bereits die Antwort gelegt hatte, erwartete sie offensichtlich einen Kommentar.

„Alex soll also Vater werden. Was sagt er dazu? Ihr kennt euch ein reichliches Jahr und wohnt noch nicht einmal zusammen. Seid ihr als Paar alltagstauglich?“

Das zweite Kind war real. In sieben Monaten würde es geboren werden. Daniela konnte es nicht glauben.

Daher rührte dieser so besondere Ausdruck in Alex' Augen. Daniela hatte es sich nicht eingebildet.

Alex freute sich. Er wollte es so.

Sophia wollte es so. Sie freute sich.

Zeit, dass sich Daniela endlich auch freute.

„Das hat ja gedauert. Dennoch: besser spät als nie.“ Sophia schüttelte den Kopf. „Du bist anstrengend geworden. Dein Hirn wird nicht mehr frei vom Hauen und Stechen und all den Dingen im Job. Das Leben hat noch eine andere Seite. Schon gemerkt?“

Daniela überhörte den Einwurf.

„Was werdet ihr jetzt tun? Zieht Alex zu dir? Nehmt ihr euch eine größere Wohnung? Was wird aus deinem Job?“

„Klar, dass du nach dem Job fragst.“

„Darf ich dich daran erinnern, dass du diejenige warst, die nach Luises Geburt glaubte, verrückt zu werden, weil es ohne Job unerträglich schien?“

„Du hast ja recht. Dennoch: Glaub' mir, Alex ist stolz. Meine Schwiegermutter in spe ist hin und her gerissen. Alles ist in bester Ordnung.“

Daniela glaubte, bei der Sache mit der Schwiegermutter einen gewissen gereizten Unterton gehört zu haben. Vorsorglich blieb sie jedoch stumm.

Daniela lag allein in ihrem großen Doppelbett. Sie ließ ihr Gespräch mit Sophia Revue passieren.

Was würde Thomas sagen, wenn er die Neuigkeit erfuhr? Sie konnte sich lebhaft vorstellen, welche Diskussion sie führen würden. Am Ende würden sie zu dem Schluss kommen, alles zu belassen wie es war.

Daniela hatte jedes Mal ein schlechtes Gewissen beschlichen, wenn sie ihre Position vor Thomas verteidigte. Im Hinblick auf ihn hatte sie immer das Gefühl, dass er vollständig ausblenden konnte, welche Rolle sein Verhalten dabei spielte. Sie waren beide besessen von ihren Jobs. Keine Frage. Aber er war ja nicht einmal mehr hier.

Zum ersten Mal würde Thomas auch am Wochenende nicht nach Hause kommen. Mitte der kommenden Woche musste er nach Süddeutschland reisen. Erst zehn Tage später würde er zurückkehren.

Daniela hatte sich vorgenommen, nicht allein zu Hause zu bleiben. Beate und sie waren am Samstag zum Sport verabredet. Anschließend wollten sie etwas gemeinsam unternehmen. Beate hatte diesen Vorschlag gemacht und Daniela sich kurzzeitig gewundert. Was würde der Sportlehrer dazu sagen? Wie verbrachte er den Samstag? Sie hatte Beates Mann noch nicht kennengelernt. Irgendwie wusste sie gar nichts über ihn.

Vielleicht würde sich das ändern, wenn Beate und sie gemeinsam ausgingen.

Der Sportplatz war ziemlich gut gefüllt, als sie ankamen und zu den Umkleidekabinen liefen. Sie mussten sich heute einen Schrank teilen. Die Hälfte der Warnemünder schien etwas gegen den allgemeinen Bewegungsmangel unternehmen zu wollen.

Als sie umgezogen vor die Tür traten, fiel Danielas Blick auf den Freisitz des Vereinsheims. In diesem Moment revidierte sie ihre Rechnung. Nicht die Hälfte, wahrscheinlich nur ein Drittel machte Sport. Im Lokal war kein freier Tisch zu erkennen. Die Seebadbewohner hatten zum Biertrinken Sportkleidung angezogen.

Beate bemerkte ihren Blick. Sie sagte: „Wir könnten nachher hierbleiben. Man kann ganz gut essen und trifft immer auf Leute, die entspannt sind." Daniela glaubte ihr aufs Wort. Sie hatte gegen diesen Vorschlag nichts einzuwenden.

Frisch geduscht hielten sie Ausschau nach freien Plätzen. Beate lenkte sie vorsichtig und dennoch sehr entschlossen in Richtung eines Tisches, an dem Männer und Frauen ihres Alters saßen. Sie wurden mit einem freundlichen Hallo begrüßt. Beate und sie folgten dem promptem „Setzt euch!".

Danielas Blick ging in die Runde. Keines der Gesichter kam ihr bekannt vor. Auf den zweiten Blick bemerkte sie, dass gegenüber ein Mann saß, von dem sie immerhin seinen Namen wusste. Michael. Daniela lächelte ihn an und nickte ihm zum Gruß zu.

In der Runde wurde über ein Vereinsfest debattiert. Jeden Sommer feierten sie es.

Fleißige Unterstützer wurden gesucht. Daniela hörte zu. Beate schien vertraut zu sein mit den Abläufen. Offensichtlich wurde für den Nachmittag ein Kinderprogramm und für den Abend ein Tanzvergnügen bis zum Morgengrauen organisiert. Beate schien seit Jahren Bestandteil der Vorbereitungen zu sein.

In diesem Moment hatte Daniela nicht mitbekommen, weshalb plötzlich alle Augen auf sie gerichtet waren.

Beate erkannte ihr Dilemma und sagte: „Wir wollen wissen, ob du auch mitmachst."

„Klar", antwortete Daniela spontan. Sie erntete dankbare Blicke.

Daniela hatte Spaß an diesem Abend. Erst sehr viel später, als sie mit Beate auf dem Nachhauseweg war, musste sie an ihre leere Wohnung und die kommende Woche denken.

Ab Montag würde sie doppelt allein sein. Sie musste sich auch zum Training selbst motivieren. Beate fuhr zu einer Messe.

Bereits zum zweiten Mal hatte Lichtenhain die Teilnahme ihrer Firma verordnet.

Daniela hatte es tatsächlich geschafft und sich aufgerafft, allein ins Seebad zu fahren. Sie war soeben im Sportverein angekommen, kämpfte mit dem Gewicht ihrer Sporttasche und schaute zur Eingangstür. Dort stand Michael. Daniela hatte ihn nicht kommen sehen.

Irgendwie sah es danach aus, als hätte er auf sie gewartet. Sie freute sich, ihn zu treffen. Er hatte sich am vergangenen Samstag als exzellenter Unterhalter erwiesen.

Daniela begrüßte ihn fröhlich. Er sagte: „Gehst du nach dem Laufen mit mir noch etwas trinken?"

Daniela war überrascht. Einen kurzen Moment lang dachte sie nach. Dann antwortete sie: „Ja, gern."

„Woher wusstest du, dass ich ein Glas Rotwein trinken würde?“ Daniela schaute ihn an. Michael stand mit einer Flasche und zwei Gläsern in der Hand vor ihr. Er lachte und erwiderte: „Gute Beobachtungsgabe. Samstag, du erinnerst dich? Gehen wir hinunter zum Strand? Der Wirt hat mir gestattet, die Gläser mitzunehmen.“

Daniela nickte und steuerte bereits auf ihren Lieblingsplatz hinter der Düne zu.

Währenddessen dachte sie angestrengt nach. Hatte sie erzählt, wie gern sie hier war? Sie konnte sich nicht erinnern.

Nachdem sie es sich im Sand bequem gemacht hatten, musterte sie ihn. Daniela gab sich keine Mühe, es zu verstecken. „Gibt es einen Grund?“, fragte sie.

„Einen Grund wofür?“, erwiderte er.

Nachdem sie nicht antwortete, rückte er mit der Sprache heraus. Er hatte ihre Visitenkarte an sich genommen. Die hatte Daniela auf den Tisch gelegt, um ihre Kontaktdaten zu hinterlassen. Schließlich wollte sie bei der Festvorbereitung helfen. Dieser Karte konnte er entnehmen, als was und wo sie arbeitete. Er sagte: „Meine Mutter ist bei euch beschäftigt. Sie macht sich große Sorgen, es nicht bis zu ihrem Renteneintritt zu schaffen. Bei euch werden laufend Leute entlassen. Ich habe gedacht, ich frage mal die Prokuristin, wie die Aktien stehen.“

Daniela schaute ihn an. „Du willst jetzt keine Interna von mir hören?“

„Nur eine Tendenz erkennen.“

„Michael, ich kann beim besten Willen keine Prognose abgeben. Glaub mir, ich gäbe etwas dafür, zu wissen, wie es weitergeht. Lichtenhain, der Name sagt dir sicher etwas, verhält sich anders, als wir anfangs vermuteten. Wie du weißt, ist Beate in dieser Woche auf einer Messe. Diesen Aufwand treibt man nicht, wenn man ein Unternehmen in den Bankrott steuern will. Dennoch wird deine Mutter weiter zittern müssen. So wie ich es auch muss.“

Daniela fragte sich, ob ihr Ausflug an den Strand nun beendet war. Michael hatte nicht erfahren, was er wissen wollte. Sie sah ihn an. Er zeigte keine Anzeichen für Aufbruch. Michael schwieg und blickte aufs Wasser.

Daniela nippte am Glas. „Ich weiß nichts von dir. Wer bist du?" Michael antwortete nicht. „Welchen beruflichen Leidenschaften frönst du?", fragte Daniela weiter.

„Frönen ist gut!", Michael lachte. „Tatsächlich ganz im positiven Sinn. Ich bin Architekt." Er schaute sie an.

„Seit wann kennst du Beate?", fragte Daniela.

Michael kannte sie seit der Schulzeit. Bis zum Abitur waren sie in eine Klasse gegangen. Er hatte danach sein Studium in Weimar begonnen. Nach seinem Abschluss war er hierher zurückgekehrt. Seit Beginn der Neunzigerjahre konnte er über mangelnde Auftragszahlen nicht klagen. Er hoffte, dass es noch lange so weitergehen würde. Dann sagte er, dass er sich nicht vorstellen könne, jemals von hier wegzugehen.

Daniela hatte ihm zugehört. Nach seinem letzten Satz überkam sie ein eigenartiges Gefühl. Sie schaute ihn an und dachte: Noch einer, der nicht gehen wollte.

„Darf ich dich fragen, ob du allein lebst?" Michael schaute geradeaus, als er ihr die Frage stellte. Er vermittelte den Eindruck, als sei die Antwort für ihn im Grunde belanglos.

Daniela antwortete: „Nein. Ich lebe in einer Partnerschaft. Wir führen seit einiger Zeit eine Wochenendbeziehung. Mein Lebensgefährte arbeitet in Berlin."

„Lerne ich ihn beim Sommersportfest kennen?" Michael blickte immer noch aufs Meer. „Vielleicht", antwortete Daniela.

„Wie war die Messe?" Daniela war auf Beates Bericht mehr als gespannt.

„Es war eine Männershow allererster Güte", sagte Beate. „Wie Messen halt sind", fügte sie an.

Begeisterung hörte sich anders an. Daniela würde sich mit diesen Aussagen nicht zufriedengeben.

„Details?“ Fordernd schaute sie Beate an.

„Wie Messen halt sind“ bedeutete, dass junge hübsche weibliche Wesen das visuelle Bedürfnis der Messebesucher befriedigten, während Anzugträger die Geschäftsabschlüsse tätigten.

„Daniela, wir müssen uns schleunigst um ein Frauennetzwerk kümmern. Ansonsten können wir unseren Plan vergessen.“

Woher sollten sie dieses Netzwerk nehmen? Beate war in ihrem Geschäft kein Neuling. Wenn es in zehn Jahren nicht gelungen war, eins zu finden, war davon auszugehen, dass es keins gab.

„War diese Messe irgendwie anders?“ Daniela schaute sie an.

„Nein. Nur habe ich mir mehr Zeit zum Nachdenken gegönnt. Du kennst die Redewendung: Hinter jedem erfolgreichen Mann steht eine Frau.“

Daniela signalisierte Zustimmung.

„Die Betonung liegt auf ‚hinter‘, nicht davor oder neben.“ Beate schaute sie an.

„Auch nicht diagonal“, sagte Beate.

Daniela versuchte, Beates Abhandlung zu folgen. Sie aktivierte ihr räumliches Vorstellungsvermögen.

Die klärte sie auf: „Davor“ würde ihn verdecken.

„Neben“ hieße auf Augenhöhe.

„Diagonal“ könnte einen Schatten werfen.

Daniela hörte gebannt zu und musste schmunzeln.

„Daniela, nichts davon ist gewünscht.“ Beate schaute ernst.

„Was mich betrifft: Ich empfinde keine Lust auf das Dahinterstehen. Wie ich dich kenne, du auch nicht“, fügte sie an.

Daniela ließ das Gesagte wirken. Sie konnte nur zustimmen. Dennoch wurde sie die Vermutung nicht los, dass hinter Beates Verfassung mehr stand, als nur der Messeaufenthalt. Thomas und sie waren am vergangenen Wochenende ernsthaft aneinandergeraten.

Dabei war es nicht um Sophias Schwangerschaft gegangen. Daniela war nicht einmal dazu gekommen, davon zu berichten. Thomas hatte ihr mitgeteilt, dass er auch am Wochenende in vierzehn Tagen nicht nach Hause kommen würde. Sein älterer Sohn würde in Berlin sein und ihn besuchen. Überraschend hatte er Kontakt zu seinem Vater aufgenommen. Daniela war nicht sicher, ob dieses geplante Treffen mit seiner geschiedenen Frau abgestimmt war. Auf jeden Fall wirkte Thomas sehr nervös. Sie hatte ihm gesagt, dass sie sehr traurig sei, wenn sie schon zum zweiten Mal auf ihn verzichten müsse. Er hatte geantwortet, noch nie habe er während ihrer gemeinsamen Zeit seinen Kindern den Vorzug gegeben.

Daniela hatte daraufhin geschwiegen. Für sie bedeutete es, allein zum Sportfest gehen zu müssen. Sie entschloss sich, unter diesen Umständen Thomas nicht erzählen zu wollen, was sie im Sportverein veranstalten wollten. Sie hatte ohnehin den Eindruck, es würde ihn nicht interessieren.

Daniela hatte jedoch Sophia angerufen. Sie sagte, dass sie sich freuen würde, wenn sie zusammen mit Alex und Luise am Nachmittag käme. Luise würde Spaß haben. Seitdem sie ein Schulkind war, liebte sie Sport über alles. Das wusste Daniela.

Sophia sagte zu. Daniela freute sich und dachte, die drei seien für sie tatsächlich etwas wie eine Ersatzfamilie.

„Verrätst du mir, wer der Typ ist, der dich nicht aus den Augen lässt?“ Sophia sah sie an. Daniela ließ ihren Blick schweifen.

„Das ist Michael“, antwortete sie. Dann ging sie gewissenhaft ihrer Aufgabe nach, die sackhüpfenden Kinder zu beaufsichtigen.

„Michael ist wer?“ Sophia ließ nicht locker.

„Er ist ein Sportfreund.“ Sie sah in Sophias Gesicht. „Vergiss, was du denkst. Deine Phantasie geht mit dir durch.“ Daniela schüttelte den Kopf.

„Es war superschön. Jetzt bin ich trotzdem froh, dass das Gekreische ein Ende hat“, sagte Daniela und ließ sich ermattet auf einen der Stühle fallen. Sie griff nach der Wasserflasche. Beate und sie sollten duschen. Sie mussten sich für das abendliche Spektakel herausputzen.

Daniela war gespannt. Sie würde dem Phantom begegnen.

Der Sportlehrer hatte sein Kommen zugesagt. Daniela hatte längst alle möglichen und unmöglichen Varianten durchgespielt, welchen Grund es geben könnte, dass Beate ihn bisher versteckt gehalten hatte. Heute sollte der Schleier gelüftet werden.

Der Abend war wie gemacht für ein Fest unter freiem Himmel. Der Wettergott war mit ihnen im Bunde. Das Thermometer zeigte noch immer beinahe 30 Grad Celsius.

Ihr Buffet ließ keine Wünsche offen.

Daniela hatte schon lange nicht mehr eine solch große Menge so zufriedener und fröhlicher Menschen erlebt.

Die Band begann zu spielen. Michael tauchte vor ihr auf und bat sie um den Tanz. Daniela ließ sich zur Tanzfläche führen.

Es war das erste Mal, dass sie sich derart berührten. Daniela spürte seine Hand auf ihrem Rücken. Sie war seinem Gesicht nahe wie nie zuvor. Alles fühlte sich gut an. Dennoch war sie darauf bedacht, einen Mindestabstand einzuhalten.

Michael war ein bravouröser Tänzer. Daniela bemerkte aus dem Augenwinkel, dass Beate ihnen zusah. Der Sportlehrer war im Gespräch vertieft. Eine Horde von Männern schien sich prächtig darüber zu amüsieren, was er von sich gab.

Michael zeigte keine Ermüdungserscheinungen. Daniela verfluchte ihre Schuhe. Sie biss die Zähne zusammen, weil sie befürchtete, es könne ihr letzter Tanz mit Michael an diesem Abend sein. Auf ihrem Fest tummelten sich eine Menge Frauen, die gegen einen Tänzer wie ihn nichts einzuwenden hätten.

Irgendwann mussten sie sich eine Pause gönnen. Sie verließen die Tanzfläche. Daniela steuerte auf Beate zu. Michael wich nicht von ihrer Seite. Gemeinsam suchten sie sich Plätze an einem der großen Tische.

Michael hatte Beate zum Tanz aufgefordert. Daniela war in tausend Sportlergespräche verwickelt. Als sie auf die Uhr schaute, war Mitternacht längst Geschichte.

Sie hatte geplant, mit der S-Bahn nach Hause zu fahren. Die hatte ihren Betrieb für die Nacht längst eingestellt. Daniela war es egal. Sie würde sich ein Taxi nehmen.

Langsam lichteten sich die Reihen. Michael hatte einen der leeren Stühle herangezogen. Er setzte sich zu ihr. „Lust auf Strand?", fragte er.

Daniela nickte.

Michael griff nach zwei Gläsern und einer Flasche. Er sagte: „Lass uns gehen."

Der Sand hatte sich kaum abgekühlt. Daniela entledigte sich der lästigen Pumps. Sie genoss es, barfuß zu laufen.

„Ich habe eine Idee", sagte sie und zeigte aufs Meer.

„Du willst nicht dort hinein?" Michael schien zu wissen, dass er keine Chance hatte. Ohne weitere Worte zu wechseln, begann er, sich auszuziehen. Daniela war schneller: BH, Slip, Kleid. Sie warf alles in den Sand. „Wer zuerst drin ist", rief sie und rannte los.

Es war ein kurzes Bad in der Dunkelheit. Daniela und Michael schnauften und rieben sich mit den Händen die Wasserperlen von der Haut. Kurze Zeit später waren sie getrocknet. Sie zogen sich an.

„Genial“, sagte Michael und ließ sich in den Sand fallen. Mit wenigen Handgriffen hatte er die Flasche geöffnet und die Gläser gefüllt. „Sehr zum Wohl.“ Er sah Daniela an.

„Ich muss langsam darüber nachdenken, wie ich nach Hause komme“, sagte sie und bereute sofort.

„Du könntest bei mir übernachten. Du hast die Wahl zwischen zwei Gästezimmern, wenn du willst“, fügte er an. Daniela antwortete nicht.

„Dann komm wenigstens auf einen Kaffee mit. Später rufen wir ein Taxi.“

Daniela klopfte sich den Sand von ihrem Kleid und sagte: „Kaffee finde ich gut.“ Dann dachte sie, dass auch bald die S-Bahnen wieder fahren würden.

Michael schloss die Wohnungstür auf. „Ich gehe vor“, sagte er. Daniela folgte. Sie betraten sein Wohnzimmer. Er ging zur Fensterfront und öffnete eine riesige gläserne Schiebetür. Sie sah eine gigantisch große Dachterrasse. „Such dir einen Platz. Ich gehe in die Küche.“

Daniela war sprachlos. Sie kannte Warnemünde seit vielen Jahren. Mit einem solchen Blick hatte sie es noch nie gesehen. Es ging auf fünf Uhr zu. Der Tag war dabei, zu neuem Leben zu erwachen. Seitlich von ihr begann die Sonne aufzugehen.

Michael war unbemerkt neben sie getreten. Er hielt zwei Tassen in den Händen. Eine davon reichte er ihr wortlos. Daniela stellte sie vorsichtig auf den kleinen Tisch. Sie drehte ihren Körper um neunzig Grad. Der Augenblick hielt sie gefangen. Michael hatte sich eng zu ihr gestellt. Er beugte sich herab und flüsterte in ihr Ohr: „Ich wusste, dass es dir gefallen würde.“

Gemeinsam genossen sie den Sonnenaufgang und den leidenschaftlichen Kuss danach. Weder Danielas Kopf noch ihr Körper hatten etwas einzuwenden gegen das, was jetzt passieren würde.

Montagmorgen. Beate stand mitten in ihrem Büro. Sie sah Daniela an. Die winkte ab. „Ausgerutscht?", fragte Beate vorsichtig. Daniela nickte.

„Michael? Ich habe es geahnt. So, wie der dir nicht von der Pelle gerückt ist."

Beate ließ sich auf den nächstbesten Sessel fallen. „Jetzt sag' endlich. Ich bin gespannt."

„Ich weiß nicht, ob es nur ein Ausrutscher war. Ich werde das Gefühl nicht los, dass es sich nicht falsch angefühlt hat."

Sie war gegen Mittag aufgewacht. Michael schlief noch. Sie hatte ihm ins Gesicht geschaut und nachgedacht. Wie hatte das passieren können?

Beate zog die Augenbrauen nach oben. „Du wirst es Thomas nicht erzählen", sagte sie, als wäre es ein Befehl. „Michael ist einer der begehrtesten Junggesellen im Ort. Sein Architekturbüro ist erfolgreich. Er gilt als nicht unvermögend. Er war immer ungebunden. Michael sucht nichts für länger." Sie schaute Daniela an. Die signalisierte, Beate solle aufhören, zu reden.

Danielas Telefon klingelte. Sie griff zum Hörer und vernahm die Stimme, die sie zuletzt vor ungefähr vierundzwanzig Stunden gehört hatte. Michael erkundigte sich nach ihrem Befinden. Daniela schloss die Augen. Sie fragte sich, wie sie mit dieser Situation umgehen sollte.

„Geht so", sagt sie tonlos.

„Sehe ich dich heute oder morgen?" Daniela schluckte. Irgendwann würde sie das klären müssen. Warum nicht heute. „Wann hast du Zeit? Ich könnte gegen sechs am Sportplatz sein."

„Du weißt, wo ich wohne. Wir können uns bei mir treffen."

Daniela war sich im Klaren darüber, was es bedeutete, zu ihm zu gehen. Sie war gefährdet. Im Sinne einer Wiederholungstat. Sie benötigte neutrales Terrain.

„Gegen sechs bin ich am Sportplatz. Ohne Sportsachen. Jetzt muss ich arbeiten. Lass uns heute Abend reden."

„Ich freue mich", hörte sie aus der Ferne, als sie auflegte.

Daniela stöhnte. Beate sah sie an. „Ich weiß nicht, wie das passieren konnte", sagte Daniela leise. Beate antwortete: „Wir sind Menschen. Wir reagieren, insofern die Chemie stimmt."

Daniela dachte an Thomas. Ihr gestriges Telefonat mit ihm war ziemlich einsilbig verlaufen. Sie hatte sich nicht darauf konzentrieren können, was ihr Thomas vom Wiedersehen mit seinem Sohn nach mehr als sechs Jahren erzählte. Er glaubte, sie sei sauer, weil er in Berlin geblieben war. Tatsächlich quälte sie ein schlechtes Gewissen erster Güte. Was würde Sophia zu dieser Geschichte sagen? Schon auf dem Sportplatz hatte sie Verdacht geschöpft. Zu diesem Zeitpunkt hatte Daniela nicht im Traum daran gedacht, was wenige Stunden später geschehen war.

Wie hatte Beate formuliert? „... Einer der begehrtesten Junggesellen im Ort."

„Ich wusste, dass es dir gefallen würde", hatte er gesagt.

Wie viele hatten den Sonnenaufgang auf dieser Dachterrasse mit ihm schon erlebt?

Daniela musste sich ihren Zahlen widmen. Die waren wenigstens rational.

„Bist du hungrig oder reicht deine Kraft für einen Architekturspaziergang, bevor wir essen?" Michael sprühte vor Enthusiasmus. Er setzte voraus, dass Daniela jede Menge Zeit mitgebracht hatte.

„Architekturspaziergang klingt gut. Vor allen Dingen dann, wenn man einen so sachkundigen Guide hat. Dafür halte ich meinen Hunger noch eine Stunde im Zaum."

Daniela hatte sich den ganzen Tag lang vor dieser Begegnung gefürchtet. Michael schaffte es, ihr diese Furcht in Sekunden zu nehmen. Er sorgte dafür, dass sie sich auf den Abend freute.

Beinahe selbstverständlich fasste Michael sie an der Hand und dirigierte sie auf einer Route durch den Ort, die sie so niemals zuvor gegangen war.

Michael liebt alte Steine, dachte sie und verdrängte die Erinnerung an Prag, die sie plötzlich zu befallen drohte.

„Essen?“ Michael riss sie aus ihren Gedanken. „Ich sterbe vor Hunger“, antwortete Daniela.

Sie entschieden sich für Ostseefisch. Michael wusste, wo sie den besten bekommen würden. „Komm“, sagte er und legte seinen Arm um ihre Schultern.

Warnemünde glich einem Dorf. Daniela fragte sich, wann ihnen der erste Bekannte über den Weg laufen würde. Es war nur eine Frage der Zeit.

Michael schien solche Gedanken nicht zu entwickeln. Er himmelte sie an. Sie konnte seine Blicke nicht erwidern. Bedauernd hob sie die Schultern.

„Gut, wie geht es jetzt weiter?“ Michael schaute sie an. Daniela wiederholte die Geste.

„Vielleicht geht es mich nichts an. Mag sein. Deine Beziehung kann jedoch so perfekt nicht sein.“

War sie auch nicht. Daniela wusste es nicht erst seit ihrer Auseinandersetzung mit Thomas wegen seines Sohnes. Sie waren auf dem besten Weg, sich in eine Parallelwelt zu begeben. Beide. Sie hier. Er in Berlin. Auch wenn sie nicht wusste, wie Thomas seine Abende verbrachte.

„Darf ich dich fragen, wie lange ihr zusammen seid?“

„Wir kennen uns seit sieben Jahren. Knapp vier Jahre, davon reichlich eins in gemeinsamer Wohnung als Wochenendbeziehung, sind wir ein Paar. Thomas ist geschieden und hat zwei Söhne, die bei ihrer Mutter leben. Der Ältere hat nach sechs Jahren den Kontakt zu seinem Vater aufgenommen. Aus diesem Grund ist Thomas nicht nach Hause gekommen. Deshalb war ich allein auf dem Fest. Frag nicht, wie ich darunter leide, so oft getrennt zu sein."

„Du warst noch nie verheiratet?", fragte er.

Sie antwortete knapp: „Nein. Und du?" Michael schüttelte den Kopf.

„Ich habe gesehen, dass du viel Spaß mit den Kindern auf unserem Sportfest hattest", sagte er. Daniela wusste, wie das Verhör weitergehen würde.

„Nein, ich habe keine Kinder. Ich plane auch keine." Danielas Tonfall war leicht aggressiv. „Weißt du, ich habe noch nie erlebt, dass in einer Männerrunde jemand auf die Idee käme, seinen Gesprächspartner unvermittelt anzuschauen und zu befragen, ob er Kinder hat. Trete ich als Frau irgendwo in Erscheinung, kommt spätestens im dritten Satz besagte Fragestellung. Es nervt." Daniela sah an ihm vorbei.

Michael schwieg einen Augenblick lang. Dann sagte er: „Ich will einfach nur verstehen, wie du bist. Wer du bist. Und ob ich eine reale Chance habe. Für mich war es keine einmalige Sache. "

16. Kapitel
August 1996

„Hallo, wer bist du?“ Michael streckte die Hand zur Begrüßung aus. Er strahlte.

„Das ist Luise, die Tochter meiner Freundin. Seit heute ist sie in der Kindersportgruppe angemeldet. Ich bringe sie zu Pitt.“

Michael sagte, Pitt sei krank. Er vertrat ihn. Daniela schaute ihn an. Michael hatte bereits nach Luises Hand gegriffen.

„Du hast einen Übungsleiterschein?“, fragte sie.

Er hatte den Schein und freute sich über den Neuzugang. Hier trainierte nur eine Kindergruppe. Ganz anders im Vergleich zu ihrer Zeit, als der Verein beinahe dem Ansturm nicht gerecht werden konnte. In diesen Neunzigerjahren fehlten in ihrer Region die Kinder. Die Gründe dafür waren vielfältig. Es begann bei nicht geboren werden, setzte sich fort über Wegzug und endete bei keine Zeit haben, die Kinder zu bringen und zu holen.

Sophia hatte Daniela gefragt, ob sie Luise ab und zu zum Sport zu begleiten könne. Sie hatte nicht gezögert. Ohnehin fuhr sie regelmäßig hierher. Sie konnte auch das Kind mitnehmen. Für Alex und Sophia bedeutete es, einen Weg zu sparen.

Daniela freute sich über jede Stunde mit der Kleinen. Michael freute sich offensichtlich auch. Er winkte ihr zu und sagte: „Du bekommst sie nachher unbeschadet wieder. Mach' dir keine Sorgen.“ Weg waren sie. Daniela blieb beeindruckt zurück. Michael und Kindersport. Das hatte sie nicht erwartet.

„Sag mal, wer ist dieser Michael? Luise hat die ganze Zeit von ihm erzählt. Selbst auf ihre Gutenachtgeschichte hat sie heute verzichtet. Sie ist ohne zu murren todmüde ins Bett gefallen und selig eingeschlafen."

„Bewegung an frischer Luft macht müde und zufrieden", antwortete Daniela.

„Weich' meiner Frage nicht aus. Wer ist er?"

Daniela sagte, dass Michael der Mann vom Sportplatz war. „Du erinnerst dich? Der, der zu uns geschaut hat." Sophia sah ihr in die Augen. Sie schwieg einen kurzen Augenblick lang. Dann legte sie die Stirn in Falten und sagte: „Jetzt bitte die ganze Wahrheit."

Daniela zögerte. Sophia machte keine Anstalten, sie verschonen zu wollen.

„Wir haben getanzt. Nach Mitternacht waren wir im Meer baden. Nackt. Den Sonnenuntergang haben wir auf seiner Dachterrasse genossen." Daniela fand, genug gesagt zu haben.

Sophia ließ nicht locker: „Dann bist du wahrscheinlich nach Hause gefahren." Ihr Sarkasmus war unüberhörbar.

„Nö", antwortete Daniela und erwartete eine Standpauke. Nichts dergleichen passierte. „Respekt. Doch spontan und lässig." Sophia nickte tatsächlich anerkennend, bevor sie sagte: „Thomas?"

Thomas hatte nach wie vor keine Ahnung von dem, was passiert war. Sie sprachen ohnehin wenig miteinander. Thomas kam nach Hause, war müde und lustlos. Daniela hatte sich bereits bei dem Gedanken ertappt, den Montag herbeizusehnen. Sie würde ihren Seitensprung für sich behalten.

„Ist er noch der Mann, den du willst?" Daniela hatte das Gefühl, in Sophias Tonfall würde die Antwort zu finden sein.

Sie beschäftigte sich täglich mit dieser Frage. Michael hielt sie auf Distanz. Er akzeptierte es. Sie sahen sich jede Woche zweimal beim Sport. Ab und zu gingen sie gemeinsam etwas essen oder gesellten sich zur Runde der Sportfreunde. In diesen

Stunden fühlte sich Daniela ausgesprochen wohl. Dann fuhr sie nach Hause. Allein.

Oft war Beate mit ihnen zusammen. Daniela fragte sich, weshalb die so selten den Wunsch hatte, bei ihrem Mann zu sein. Im Gegensatz zu Thomas war der hier.

Sie hatte Michael darauf angesprochen. Der setzte zu einer längeren Erklärung an.

Michael kannte Beates Mann seit vielen Jahren. Hautnah konnte er verfolgen, wie sich die Ehe der beiden entwickelte. Der Sportlehrer hatte schon immer Körperkult betrieben. Seit dem Mauerfall schien er seine Grenzen austesten zu wollen. Es gab keine Extremsportart, die er nicht ausprobierte. Dafür reiste er um die Welt. Surfen auf Hawaii gehörte zu seinen leichteren Übungen. Michael wunderte sich, dass Beate das alles hinnahm. Immer wieder fragte er sich, wann sie die Reißleine ziehen würde. Ihr Mann hingegen schien seiner Sache sicher.

„Kannst du dich erinnern, wie er auf dem Sportfest Geschichten erzählt hat und Beate sich anderweitig unterhalten musste? So geht das schon seit Jahren. Ich glaube allerdings, dass Beate seit Kurzem anderweitig Ausgleich findet. Wenn du verstehst, was ich meine."

Sie hatte ihn angesehen und sich gefragt, wer der andere Mann wohl sei. Dann dachte sie, dass es sie nichts anging, wie Beate lebte.

Sie alle waren auf ihre Weise auf einen Egotrip geraten.

Weshalb? Lag es am langen Eingesperrtsein?

Und wo würde dieser Trip enden?

In wenigen Wochen würde Luise einen Bruder bekommen. In drei Jahren der Sportverein einen Neuzugang verzeichnen können.

„Sag, wie geht es dir?" Daniela deutete auf Sophias Bauch.

Sophia ging es gesundheitlich gut. Jedoch hatten Alex und sie Streit miteinander.

Sophia wollte ein halbes Jahr nach der Geburt wieder arbeiten gehen. Ihre Entscheidung, zu diesem frühen Zeitpunkt wieder in den Beruf zurückkehren zu wollen, hatte ihr die Versicherungsgesellschaft erleichtert. Man bot ihr einen Teilzeitarbeitsplatz an.

Ein regelrechter Sturm der Entrüstung war über Sophia hereingebrochen, als Alex seiner Mutter von ihren Plänen berichtete. Eine Mutter gehöre zu ihrem Kind, hatte sie getönt. Alex hatte ihr beigepflichtet. Je mehr die beiden Sophia bedrängten, umso störrischer war sie geworden. Letzte Woche hatte sie ihre Unterschrift unter den befristeten Änderungsvertrag gesetzt. Dann hielt sie Ausschau nach einer Kindertagesstätte.

Daniela war sprachlos. Schon seit langer Zeit beschäftigte sie eine Frage, die sie sich bisher nicht zu stellen getraut hatte. In diesem Moment aber fasste sie Mut.

„War der Junge geplant?“

War er nicht. Dennoch war er ihnen willkommen. Sie hatten bereits über ein Geschwisterchen für Luise gesprochen. Irgendwann wäre es geplant geschehen.

Daniela hatte das Glück und die Zufriedenheit in Alex Augen gesehen, als er erfuhr, dass er Vater würde. Alles schien in Ordnung. Bis zu dem Punkt, als Sophia nicht nur Mutter sein wollte.

Wie lange reichte eine Verliebtheit?

Vielleicht dauerte sie ohne Kinder länger als mit. Daniela dachte an Thomas und war nicht sicher. Drei, vier Jahre? Kinder zu haben, bedeutete, Verantwortung zu übernehmen. Sophia hatte ihre Erfahrungen mit Luise gesammelt. Kinder nahmen keine Rücksicht auf die Wünsche ihrer Eltern. So man Erziehung ordentlich machen wollte, bedeutete es auch Verzicht. Verzicht war schlecht für die Verliebtheit. Jeder Tag war damit verbunden, sich auseinanderzusetzen, weil man etwas entscheiden musste, wofür man keine Lehre absolvieren konnte. Der Schleier der Verliebtheit lüftete sich nicht langsam. Er wurde wie von einem Sturm heruntergerissen in dem Moment, in dem die rosaroten Wolken einem anstrengenden Alltag wichen. Die Kunst bestand darin, sich dem Sturm entgegenzustellen. Ihm zu trotzen. Das Wohlbefinden des einen Partners funktionierte nicht ohne das Wohlbefinden des anderen. Eine Beziehung funktionierte nur dann, wenn der eine wusste, was den anderen trieb.

Alex hatte nicht verstanden, weshalb Sophia sich verhielt, wie sie sich verhielt. Ihre Denkweise war ihm fremd. Dabei würden die Probleme erst beginnen. Noch war das Kind nicht einmal geboren.

Thomas kümmerte sich um seine Karriere. Er konnte kein Gefühl dafür entwickeln, wie sehr sie an ihrem Job und an ihrer Heimat hing. Unterschwellig wies er ihr die Schuld an ihrem Getrenntsein zu. Er glaubte, sie wolle ihm nicht nach Berlin folgen. Dabei konnte sie nicht.

Partnerschaft war und blieb das Einfache, das schwer zu machen war.

Sie sagte: „Sophia, du musst durchhalten und um ihn kämpfen. Dennoch darfst du in dieser Sache nicht nachgeben. Er muss verstehen lernen, weshalb du in einer Weise denkst und handelst, die er nicht nachvollziehen kann. Alex ist intelligent. Vergiss seine Mutter. Gott sei Dank, wohnt die weit genug weg."

Daniela ging das Bild eines am Herd stehenden, Brei kochenden, Windeln wechselnden und Wäsche waschenden Alex mit Gel in den Haaren durch den Kopf. Unwillkürlich musste sie grinsen. Der Schönling würde noch einiges ertragen müssen.

Dann wurde ihr Gesichtsausdruck ernst.

Sie fragte sich, wer ihr sagen würde, wie sie und Thomas sich verhalten sollten.

Beate wollte die Mittagspause nutzen, um Daniela etwas zu zeigen. Sehr geheimnisvoll hatte sie jeglichen Hinweis auf den Ort ihres Zieles unterdrückt. Daniela würde nichts weiter übrig bleiben, als ihr zu folgen und sich überraschen zu lassen.

Sie hatten ihr Firmengelände verlassen und waren rechts abgebogen. Daniela kannte den Weg zum Gewerbepark. Sie schlugen ihn soeben ein. Seit einiger Zeit wurde hier gewerkelt. Alte Fabrikhallen und Unternehmervillen im norddeutschen Backsteinstil wurden restauriert. Erste Schmuckstücke waren zum Einzug bereit. Daniela war neulich hier spazieren gegangen. Sie hatte ihrem Büro für eine Stunde entfliehen wollen.

Daniela erzählte Beate von ihrem Spaziergang. Die schien enttäuscht: „Ich habe gedacht, dir etwas Neues zu zeigen. Mir ist eine alte Fabrikhalle aufgefallen. Sie wird gerade saniert. Am Eingang steht eine Tafel. Man kann die künftigen Grundrisse sehen. Das Ganze wird noch dauern. Aber das macht ja nichts. Wir haben noch Zeit. Vielleicht wäre das Objekt für uns geeignet."

Daniela schaute sich um. Auf der gegenüberliegenden Straßenseite unterhielt sich eine Gruppe von Männern. Dann sah sie Alex. Er war gemeinsam mit den anderen aus einem der fertiggestellten Häuser gekommen. Sie winkte. Kurze Zeit später stand er vor ihnen.

Als sie Beate anschaute, traute sie ihren Augen nicht. In Windeseile wickelte Daniela das Vorstellungsritual ab. Dann sagte sie zu Alex: „Wir haben wenig Zeit. Unsere Pause geht zu Ende."

Als Alex gegangen war, sah Daniela Beate an: „Was war das denn?"

„Frag mal lieber, wer war das denn? Der geht ja glatt als Unterwäschemodel durch."

„So hast du ihn auch angestarrt." Daniela blickte tadelnd.

„Oh je, das hast du gemerkt?“ Beate verzog das Gesicht. „Meinst du, er hat es mitbekommen?“

„Ich kann dir versichern, dass der nicht blöd ist.“

Sophias und Alexanders gemeinsames Glück trug den Namen Sebastian.

Daniela war auf dem Weg zum Krankenhaus. Sie war gespannt, wie Sebastian aussah. Ob er mehr Alex oder mehr Sophia ähnelte?

Luise kam eindeutig nach Sophia. Es wäre demnach gerecht, würde Sebastian seinem Vater ähnlich sehen. Das Dumme an der Geschichte war, dass das Leben im Normalfall nicht nach Gerechtigkeit fragte.

Daniela beeilte sich, die Bürotür abzuschließen.

Sie musste noch Blumen besorgen. Das Geschenk für den neuen Erdenbürger hatte sie bereits in ihrer Tasche verstaut. Die Blumen würde sie auf dem Weg zur Klinik kaufen.

Mit eiligen Schritten ging sie durch die Glastür der Entbindungsstation. Die Räume sahen anders aus, als Daniela sie in Erinnerung hatte. Acht Jahre lagen zwischen Luises Geburt und heute. Die Atmosphäre schien deutlich freundlicher. Es sah nicht mehr nach Krankenhaus aus.

Ohne Probleme hatte sie Sophias Zimmer gefunden. Als sie es betrat, schaute sie in die strahlenden Gesichter einer stolzen Mutter und eines ebenso stolzen Vaters. Neben ihnen stand ein winziges Kinderbett. Darin lag ein strammes Baby: Sebastian.

Daniela bemerkte, wie die Emotionen in ihr aufstiegen. Sie war gerührt. In diesem Moment füllten sich auch Sophias Augen mit Tränen. Sie sahen sich an und fanden keine Worte. Der Augenblick hielt sie gefangen.

Alex stand auf. Er nahm Daniela die Jacke und den Blumenstrauß ab. Diskret verließ er das Zimmer auf der Suche nach einer Vase.

Sophia sah aus, als könne sie eine Portion Schlaf gebrauchen. Trotzdem plapperte sie munter darauf los. Innerhalb weniger Minuten hatte Daniela alle wichtigen Daten des Babys gespeichert.

Alex war zurückgekehrt. Er setzte sich neben Daniela und sah sie auf eine Weise an, die Daniela irritierte.

Warum hatte er diesen Trauerblick aufgesetzt? Alles um sie herum war Glück pur. Daniela konnte keinen Grund für Traurigkeit erkennen. Dann begann Alex zu reden.

Sophia und er hatten gestern den Mietvertrag für ihre neue Wohnung unterschrieben. Daniela fand, das sei eine gute Nachricht. Die jetzige Wohnung war zu klein. Von Beginn an hatte Daniela es so gesehen. Dann lüftete Alex das Geheimnis: Die neue Wohnung befand sich am Stadtrand von Hamburg.

Sophia, er und die Kinder würden in Alexanders Heimat umziehen. Sophia würde nach siebenunddreißig Jahren ihre Heimat verlassen. Und der Schwiegermutter sehr nahe sein, fügte Daniela in Gedanken hinzu.

Das alles war Grund genug, schon wieder den Tränen freien Lauf zu lassen.

Den Ton kannte sie von ihm nicht. Ziemlich barsch sagte Alex: „Hört mit der Heulerei auf. Hamburg liegt nicht am anderen Ende der Welt.“ An Daniela gerichtet sagte er: „Ihr könnt mitkommen. Für Lichtenhain musst du nicht arbeiten. Thomas findet eine adäquate Anstellung.“

Daniela winkte ab. Tonlos fragte sie: „Wann zieht ihr?“

Sophia sagte mit dünner Stimme: „In drei Monaten. Wir werden den Mietvertrag der alten Wohnung kündigen. Ich werde mich von den Strapazen der Geburt erholen und danach Umzugskartons packen.“

Daniela fragte sich, ob Thomas am Freitagabend einmal wach genug sein würde, um ihr zuzuhören. Wem, wenn nicht ihm, sollte sie von ihrer Traurigkeit berichten? Sophia war für sie wie eine Schwester. Luise wie eine Nichte. Daniela hatte sich auf Sebastian gefreut.

Sie würde ihn nicht aufwachsen sehen.

Die Jahrtausendwende war nicht mehr fern. Noch immer gingen die Wanderbewegungen maßgeblich in eine Richtung: nach Westen. Vielleicht hatte Alex nicht unrecht, wenn er sagte, sie sollten ihnen folgen.

Thomas sah abgekämpft aus, als er vor ihr stand. Daniela ging auf ihn zu. Als sie ihn umarmte, spürte sie wenig Leidenschaft. Sie war frustriert.

Daniela wollte ihm von Sebastian und Sophia erzählen. Sie vermutete jedoch, dass sie sich das für morgen aufheben musste.

Er sah sie an und meinte: „Ich bin erledigt."

Schweigend saßen sie sich beim Abendessen gegenüber.

Daniela hatte die Hoffnung auf ein Gespräch längst aufgegeben. Sie kaute, als Thomas sie ansah und zu reden begann.

Er plante eine gemeinsame Urlaubswoche mit seinen Söhnen. Daniela blieb beinahe der Bissen im Hals stecken.

„Wo wollt ihr hinfahren?", fragte sie, als sie sich einigermaßen gefangen hatte. Sie schaute ihn an.

Thomas hatte nicht vor, zu verreisen. Er meinte, es sei eine gute Idee, die zwei würden sie besuchen kommen. Schließlich lag das Meer direkt vor ihrer Haustür. Wo konnte man schöner die Ferien verbringen?

Daniela fehlten die Worte. Sie bemerkte, wie Wut in ihr aufstieg. Sie musste sich mühen, nicht die Kontrolle zu verlieren. Ruckartig stand sie auf und verschwand im Schlafzimmer. Mit einem Blick in ihren Kleiderschrank hatte sie gefunden, was sie zum Anziehen brauchte. Sie griff nach ihrer Handtasche und dem Autoschlüssel. Dann ließ sie die Wohnungstür hinter sich ins Schloss fallen.

Nachdem sie den Motor gestartet hatte, fragte sie sich, wohin sie eigentlich fahren wollte. Sophia war noch im Krankenhaus, vom Sportlehrer wusste sie nicht, wie der reagieren würde, wenn sie unangemeldet bei Beate auftauchte. Blieb Michael.

Die Idee war nicht brillant, aber die einzige, die sie hatte. Sie nahm den Weg zum Seebad. Daniela konnte sich kaum auf den Verkehr konzentrieren. Als sie an seinem Haus angekommen war, fragte sie sich, ob sie noch ganz bei Trost war. Dennoch parkte sie den Wagen, stieg aus und klingelte.

Michael war ernstlich überrascht, sie zu sehen. Daniela wusste nicht, was sie sagen sollte. Sie standen sich einen Augenblick lang wortlos gegenüber.

Michael fand als Erster die Sprache wieder. Er sagte: „Das ist ja mal eine Freitagabendüberraschung. Komm rein."

Sie standen im Wohnzimmer. Er sah ihr an, wie aufgewühlt sie war. Da sie noch immer schwieg, nahm er sie in seinen Arm. Er hielt sie fest umschlungen. „Was ist passiert? Du siehst aus, als wärst du geflüchtet."

Daniela bemerkte, dass sie langsam aus ihrer Starre erwachte. Sie antwortete: „Sag' ruhig abgehauen."

„So schlimm?"

„Schlimmer."

Michael war zum Schrank gegangen. Mit zwei Weingläsern in der Hand kam er zurück. Nachdem er sie auf den Tisch gestellt hatte, deutete er ihr, dass er in die Küche ginge, um die Flasche zu holen. Sie solle sich setzen.

Daniela gehorchte und begann, sich über sich selbst zu wundern. Wie hatte sie hier einfach so aufkreuzen können? Michael kam zurück. Er wollte einschenken. Hielt jedoch kurz inne und sagte: „Erzähl', ich bin gespannt."

„Ich glaube, ich hatte eine Kurzschlussreaktion. Vielleicht ist es besser, ich gehe wieder."

Michael sah sie an. „Ich lasse dich nicht wieder gehen. Ich bin froh, dass du zu mir gekommen bist. Lass dich nicht bitten."

Plötzlich keimte in ihr das Gefühl, alles richtig gemacht zu haben.

Sie hatte Thomas heute Abend Ruhe gönnen wollen. Hatte ihren Mitteilungsdrang unterdrückt. Er hatte sie überrollt.

Von Beginn an hatte sie gewusst, dass er zwei Kinder hatte, für die er Verantwortung trug. Sie hätte nichts dagegen einzuwenden, wenn er sie traf, sich um sie kümmerte. Sie fand es jedoch legitim, einzufordern, dass er sie in seine Entscheidungen einbezog. Ihre gemeinsame Wohnung war auch ihr Zuhause.

Michael sah sie an. „Hast du Lust auf einen Strandspaziergang? Ich glaube, frische Luft ist genau das, was du jetzt brauchst. Den Wein stellen wir in den Kühlschrank. Der Abend ist noch jung."

Daniela benötigte keine Sekunde, um zuzustimmen.

„Lass uns in die Richtung gehen. So haben wir den Wind im Rücken", sagte Daniela und marschierte los.

„Ich liebe Frauen, die wissen, wo es lang geht", antwortete Michael und lachte. Wie selbstverständlich nahm er sie fest in den Arm. „Kuscheln?", fragte er. Sogleich fügt er an: „Es gibt keine Widerrede."

Als sie in seine Wohnung zurückkehrten, wusste Daniela, dass sie heute nicht nach Hause fahren würde. Die Flasche Wein konnten sie getrost austrinken. Im Zweifel hatte sie die Wahl zwischen zwei Gästezimmern. Frühestens morgen würde sie das Seebad verlassen. Am liebsten erst am Montag. Dafür war sie jedoch nicht ausgestattet. Sie hätte besser einen Koffer packen sollen.

Ein Blick auf ihr Telefon verriet ihr, dass Thomas mehrfach versucht hatte, sie anzurufen. Mit ihrem Zeigefinger drückte sie die Taste „Off" und schob das Gerät in ihre Handtasche.

Kaum hatte sie den Schlüssel ins Schloss gesteckt, öffnete sich die Tür von innen. Thomas stand vor ihr. Er sah übernächtigt aus. Schweigend ging sie an ihm vorbei. Sie legte ihre Garderobe ab. Er stellte sich ihr in den Weg. „Wo warst du? Ich habe mir Sorgen gemacht. Du schaltest dein Telefon aus. Sophia nimmt nicht ab. Von Beate habe ich keine Rufnummer."

Daniela atmete hörbar ein. „Wenn du einmal Zeit für mich und meine Befindlichkeiten hättest, würdest du wissen, dass Sophia im Krankenhaus ist und einen kleinen Jungen mit dem Namen Sebastian geboren hat. Auch wäre dir bekannt, dass ich sehr traurig bin, weil sie und Alex gemeinsam mit ihren Kindern in drei Monaten nach Hamburg umziehen werden. Du wüsstest, dass Alex vorgeschlagen hat, wir sollen ihnen folgen. Ich könnte dir noch von einigen Dingen berichten, die hier passiert sind. Allerdings habe ich seit Monaten den Eindruck, dass dich nichts interessiert. Lass mich durch. Ich habe keine Lust auf ein Gespräch mit dir."

Thomas starrte sie fassungslos an. Daniela war inzwischen ins Arbeitszimmer verschwunden. Sie zerrte ihren Koffer aus dem Schrank. Thomas stand stumm neben ihr. Sie schob ihn beiseite und ging ins Schlafzimmer. Aus dem Schrank nahm sie, was sie am nötigsten brauchen würde. Michael hatte ihr versprochen, Platz in seinem Schrank für sie zu schaffen.

„Wohin gehst du?", fragte Thomas. Daniela unterbrach ihr Kofferpacken. Sie stellte sich dicht vor ihn. Daniela sah ihm in die Augen. Ihre rechte Hand legte sie auf seine Brust. Dann sagte sie: „Thomas, wir haben es vergeigt."

Er starrte sie an. Daniela bekam eine Ahnung davon, wie unvermutet ihr Ausbruch für ihn kam. Verzweiflung machte sich auf seinem Gesicht breit.

„In Prag hast du mir versprochen, dass wir uns die Zeit nehmen, die wir brauchen. Wir haben vereinbart, dass wir Gewöhnung nicht zulassen wollen. Erinnerst du dich? Gar nichts davon ist uns geblieben."

Daniela fügte an: „Ich werde mir eine eigene Wohnung suchen. Bis dahin werde ich bei einem Freund unterkommen. Sobald mein Umzug organisiert ist, gebe ich dir Bescheid. Hier werden wir uns nicht mehr begegnen. Außer zum Ausräumen."

Seine Fragen nach dem Freund und seinem Wohnort ließ sie unbeantwortet. Daniela kämpfte mit den Tränen. Es war ihr nicht leichtgefallen, die wenigen Sätze zu sagen. Sie ging fort von dem Mann, mit dem sie hatte leben wollen.

17. Kapitel
1999

Stephan fehlte. Er hatte eine riesige Lücke ins Unternehmen gerissen. Lichtenhain gelang es nicht, einen adäquaten Ersatz zu finden. Der Arbeitsmarkt für Ingenieure war wie leergefegt. Die klugen Köpfe waren versorgt. Wenn nicht hier, dann im Westen.

Sophia und Alex waren nach Hamburg gezogen.

Daniela empfand Leere. Sie vermisste sie alle. Auch Thomas, von dem sie sich getrennt hatte. Obwohl Michael alles gab, sie zu umsorgen. Nichts war mehr so, wie es war. Die vergangenen zehn Jahre hatten eine veränderte Welt zurückgelassen. Aber: Es gab Beate. Und ihre Idee.

Sie würden es künftig hauptsächlich mit Männern zu tun haben. Entscheidungsträger in Unternehmen waren nach wie vor männlich. Beate kannte alle in ihrer Region. Sie wiederum kannten das schönste Gesicht des Kälteanlagenbauers.

Beate wurde hofiert. Auch oder genau wegen ihres Gesichtes. Diesen Fakt würden sie ausnutzen müssen. Realistisch betrachtet, war er einer ihrer wenigen Vorteile. Auf ein Netzwerk von berufstätigen Frauen konnten sie nicht zurückgreifen. Es existierte keine solche Verbindung für Erfahrungsaustausch, Hilfe und Synergien.

Beate meinte, Frauen seien zu dämlich.

Männer schlossen die Reihen.

Frauen führten Zickenkriege.

Daniela hatte an Claire denken müssen.

Gemeinsam hatten sie sich auf den Weg gemacht. In wenigen Minuten würden Beate und Daniela den Hauptbahnhof von Hamburg erreichen. Hinter ihnen lag eine entspannte Bahnfahrt.

Daniela hatte Hotelzimmer für sie gebucht. Dort würden sie gleich nach ihrer Ankunft einchecken, sich frisch und für den Abend zurechtmachen. Sophia und Alexander wollten sie vom Hotel abholen. Irgendwo im Hafen gab es ein kleines Lokal, in dem sie gemeinsam essen wollten.

„Beate, denk dran, lass Alex in Ruhe." Daniela sah sie mit beschwörendem Blick an.

„Sagt die Beziehungsexpertin", antwortete Beate.

Daniela winkte ab und dachte, noch immer wusste sie nicht, wer der heimliche Mann an Beates Seite war.

„Wie funktioniert es mit Lichtenhain?" Alex schaute sie an.

Lichtenhain verhielt sich unauffällig. Jeden Tag war er im Unternehmen, führte Projektbesprechungen und zeigte sich den Mitarbeitern. Kundenbesuche erledigte er nicht. Die überließ er Holger. Genauso sahen ihre Auftragsbücher aus. Ihre Geschäfte verliefen schleppend. Ihr Liquiditätsposter schmolz unaufhörlich. Daniela sah es mit Sorge. Es tröstete sie zu wissen, dass dieser Kontostand für sie bald nicht mehr von Bedeutung sein würde.

In letzter Zeit hatten Daniela und Beate bemerkt, dass Lichtenhain sie beobachtete. Mehrmals hatte er ohne Ankündigung in Danielas Büro gestanden. Nach wenigen belanglosen Sätzen war er verschwunden. Bei Beate zog er die Nummer genauso ab. Als sie darüber sprachen, folgerten sie, dass er sie kontrollierte.

Sie brauchten sich keine Gedanken zu machen. Im Dienst leisteten sie Dienst. Die Vorbereitungen für ihre Unternehmensgründung erledigten sie nach Feierabend. Um nach Hamburg zu fahren, hatten sie Urlaub eingereicht. Lichtenhain war der Letzte, dem sie Anlass für arbeitsrechtliche Maßnahmen geben würden.

„Ich komme morgen mit“, sagte Sophia. „Alex’ Mutter nimmt die Kinder. Ich kenne ein paar von den Frauen, die sich regelmäßig treffen. Vielleicht kann ich euch mit ihnen bekannt machen.“

Daniela hatte das Gespräch mit Alex gesucht. Beates Idee vom Frauennetzwerk war ihr nicht mehr aus dem Sinn gegangen. Wenn nicht Alex, wer dann sollte ihnen helfen können?

Alex hatte ihr zugehört. Zu seinen Kundinnen gehörten auch Unternehmerinnen. Er wusste, dass die in regelmäßigem Kontakt standen. Auch Frauen aus Mecklenburg-Vorpommern waren unter ihnen. Frauen, denen berufliches Fortkommen in der Heimat versagt geblieben war. Die den Mut hatten, zu gehen, alle störenden Einflüsse über Bord zu werfen, sich auf die eigenen Stärken zu besinnen und durchzustarten.

Er hatte mit einer von ihnen gesprochen und sich dafür verwendet, dass Daniela und Beate am morgigen Netzwerktreffen teilnehmen durften.

Gespannt betraten sie den Saal. Er war gut gefüllt. Daniela sah sich um. Tatsächlich nur Frauen. Ältere Frauen, junge Frauen, leger gekleidet, in edle Markenware gehüllt. Ein lautes Stimmengewirr umfing sie.

Sophia hielt Ausschau. Sie dirigierte Beate und Daniela in den hinteren Teil des Raumes. Dort stand eine Frau, allein. Sie war wohl gerade erst eingetroffen. Daniela glaubte, sie sei auf der Suche nach einem Getränk.

Sophia trat zu ihr und begrüßte sie. Die beiden schienen einander zu kennen.

Daniela hatte schon gestern gedacht, dass Sophia sich sehr schnell in ihrer Wahlheimat eingelebt hatte.

In diesem Moment traten zwei weitere Frauen hinzu. Auch mit ihnen schien Sophia bekannt zu sein. Sie sah sich nach Daniela und Beate um und sagte: „Kommt her, ich will euch vorstellen."

Eine der Frauen betrieb ein Softwarehaus. Mit einhundert Mitarbeitern entwickelte und vertrieb sie kaufmännische Software für mittelständische Unternehmen. Seit mehr als zehn Jahren war sie am Markt etabliert. Gegründet hatte sie das Unternehmen, als sich eine allgemeine Aufbruchstimmung Ende der Achtzigerjahre abzeichnete. Einen Boom hatte sie kurz nach der Wiedervereinigung erlebt. Sie sagte: „Allerdings nur für kurze Zeit. Keiner meiner Kunden der ersten Stunde im Osten hat überlebt."

Daniela und Beate absolvierten gemeinsam mit Sophia einen regelrechten Marathon. Sie schüttelten Hände zur Begrüßung, sprachen miteinander, verabschiedeten sich und gingen zum nächsten Stehtisch. Nach und nach schwanden ihnen die Kräfte.

„Daniela, das ist eine komplett andere Unternehmenskultur, als wir sie erleben. Habe ich recht?" Beate schüttelte den Kopf und fügte hinzu: „Wie schaffen wir es, auszuhalten, was man uns zumutet?"

Todmüde, dennoch zufrieden und voller Hoffnung erreichten sie ihr Hotel. Sie brauchten keine zehn Minuten, um in einen tiefen Schlaf zu sinken.

Sophia war mit ihnen gemeinsam zurückgefahren. Überraschend. Daniela freute es. Sophia und Luise wollten das Wochenende bei ihr verbringen. Die neue Wohnung anschauen. Das Meer genießen.

Daniela ließ den Sand durch ihre Finger rieseln. Sophia hatte sich neben ihr ausgestreckt und blinzelte in die Sonne.

Luise spielte mit einem Mädchen ihres Alters. Sie tobten am Wasser. Daniela sah dem Treiben zu und grübelte, wie schnell zehn Jahre vergangen waren.

Sebastian war bei seiner Großmutter untergekommen. Sophia hatte nicht ohne Spott gesagt, dass der das eigene Enkelkind immer willkommen war.

Daniela freute sich, Luise endlich wieder einmal zu Gesicht zu bekommen.

Sophia war verzückt, als sie die Wohnung in Augenschein nahm. Daniela hatte es mit Genugtuung bemerkt.

Sophia räkelte sich genüsslich. Dann setzte sie sich auf. „Sag, weißt du, wie es Thomas geht?" Daniela schüttelte den Kopf.

„Vermisst du ihn? Habt ihr zu schnell die Segel gestrichen? Wäre noch etwas zu kitten gewesen?"

Ziemlich viele Fragen. Daniela versuchte es mit einer Antwort: „Wir kannten uns mehr als sieben Jahre. Davon waren wir reichlich vier ein Paar. Vom ersten Tag an habe ich diesen Kerl gemocht. Dass es dann doch drei Jahre gedauert hat, hatte auch damit zu tun, dass er verheiratet war und Kinder hatte. Aber nicht nur. Ich habe seine Vergangenheit lange Zeit ausgeblendet. Später hat es mich eingeholt. Wie auch immer, glaub mir, vier Jahre vergisst man nicht. Sie werden immer Bestandteil meines Lebens bleiben."

Nach Danielas überstürzter Flucht waren sie sich ein paar Wochen lang aus dem Weg gegangen. Daniela wohnte bei Michael. Dort sah sie die Zeichnungen von der Wohnanlage. Es waren Michaels Entwürfe. Einen davon hatte er als Modell gebaut. Und damit den Wettbewerb gewonnen. Das Objekt war inzwischen fertiggestellt. Daniela kaufte die Wohnung im Dachgeschoss. Nach Sonnenblumenhaus im Plattenbauviertel und sanierter Altbauwohnung sollte das hypermodere Seebaddomizil folgen. Daniela brauchte ihre Möbel.

Sie rief Thomas an und verabredete sich mit ihm. Zur Gütertrennung.

Thomas wusste inzwischen von Michael. Er konnte seinen Zorn nicht verbergen. Daniela spürte es sofort, als sie die ehemals gemeinsame Wohnung betrat.

Michael hatte ihr angeboten, sie zu begleiten, doch Daniela hatte abgelehnt. Als sie Thomas gegenüberstand, fragte sie sich, ob es nicht doch besser gewesen wäre, ihn mitzunehmen. Dann schien sich Thomas gefangen zu haben. In den wenigen Sätzen, die er sprach, drehte sich alles um Berlin.

Sie teilten ihren Hausrat. Daniela öffnete die Schränke. Ihr Blick fiel auf das Porzellan von KPM und das Manufakturbesteck. Daniela erinnerte sich an ihr gemeinsames Abendessen, an den festlich gedeckten Tisch, als Thomas ihr offenbart hatte, dass er nach Berlin gehen würde. Die Sachen gehörten ihm. Sie ließ sie unberührt liegen und packte die Dinge ein, die sie mitgebracht hatte.

Die Kartons und die Möbel würden später von einer Spedition abgeholt werden. Daniela war froh, als sie alles verpackt hatte und sich verabschieden konnte. Als sie ging, hatte sie das Gefühl, dieser Thomas sei ein komplett anderer als der, der ihr vor langer Zeit zum ersten Mal begegnet war. Sie fühlte sich in ihrer Entscheidung bestätigt.

„Sophia, es gab nichts mehr, was man hätte in Ordnung bringen können. Ich war nur noch an Nummer drei gesetzt. Vor mir kamen sein Job und die Kinder. Ich sorge mich dennoch um ihn. Sein Ehrgeiz trägt krankhafte Züge. Auch wenn es mit uns nicht funktioniert hat, wünsche ich mir, dass es ihm gut geht. Allerdings wage ich zu bezweifeln, dass er genauso denkt. Er fühlt sich gekränkt. Die Sache mit Michael macht ihm zu schaffen."

Sophia nickte. Dann sagte sie: „Du kannst es ihm nicht verdenken. Überleg mal, wie du empfinden würdest." Daniela schwieg.

„Luise ist groß geworden. Nicht mehr lange und sie kommt in ein kritisches Alter", sagte Daniela.

„Manchmal glaube ich, es ist bereits soweit. Luise benimmt sich Alex gegenüber in einer haarsträubenden Art und Weise. Unweigerlich muss ich darüber nachdenken, ob es an ihrem Verhältnis zu Alex' Mutter liegt oder tatsächlich die Pubertät einsetzt."

Eine Teilzeitstelle nach Sebastians Geburt hatten sie Sophia in Hamburg nicht bieten können. Umgehend bemühte sie sich um eine Tagesmutter und um einen Platz in einer Kindertagesstätte. Fehlanzeige. Sie fand weder das Eine noch das Andere.

Ihrer Schwiegermutter sehr nah, musste sie beinahe täglich Auseinandersetzungen mit Alex ertragen. Schlussendlich verständigten sie sich, Sebastians Betreuung untereinander aufzuteilen.

Nach dem geplanten halben Jahr war Sophia ins Büro zurückgekehrt. Alex schlüpfte in die Rolle des Hausmanns. Seinem Stress mit Sophia war der mit seiner Mutter gefolgt. Es hatte nicht lange gedauert. Dann hatte Alex genug von Herd und Waschmaschine.

Sophia konnte ein schadenfrohes Grinsen kaum unterdrücken, als sie Daniela erzählte, wie eintönig und einsam er sein Dasein in einem Haus empfand, in dem er allein mit einem Kleinkind einen großen Teil des Tages verbrachte.

Weder der Gang zum Supermarkt noch der zum Babyschwimmen befriedigten seinen Geist. Ganz zu schweigen von seinem Ego. Ihm fehlten soziale Kontakte ebenso wie anspruchsvolle Aufgaben, die sein Hirn fit hielten. Ihm war die Verbindung zum Leben außerhalb seiner vier Wände abhandengekommen.

Sophia ließ ihn zappeln. In gewisser Weise gönnte sie ihm die Qualen, die er erlitt. Allerdings wusste sie auch, dass er viele schöne Momente erlebte, die niemals wiederkommen würden. Augenblicke in Sebastians Entwicklung, die Sophia verpasste, weil sie arbeitete. Insofern hatte das Wort Qualen nur eine relative Bedeutung. Ihre Hoffnung wuchs, er würde am Ende begreifen, warum sie sich, mit seinen Augen betrachtet, so störrisch verhalten hatte.

Daniela wusste nicht, ob Sophia klar war, dass sie und Alex sich getroffen hatten. Sie hatte ihm versprochen, zu schweigen.

Alex war während seiner Elternzeit wegen eines dringenden dienstlichen Termins im Seebad angereist. Er hatte Sebastian zu seiner Mutter gebracht und zum Telefon gegriffen. Daniela war überrascht zu hören, dass er sich mit ihr verabreden wollte.

Alexander erwartete sie bereits, als sie eintraf. Mit gewohntem Charme half er ihr aus dem Mantel und rückte ihren Stuhl in die richtige Position. Sie musste sich nur setzen und genießen.

Alex war jedoch nicht ihres Genusses wegen gekommen. Ohne Vorgeplänkel kam er zur Sache: „Ich habe mich ziemlich ungeschickt verhalten. Wahrscheinlich hat sie es dir erzählt."

Ungeschickt nannte er es. Dabei war es gänzlich abartig, wie er sich gebärdet hatte. Sie überlegte, ob sie zu erkennen geben sollte, dass sie im Bilde war. Sie entschied sich für den Mittelweg.

„Was genau meinst du? Wobei warst du ungeschickt? Ich weiß, dass du nicht damit einverstanden warst, als Sophia – in Teilzeit wohlgemerkt – in ihren Beruf zurückkehren wollte."

Alex gestand, dass er keine Vorstellung davon gehabt hatte, wie es sich anfühlte, den ganzen Tag mit Kinderpflege und im Haushalt zu verbringen. Er hatte geglaubt, es sei eine ausfüllende und befriedigende Beschäftigung, sich um die Kinder zu kümmern. Es sei im Gegensatz zum Job die leichtere der beiden Übungen. Erst nachdem er sich aus einer Trotzreaktion heraus mit Volldampf selbst in diese Rolle katapultierte, war ihm klar geworden, wie anders doch die Realität aussah.

„Du hast getrotzt?" Daniela musste sich ein Schmunzeln verkneifen.

Alex hatte sie durchschaut. Er sagte: „Du weißt es längst. Ihr habt euch bereits über mich amüsiert."

„Nein, das haben wir ganz und gar nicht. Wir haben uns nicht amüsiert, sondern uns über dich geärgert. Das trifft es viel besser."

Sie hatte ihm geraten, seiner Mutter zu sagen, er sei erwachsen. Erwachsene trafen ihre Entscheidungen eigenständig.

„Sag ihr, dass es naturgegeben so ist, dass flügge gewordene Kinder das Nest verlassen und auf eigenen Beinen stehen. Sag ihr, dass Luise zu dir gehört, auch wenn sie nicht dein leibliches Kind ist. Sag ihr, dass Kinderbetreuung Sache von Mutter und Vater ist. Sag ihr, Frauen im angehenden 21. Jahrhundert sind gebildet und leistungsbereit. Sie sind mindestens so gut oder so schlecht wie Männer. Alex, du bist vierzig Jahre alt. Es kann doch nicht so schwer sein, sich von Mama abzunabeln."

Beinahe gebetsmühlenartig hatte sie auf ihn eingeredet. Spätestens jetzt registrierte Alex, dass Daniela über jedes einzelne Detail im Bilde war.

„Du weißt alles über den Konflikt zwischen meiner Mutter und uns. Haben Freundinnen gar keine Geheimnisse voreinander?" Daniela hatte gelächelt und gedacht: Nicht gar keine, aber wenige.

Ihre Ansprache war offensichtlich nicht vollständig von Erfolg gekrönt.

„Die Schwiegermutter stänkert?"

Sophia antwortete: „Wenn sie doch nur meine Schwiegermutter wäre."

Daniela stutzte. Dann folgte die Erleuchtung. „Willst du geheiratet werden?"

„Warum denn nicht? Wir sind lange genug zusammen. Wir haben einen gemeinsamen Sohn."

Daniela fragte sich, was sich Sophia von diesem Schritt versprach. Nach ihrer Trennung von Thomas war sie froh gewesen, nicht auch noch ein Scheidungsverfahren durchstehen zu müssen. Sie und Thomas waren in der Lage, ihre Sachen zu packen, Möbel und Hausrat zu teilen und auseinander zu gehen. Ihre finanzielle Unabhängigkeit hatten sie immer aufrechterhalten. Jede Entscheidung in eine andere Richtung hatte Daniela abgewehrt. Niemals hatte sie Lust verspürt, sich in ein Abhängigkeitsverhältnis zu begeben.

Sophia wechselte das Thema. „Wie weit seid ihr vorangekommen bei der Suche nach Büroräumen?“

Daniela erzählte, dass die Anmietung der gewünschten Gewerberäume fehlgeschlagen war, weil andere Mieter ihnen zuvor gekommen waren. Jedoch hatten sie sich für den zweiten Fabrikhallenteil bereits beworben. Sie hofften auf Abschluss des Mietvertrages im kommenden Monat. Danach würden sie sich mit der Ausstattung befassen.

„Ich habe einen Brief von der Geschäftsführerin des Softwarehauses für dich mitgebracht. Er steckt in meiner Handtasche. Ich darf nicht vergessen, ihn dir zu geben“, sagte Sophia. „Erinnere mich daran.“

18. Kapitel
Vier Wochen später

„Lieber arm und gesund, als mittelmäßig reich und verrückt." Mit diesem Spruch hatte Beate Daniela umworben, sie bei der Umsetzung ihres Vorhabens zu begleiten. Das Verrücktsein hatte sie auf den Job beim Kälteanlagenbauer bezogen. Sie hatte parodiert, wie Hansgen geschasst, Lichtenhain eingeschleust und der Abbau von vierhundert Arbeitsplätzen bekanntgegeben worden war. Es war ihr gelungen, Claire beinahe echt zu imitieren.

Sie näherten sich der Ziellinie.

Stephan war auf dem Weg zum Gewerbepark. Beate hatte ihn zur Besichtigung der Räumlichkeiten eingeladen. Daniela hatte nichts dagegen.

Die Freude, sich wiederzusehen, beruhte auf Gegenseitigkeit. Stephan schloss zuerst Beate, dann Daniela in die Arme.

„Wisst ihr, dass Thomas in der Stadt ist?", fragte er. Daniela erstarrte. Ihr Blick auf Beate verriet ihr, dass die nicht überrascht war.

Sogleich antwortete Beate: „Ja. Er wird auch gleich hier sein."

So musste es sein, wenn sich ein Herzinfarkt ankündigte. Daniela rang nach Atem. Sie konnte keinen klaren Gedanken fassen. Dabei sollte sie darauf achten, künftig gesund zu bleiben. Schließlich würde ihr in absehbarer Zeit das Geld fehlen, um krank sein zu können. Sie musste ihre teure Wohnung abzahlen.

Beate berührte sie an der Schulter. „Beruhige dich. Er beißt nicht."

Sie hatten die Türen nicht geschlossen. Unbemerkt war Thomas bereits hereingekommen. Daniela registrierte sofort, wie entspannt er wirkte. Die Schatten um seine Augen hatten sich verflüchtigt. Ihre Trennung schien ihm zu bekommen. Daniela erkannte die Ironie, die sie so denken ließ.

Höflich begrüßte er sie. Es war nicht anders zu erwarten. Thomas wusste, wie man sich benahm. Das schönste Gesicht schaute beglückt. Eben dieses war gerade von einer deutlich sichtbaren Röte überzogen worden. Blitzartig stellte sich Daniela die Frage nach dem Verhältnis der beiden zueinander. Beate wusste, dass er heute hierher kommen würde ...

Stephan und Thomas umarmten sich nach Männerart.

Sie verrieten ihnen, sich in der vergangenen Woche getroffen zu haben. Ein langes Gespräch hatten sie geführt. Worüber, das wollten sie nicht preisgeben. Sie setzten geheimnisvolle Mienen auf.

Beate und Daniela schauten sich fragend an. Daniela begriff, dass Beate genauso ahnungslos war wie sie selbst. Die Männer ließen sie schmoren.

„Stephan, jetzt sag schon, was habt ihr ausgeheckt?“ Beate hatte ihre Röte abgelegt. Sie war jetzt ganz bei der Sache.

„Wir haben einfach einmal über euch Mädchen gesprochen.“ Stephan stand der Schalk in den Augen. „Wir helfen euch übrigens am Wochenende beim Einräumen und Installieren eurer Technik.“

Stumm verfolgte Daniela das Geschehen. Krampfhaft versuchte sie, den Übeltäter ausfindig zu machen, der sie in diese Lage gebracht hatte. Sie identifizierte Stephan als Ideengeber. Jedoch hatte der umgehend Beate in seinen Plan eingeweiht. Daniela hatten sie blind in diese Situation schlittern lassen. Sie war sauer.

Die Männer bewegten sich, als würden sie ihre Geschäftsräume inspizieren. Daniela nahm Beate beiseite. Sie zischte: „Sag mal, was soll das?“

„Thomas hat Stephan einen dringend benötigten Investitionskredit verschafft. Keine andere Bank wollte ihm Geld leihen. Reiß dich zusammen. Vielleicht brauchen wir ihn demnächst auch."

Danielas Blick fiel auf Thomas. Der hatte sich zu ihnen umgedreht. Er schaute Beate an. Etwas an dieser Szenerie irritierte Daniela. Sie befahl sich, das Denken einzustellen. Stattdessen fasste sie den Entschluss, mit Spannung dem Handwerkerwochenende entgegenzusehen. Wenn sich der Sportlehrer zu ihnen gesellen würde, konnte es interessant werden.

Alle waren sie gekommen. In ihren winzigen Räumen wuselte es wie in einem Ameisenhaufen. Der Sportlehrer trug Möbel. Sein durchtrainierter Körper bewältigte jedes Stück, als sei es für ein Puppenhaus gemacht. Daniela musterte ihn unauffällig. Ihr zweiter Blick ging zu Thomas. Beates Augen hingen verdächtig oft an ihm. Ihren Mann ignorierte sie. Thomas schraubte an ihren Schreibtischen. Er sortierte die Kabel ihrer Tischbeleuchtung. Amüsiert registrierte Daniela, wie ungeschickt seine Hände im Umgang mit Werkzeug waren. Sie hatte damals nicht grundlos die Möbel in ihrer gemeinsamen Wohnung von Profis aufbauen lassen.

Beates Mann hatte Thomas' Not bemerkt. Er griff nach dem Akkuschrauber und deutete auf die Rechner. In Windeseile hatte Beates Mann die Tische montiert und dafür gesorgt, dass die Geräte aufgestellt werden konnten. Thomas war dankbar, endlich tun zu können, was ihm lag. Als die ersten Installationen auf den Rechnern liefen, hatte auch er ein zufriedenes Lächeln auf seinem Gesicht.

„Dein Mann ist deutlich praktischer veranlagt. Ich würde es mir noch einmal überlegen", raunte Daniela. Beate verweigerte eine Antwort. Sie putzte wie besessen an einem der Schränke.

Die Büroeinrichtung begann Gestalt anzunehmen. Langsam sah es hier nach geistiger Arbeit aus. Der Sportlehrer legte ein Wahnsinnstempo vor. Daniela hatte das Gefühl, er war heute angetreten, um seine Frau zurückzuerobern. Die war noch immer damit beschäftigt, dem Staub auf den Möbeln zu Leibe zu rücken. Sie würdigte ihren Mann keines Blickes. Daniela konnte sich nicht helfen: Sie fand den Lehrer ganz in Ordnung.

Thomas war inzwischen auf der Suche nach einem Glas Wasser in die kleine Küche gekommen, in der Daniela hantierte.

„Du siehst gut aus. Das ist mir schon beim letzten Mal aufgefallen", sagte sie unvermittelt. Thomas trat zu ihr. Er sah sie an. Sein Blick traf sie tiefer, als sie es zulassen wollte.

Dann sagte er: „Ich habe in letzter Zeit viel Sport getrieben. Kraft. Ausdauer. Immer im Wechsel. Ich musste mich sortieren. Weißt du, mir ist nämlich die Frau weggelaufen. Die, die ich liebe." Daniela schwieg. Thomas sah ihr noch immer in die Augen.

Danielas Gedanken wanderten nach Prag. Ohne nachzudenken griff sie nach Thomas Nacken. Sie musste sich auf die Zehenspitzen stellen, um sein Gesicht berühren zu können. Einen winzigen Augenblick lang spielte sie mit dem Gedanken, ihn zu küssen. In letzter Sekunde sagte sie: „Danke, dass du hier bist." Sie hauchte den Kuss auf seine Wange. Er nahm sie in den Arm und hielt sie fest. Thomas flüsterte: „Du fehlst mir."

Daniela schob ihn von sich. Als Michael hereinkam, standen sie sich in gebührendem Abstand gegenüber.

„Störe ich?" Die Angriffslust in seinem Tonfall war nicht zu überhören. Thomas schwieg. Daniela sah Michael an und schüttelte den Kopf. Sogleich fragte sie sich, was Stephan und Beate sich dabei gedacht hatten, Thomas hierher zu holen. Zu ihr. Zu Michael.

Die Männer drückten aufs Tempo. Sie wollten ins Vereinsheim. Bundesliga schauen. Daniela sollte es recht sein. Sie war ziemlich ermattet. Die Woche und der heutige Einsatz zollten Tribut. Sollte Stephan zusehen, wie er den Dompteur gab. Sie jedenfalls konnte sich nicht vorstellen, wie Michael und Thomas friedlich vereint vor dem Bildschirm sitzen würden.

Daniela balancierte zwei Tassen Kaffee in ihren Händen. Sie ging auf Beate zu.

„Lass uns den genießen und uns freuen über das, was wir geschafft haben."

Um sie herum sah es tatsächlich nach einem Büro aus. Alle Möbel waren aufgestellt. Sie konnten beginnen, die Schränke mit Akten zu füllen. An nur einem Tag waren sie so weit gekommen, wie es Daniela sich nicht in ihren kühnsten Träumen hätte vorstellen können. Beate drehte versonnen ihre Tasse in den Händen. Dabei sah sie aus, als würde sie etwas bedrücken.

„Was ist los?"

„Mein Mann hat sich heute richtig ins Zeug gelegt, oder?"

Das hatte er. Kein Außenstehender hätte bemerkt, dass dieser Mann der Idee seiner Frau, sich selbstständig zu machen, anfangs kommentarlos gegenübergestanden hatte. Niemand hätte am heutigen Tage den Eindruck gewinnen können, die Beziehung der beiden sei gestört.

Dachte Beate wirklich an eine Trennung?

Für alle sichtbar hatte der Sportlehrer seiner Frau unter die Arme gegriffen, wie es besser nicht zu erwarten gewesen wäre. Nicht den Hauch eines Anzeichens von Egotrip hatte er verbreitet.

„So etwas hat es seit zehn Jahren nicht mehr gegeben. Verstehst du? Wir haben tatsächlich gemeinsam etwas aufgebaut. Auch wenn es sich lediglich um Möbel handelt. Wenn er mir demnächst Blumen schenkt, rufe ich dich an und frage um Rat."

Wozu sollte Daniela ihr raten? Beate allein würde entscheiden müssen, wie sie mit der Situation umgehen wollte. Ob sie ihre Ehe rettete oder einen anderen verführte, konnte nur sie allein wissen. Daniela hatte immer wieder Beates Blicke auf Thomas registriert.

„Das mit Thomas und dir ist wirklich vorbei?“ Beate schaute sie an.

„Ja, das ist es“, antwortete Daniela und dachte daran, wie sie ihn vorhin beinahe geküsst hatte.

„Dann musst du auch nicht die Eifersuchtsnummer abziehen“, sagte Beate. „Ich will ihn dir nicht wegnehmen.“

„Er ist tatsächlich sympathisch.“ Michael hatte sich zu Daniela umgedreht. Er erwartete offensichtlich eine Reaktion. Sie schwieg. Daniela fand es unerträglich, zuerst mit Beate und nun auch noch mit Michael über Thomas zu reden.

„Weißt du, dass er nach Leipzig geht?“ Michael schaute sie an.

„Nein, das weiß ich nicht. So wie ich nicht gewusst habe, dass er Stephan unter die Arme gegriffen hat und auch uns helfen wollte. Glaub mir, ich hatte keine Ahnung, dass er hier ist. Schon gar nicht bin ich im Bilde darüber, was er vorhat.“

Thomas würde künftig als Regionaldirektor in Leipzig arbeiten. Fünfhundert Kilometer, nicht achthundert, wie sie damals gedacht hatte.

Daniela glaubte Beate nicht, dass sie nicht an Thomas interessiert war. „Wir sind Menschen. Wir reagieren, wenn die Chemie stimmt.“ Daniela hatte die Sätze im Ohr. Beate hatte sie gesprochen, als Daniela nach dem Sommersportfest bei Michael geblieben war.

Beate würde in sich gehen müssen. Thomas war und blieb auf dem Karrieretrip. Auch wenn es ihn das Privatleben kostete. Was hatte er vorhin zu ihr gesagt: „… die Frau, die ich liebe. Du fehlst mir.“ Ob er sich da sicher war?

Daniela musste den Spuk beenden.

„Gehen wir schlafen? Ich bin todmüde.“ Bevor sie einschlief, ging ihr durch den Kopf, dass sie im Besitz eines Briefes war, über den sie noch nicht mit Beate gesprochen hatte. Sie hatte es längst erledigen wollen.

„Daniela, das ist super! Ich freue mich.“ Beate war ihr um den Hals gefallen, nachdem sie den Inhalt des Briefes studiert hatte.

Sie wollten auf Tourismusmarketing setzen. Dabei hatten sie vor, sich vorwiegend auf Firmen zu konzentrieren. Deren Mitarbeiter konnte man für ihre Leistungen belohnen. Ihre Region bot alles, was man sich nur wünschen konnte. Sie wollten Incentives organisieren. Gutes Marketing brauchte kaufmännisches Know-how. Beate hatte sich ein Herz gefasst und Daniela gefragt, ob sie an einer geschäftlichen Partnerschaft interessiert sei. Nun war es soweit. In den kommenden Tagen mussten sie darüber nachdenken, wie sie ihren Abgang beim Kälteanlagenbauer organisierten.

Danielas letzte Begegnung mit Lichtenhain lag nur wenige Tage zurück. Er hatte eine Projektleiterberatung mit Stephans Nachfolger angesetzt. Nach langer Suche hatte er ihn gefunden, einen jungen Ingenieur ohne Berufserfahrung.

Völlig grundlos hatte sich Lichtenhain gebärdet, als wolle er einen Wettstreit gewinnen. Daniela konnte nicht erkennen, was er mit dieser Inszenierung bezwecken wollte. Stephan hätte sich so etwas nicht bieten lassen. Der junge Kollege hingegen schien seine Sprache verloren zu haben. Bereits seit einer Viertelstunde antwortete er auf Lichtenhains Ausführungen nicht mehr. Wegen des nicht enden wollenden Monologes schielte Daniela unauffällig zur Uhr.

Es ging um technische Details, von denen sie nichts verstand. Sie spürte, wie ihre Konzentration zu schwinden begann. Plötzlich jedoch beschlich sie ein eigenartiges Gefühl.

Ihr Blick wanderte von Lichtenhain zum Ingenieur und wieder zurück. Im Gesicht des jungen Mannes bemerkte sie Heiterkeit. Noch wenige Minuten zuvor hätte sie geschworen, er sei überfordert.

Was lief hier ab? Der Ingenieur bemerkte ihren Blick. Ein Lächeln umspielte seine Mundwinkel. Er schien tatsächlich amüsiert zu sein.

Daniela versuchte, genau hinzuhören. Lichtenhain redete. Die Gestik des Ingenieurs war eindeutig: Lichtenhain referierte über etwas, wovon er nichts verstand.

Daniela hatte Lichtenhains Redefluss einfach unterbrochen. Sie sagte, dass sie noch ein paar wichtige Fragen an den Projektleiter bezüglich der Kostenentwicklung hätte. Wie vom Donner gerührt, starrte Lichtenhain sie an. Daniela zeigte sich unbeeindruckt. Immerhin war es ihr gelungen, dass Lichtenhain nicht mehr zu seinem Thema zurückfand.

Daniela saß auf ihrem Schreibtischstuhl und blickte in den Raum. Die weißen Möbel, die sie damals für sich ausgesucht hatte, waren zeitlos. Mit ihrer rechten Hand strich sie über die glatte Oberfläche. Sie sah auf das Sofa und den kleinen Besprechungstisch.

Wer hatte dort nicht alles gesessen. Wie viele Tassen Kaffee und Espresso hatte die Maschine hinter der Wandverkleidung zubereitet? Daniela hatte damit gerechnet, wehmütig zu werden. Aber sie empfand keine Traurigkeit mehr, wenn sie daran dachte, dieses Unternehmen zu verlassen.

Stephan war schon weg. Beate und sie gingen in eine Zukunft, die dieses Unternehmen nicht haben würde. Wahrscheinlich niemals gehabt hatte.

Daniela griff in die Schublade ihres Schreibtisches. Dort lag das Kuvert. Darin steckte ihr Kündigungsschreiben. Sie hatte sich bei Lichtenhain angemeldet. In wenigen Minuten war es soweit. Sie würde das Papier überreichen.

Nach einem letzten Blick in den Spiegel verließ sie ihr Büro. Sie lief zum Ende des Gangs, zog die Karte durch den Schlitz. Es öffnete sich die Tür zur Treppe in das siebte Obergeschoss.

Daniela war diesen Weg oft gegangen. Lichtenhain residierte in Schwerdtfegers Büro.

Sie klopfte an der Tür zum Vorzimmer und trat ein. Schwerdtfegers ehemalige Sekretärin schaute sie an. Daniela hatte das Gefühl, sie wusste, weshalb sie heute hierherkam.

„Gehen Sie durch. Er wartet auf Sie", sagte sie und sah ein wenig traurig aus. Daniela klopfte noch einmal. Dann betrat sie Lichtenhains Büro.

Die Möbel kannte sie nur zu gut. Sie schaute sich um. Lichtenhain konnte keine Ordnung halten. Ein solches Durcheinander von Akten hatte es bei Schwerdtfeger nie gegeben. Sie reichte Lichtenhain die Hand.

„Nehmen Sie Platz", sagte er und zeigte auf einen der Besprechungsstühle am Glastisch. Dann stand er auf. Nachdem sie sich gesetzt hatte, nahm auch er Platz.

Daniela zögerte nicht. Sie schob ihm den Briefumschlag über den Tisch.

Lichtenhain runzelte die Stirn. „Was ist das?", fragte er. Zwischen seinen Augen kam die Zornesfalte zum Vorschein. Er schien mit dieser Entwicklung gerechnet zu haben. „Das ist meine Kündigung. Ich werde das Unternehmen fristgerecht verlassen." Daniela schaute ihm ins Gesicht. Lichtenhains Mimik verriet Arroganz.

„Sie wollen gehen? Haben Sie sich das gut überlegt? Sie sind hier Prokuristin. Ihre Position ist gut dotiert."

Daniela antwortete: „Herr Lichtenhain. Wir leben in einem Land, in dem das Individuum ein Recht auf freie Entscheidung hat. Und ich habe mich entschieden. Sie werden eine Lösung finden. Ich bin sicher." Jetzt war sie die Arrogante. Sie lächelte, während sie den letzten Satz sprach.

Lichtenhains Wangenknochen arbeiteten. Er schien mit seiner Strategie am Ende zu sein. Dann sagte er mit deutlich lauterer Stimme: „Ich kenne Ihren Dienstvertrag. Darf ich Sie bitten, Ihren Dienstwagen noch heute im Fuhrpark abzugeben." Lichtenhain grinste, als hätte er ihr eine Ohrfeige verpasst.

Daniela lehnte sich entspannt auf ihrem Stuhl zurück und erwiderte: „Herr Lichtenhain, es ist Ihnen offensichtlich entgangen, dass ich meinen Dienstwagen bereits kurz vor Ihrem Dienstantritt zurückgegeben habe. Zu einem Zeitpunkt, als das Unternehmen sparen musste und vierhundert Kollegen ihre Kündigung bekommen haben. Mein ehemaliger Dienstwagen steht längst im Dienste des gesamten Unternehmens." Dann erhob sie sich von ihrem Stuhl und verabschiedete sich.

Beate wartete bereits auf sie. „Sag, wie war es? Wie hat Lichtenhain reagiert?"

„Im Prinzip wie bei Stephan. Ich glaube, er ahnt, dass ich nicht die Letzte war, die ihm die Kündigung gebracht hat."

Beate schien gedanklich durchzuspielen, wie ihre Begegnung mit ihm aussehen würde. Sie musste sich allerdings noch ein wenig gedulden. Ihre Kündigungsfrist war deutlich kürzer als die von Daniela.

Dann sagte sie: „Ich weiß, wo ich dich zuerst hinschicken werde. Und das ohne jeden Zeitverzug. Wir sollten schnell herausfinden, ob es sinnvoll ist, diese Firma für uns als Kunde zu umwerben."

„Wo soll ich hingehen?", fragte Daniela ungläubig. „Ich bin unfähig als Akquisiteur."

„Du bist nicht unfähig, höchstens ungeübt. Das aber werden wir ändern. Du wirst mir gewiss zustimmen. Ich kann nicht unserer derzeitigen Kundschaft Firmenevents verkaufen wollen. Noch arbeite ich für den Kälteanlagenbauer. Alle wissen das. Den Kontakt aber, den kann ich freilich für dich herstellen. Er wird dich empfangen. Davon bin ich überzeugt."

„Ich arbeite nicht für den Kälteanlagenbauer?" Daniela schaute Beate an.

„Nein. Du hast gekündigt. Du kannst nach Feierabend gehen, wohin du willst."

Ein Er. Wie konnte es anders sein?

Daniela hatte keine Vorstellung davon, welche Figur sie machen würde. Niemals zuvor hatte sie akquiriert. In jedem Fall würde sie eine völlig neue Erfahrung mitbringen. Ob die auch eine positive sein würde, wusste sie, wenn sie es hinter sich gebracht hatte.

Ihr war klar, dass sie keine andere Wahl hatte. Beate handelte aus Notwendigkeit, nicht aus Boshaftigkeit. Daniela musste einverstanden sein. Auch wenn sie sich unwohl fühlte bei der Vorstellung, die Verkäuferin zu geben.

„Komm, stell dich nicht an. Dafür lerne ich bilanzieren." Beate lachte. Sogleich schüttelte sie den Kopf und sagte: „Vergiss es. Niemals."

Dann folgte ein aufmunternder Blick. „Du schaffst es. Glaub mir. Stephan hat mir erzählt, wie du den Baumenschen in Prag beinahe um den Verstand gebracht hast."

Wenige Tage später war Daniela auf dem Weg zu ihrem ersten Kundenbesuch. Sie war nervös und gespannt zugleich. Daniela hatte sich gut vorbereitet. Alles, was sie über die Geschäftstätigkeit derer, die sie gleich besuchen würde, wissen musste, hatte sie in Erfahrung gebracht. Für sie blieb zu hoffen, dass es ausreichen würde, ihren Gesprächspartner zu interessieren. Besser noch wäre es, ihn davon zu überzeugen, dass sie ein Angebot in der Tasche hatte, das man nicht ablehnen konnte.

„Du kannst es. Ich weiß, dass du es kannst, auch wenn du in diesem Moment glaubst, es nicht zu können." Daniela redete in Gedanken mit sich selbst.

„Du bist rhetorisch stark. Lass dich auf nichts ein, falls er dich aus irgendeiner Richtung anzugehen versucht. Sei freundlich. Lächle. Gib ihm recht, wenn er über schwierige Zeiten jammert. Bleib dennoch beharrlich. Denk immer an dein Ziel. Was immer passiert. Du hast nichts zu verlieren. Es ist ein Versuch." Daniela war hochkonzentriert.

Beate hatte Tage zuvor den Menschen beschrieben, dem sie in weniger als einer Stunde gegenüberstehen würde. Es war jedoch Beates Sicht auf den Mann. Daniela war unschlüssig, ob sie sich auf Beates Wahrnehmung verlassen konnte. Sie kannten sich nicht gut genug, um wirklich sicher sein zu können, dass ihre jeweilige Sicht übereinstimmte. Selbst im Fall ihrer besten Freundin Sophia hatte Daniela zur Kenntnis nehmen müssen, nicht immer derselben Auffassung zu sein, wenn es um charakterliche Eigenschaften ging. Wenngleich sie hier und heute nicht über Charme und Vitalität zu befinden hatte.

Bis sie die ersten Worte mit ihm gewechselt haben würde, musste sie sich gedulden. Erst dann hatte sie die Chance, zu erkennen, mit welchem Typus Mensch und Mann sie es zu tun hatte. Beate jedenfalls meinte, er sei zu handhaben.

Alles konnte passieren. Daniela wusste es nur zu genau. Es konnte sie der sympathische Gesprächspartner erwarten, ebenso wie das Ekel, mit dem man im Normalfall kein Wort geredet hätte.

Daniela bemerkte, wie sich Panik in ihr ausbreitete. Sie musste sich zwingen, halbwegs unbefangen zu sein. Ihre Befindlichkeiten durften in diesem Gespräch keine Rolle spielen. Selbst wenn der größte Horror eintreten würde. Eigene Eitelkeiten waren ihr nicht erlaubt. Kühle Distanz zu den Dingen, das war es, was sie brauchen würde.

Zwei Stunden später, es ging auf zwanzig Uhr zu, saß sie Beate gegenüber. Daniela hatte ihr den Schlüssel zu ihrer Wohnung gegeben und gesagt: „Warte dort auf mich. Im Kühlschrank ist etwas zu essen und zu trinken."

„Sag mir jetzt endlich, wie es war. Ich platze vor Neugier." Beates Gesichtsausdruck war voller Erwartung.

„Er ist der Alleskönner, der vor der Pilotin Angst hat."

Beate runzelte die Stirn. „Alleskönner? Pilotin? Angst? Du hast ihm doch nicht etwa Angst eingejagt? Ich verstehe kein Wort." Sie war blass geworden. Dabei hatte sie noch vor wenigen Stunden gesagt, Daniela solle sich nicht sorgen. Alles sei nur ein Versuch.

So locker hatte sie die Sache wohl doch nicht gesehen.

Daniela grinste: „Kennst du die Typen, die am Bahnhof aus dem Zug steigen, zum Taxistand eilen und dem Taxifahrer zurufen, er möge sie fahren wohin er will, sie würden überall gebraucht?" Daniela erwartete eine Reaktion.

Beate schaute ungläubig.

„Im Flugzeug hingegen bekommen sie Angst, wenn der Pilot, also der, der die Kontrolle hat, eine Frau ist."

Daniela hatte Spaß. Beate jedoch wusste nicht, was sie von Danielas Erklärung halten sollte.

Sie bockte und meinte: „Du hast nicht vergessen, dass wir einen Auftrag haben wollen?"

„Ich habe mir Mühe gegeben."

„Und? Ist es dir gelungen?" Beate stellte die Frage, ohne an den Erfolg zu glauben. Daniela konnte es am Tonfall hören.

Daniela hatte sich am Empfang gemeldet. Die Dame hinter dem Tresen hatte sie gebeten, sich zu setzen. Sie würde dem Chef Bescheid geben.

Dann war er gekommen. Daniela hatte ihn schon von Weitem gesehen. Die Beschreibung, die Beate ihr gegeben hatte, passte haargenau. Er war um die fünfzig. Groß. Ziemlich groß und schlank. Sein Gang war schlaksig. Das Jackett hatte er nicht geschlossen. Rein äußerlich war er nicht Danielas Favorit. Sie sah es sofort. Dann stand sie auf. Sie gaben sich die Hand. Er bat sie, mit ihm zu kommen. Daniela lächelte während sie ihn begrüßte, während sie gemeinsam den Gang zu seinem Büro entlangliefen, während sie sein Büro betraten, während sie sich setzte. Es war kein übertriebenes Lächeln, das sie aufgesetzt hatte. Ihr Gegenüber begann zu erzählen. Daniela hörte ihm zu. Sehr schnell bemerkte sie, dass jeder seiner Sätze mit dem Wort „Ich“ begann.

Daniela ließ sich nicht anmerken, dass ihr seine übertriebene Eitelkeit missfiel. Stattdessen versetzte sie ihn in den Glauben von unendlicher Bewunderung.

„Beate, er hat mir von seiner Firma und seiner Tätigkeit berichtet. Dann folgte eine Aufzählung seiner Erfolge. Verstehst du? Alles seins. Kein Wort über sein Team, seine Mitarbeiter. Plötzlich meinte er, ich wisse ja, dass Männer mehr Möglichkeiten haben, im Job und so. Keine Ahnung, was „Job und so“ wohl heißen sollte. Ich bin sicher, wenn du dem eine Frau als Chefin vor die Nase setzt, bekommt er Angst. Was sollte ich machen? Ich habe ihm meine uneingeschränkte Anerkennung für seine herausragenden Leistungen gezollt. Es gefiel dem unersetzlichen Alleskönner.“

Beate schwieg. Daniela sah sie an und fuhr fort: „Seine Eitelkeit hat ihn daran gehindert, zu erkennen, an welcher Stelle er die Kontrolle verlor.“

Beate war immer noch stumm. Daniela sagte: „Mach dir keine Sorgen. Ich bin sicher, dass ich ihn eingewickelt habe. Er hat es wirklich nicht bemerkt. Wir bleiben im Gespräch.“

„Wenn du so weitermachst, werden wir verhungern“, war alles, was Beate herausbrachte.

Freitagabend. Daniela würde etwas Wichtiges zu erledigen haben. Nur wusste sie noch nicht, wie. Sie würde ein paar Besorgungen machen müssen. Die Dinge, die sie benötigte, fand sie nicht in ihrem Haushalt. Obwohl sie am Meer lebte.

Sie brauchte ein passendes Behältnis und einen Kescher. Einen Anruf musste sie auch noch tätigen. Sie hoffte, ein Telefonat würde genügen. Im anderen Fall musste sie neu nachdenken.

Vielleicht war es sinnvoll, mit Stephan zu sprechen. Ihm brauchte sie die Herkunft ihres Freundes nicht zu erklären. Dem Zoologischen Garten schon. Sie würde schließlich zum ersten Mal in ihrem Leben etwas entwenden. Allerdings hatte sie vor, nachträglich zu bezahlen.

Wenn Lichtenhain die Firma in den Bankrott führte, würde sich kein Insolvenzverwalter kümmern. Daniela musste handeln. Und zwar sehr schnell. Am Ende überkam sie noch die Angst vor der eigenen Courage.

Am Freitagabend würde sie die Letzte sein, die das Bürogebäude verließ.

Beate kam, um sich von ihr zu verabschieden. „Sag, willst du nicht den Feierabend einläuten? Lichtenhain hat genug an dir verdient."

Daniela lächelte, als sie sagte: „Ich habe noch etwas zu erledigen. Dann bin ich auch verschwunden."

„Du willst mich loswerden?"

Daniela nickte. Beate schien irritiert, aber nicht beleidigt. Sie hatte bereits die Tür geöffnet. In diesem Moment war sie gegangen.

Im Schrank standen der Wasserbehälter und der Kescher. Stephan würde jeden Augenblick hier sein. Er hatte sie für verrückt erklären wollen, als sie ihm von ihrer Absicht erzählte. Dann lachte er und versprach, ihr zu helfen.

Es war bereits sieben. Noch immer keine Spur von Stephan. Wenn er nicht kam, musste Daniela ihren Plan ändern. Sie durfte das Leben ihres Freundes nicht riskieren.

In diesem Moment öffnete sich ihre Tür. Stephan betrat ihr Büro mit dem Satz: „Du bist verrückt." Er lachte, während er sie umarmte.

Sie gingen auf dem kürzesten Weg hinunter zum Aquarium. Im Haus war es still. Der Empfang war seit einer Stunde nicht mehr besetzt. Vorsichtig öffnete Stephan die Abdeckung des Beckens. Behutsam fischte er mit dem Kescher nach Danielas Objekt der Begierde.

Dann hatte er den Fisch mit den großen Augen im Netz. Blitzschnell ließ er ihn in den Wasserbehälter gleiten, verschloss das Gefäß und klappte den Deckel des Aquariums herunter. Geschafft.

Wie Diebe schlichen Stephan und Daniela aus dem Gebäude.

Der Fisch würde ein neues Zuhause finden. Michael hatte ein Hotelprojekt abgeschlossen. Im Restaurant war ein Aquarium geplant. Bis das fertiggestellt war, würde sich Stephan um das Tier kümmern.

Sie verabschiedeten sich ohne viel Aufsehen und gingen getrennter Wege.

Am Montagmorgen, noch ehe Daniela in die Firma fuhr, betrat sie die Bank und tätigte eine anonyme Überweisung zugunsten ihres Firmenkontos.

19. Kapitel
Zwei Wochen später

Sophia und Luise waren bereits angereist. Alex und Sebastian erwarteten sie morgen, kurz bevor Daniela und Beate ihre Geschäftsräume feierlich einweihen würden.

„Ich bin so froh, hier zu sein. Daniela, du kannst dir nicht vorstellen, wie ich diesen Ort vermisse.“ Sie standen auf Danielas Balkon und schauten zum Meer. „Die Elbe kann nicht mithalten?“, fragte Daniela.

Sie wollte Sophia gern trösten, so bedrückt, wie die schaute. Dabei hatte Daniela gedacht, Sophia habe sich schnell in Hamburg eingelebt. Während ihres Netzwerkerinnentreffens hatte es jedenfalls so ausgesehen.

In diesem Moment kam Michael zur Tür herein. Luise nahm ihn sofort in Beschlag. Seit ihrer ersten Begegnung auf dem Sportplatz gehörte er zu ihren Lieblingen.

Daniela küsste Michael und raunte ihm etwas ins Ohr. Er nickte und sagte: „Luise, hast du Lust, mit mir an den Strand zu gehen?“

Diese Frage musste er kein zweites Mal stellen. Luise war bereits zum Garderobenschrank gesaust und griff nach ihrer Jacke. Daniela sandte einen Handkuss zu Michael und winkte den beiden hinterher.

„Also? Was ist los?“ Daniela schaute Sophia an.

Sophia war unfreiwillig Zeugin eines Gespräches zwischen Alexanders Mutter und deren Freundin geworden.

„Daniela, weißt du, was sie gesagt hat?“ Daniela schüttelte den Kopf. „Mein Sohn erzielt ein Einkommen, das weit über dem Durchschnitt liegt. Er kann seiner Familie ein Leben im

Luxus bieten. Muss seine Frau arbeiten und die Kinder in fremde Hände geben?"

„Das hat sie gesagt?" Daniela dachte nach. Sie kannte Alexanders Mutter nicht. Dennoch wusste sie, die Frau war Ende der Dreißigerjahre geboren. Sie gehörte zu der Generation, die im Westen mehr als konservativ aufgewachsen war. Sophia traf auf ein althergebrachtes Rollenbild, das sie im Osten nicht kennengelernt hatten.

„In welch komischer Welt sind wir gelandet? Ich hatte noch eine Begegnung, die mich frustriert."

Gemeinsam mit Alex hatte sie eine Kundenveranstaltung besucht, zu der Gäste aus Mecklenburg-Vorpommern geladen waren. Sophia freute sich auf ihre Landsleute.

Vorwiegend mit ihnen suchte sie das Gespräch. Die Enttäuschung war auf dem Fuße gefolgt.

Ihr Gesprächspartner trug einen Anzug von Armani. Er gebärdete sich, als hätte er zuerst die Mauer eingerissen, anschließend die Marktwirtschaft erfunden und ohne Zögern den Edelschneider aufgekauft. Seine Frau stand schweigend neben ihm, jedoch nicht, ohne zu ihm aufzublicken. Er gefiel sich in seiner Rolle.

Noch während Sophia ihren Gedanken nachhing, registrierte sie, dass Armani für die Ehefrau wohl nichts im Angebot hatte. Sie trug Katalogware.

„Wir erleben die Rolle rückwärts, glaub' mir", sagte Sophia und erwartete Zustimmung. Daniela wog den Kopf hin und her.

Sie alle waren die Kinder ihrer Mütter. Die Enkeltöchter ihre Großmütter.

Ihre Großmütter hatten den Krieg erlebt. Ein Teil der Männer war gefallen.

Die Frauen mussten ihre Kinder allein großziehen. In ihrem Land brauchte man sie jedoch als Arbeitskräfte. Was sollte der Staat tun? Er hatte nur eine Möglichkeit: Er musste die Betreuung der Kinder sicherstellen.

Diese Kinder wurden zu ihren Müttern und Vätern. Ihre Mütter hatten es nicht anders kennengelernt, als berufstätig zu sein. Sie wiederum hatten ihren Töchtern vorgelebt, dass man unabhängig von einem Partner seinen Lebensunterhalt erwirtschaften konnte. Ein Ausharren in einer sozialen Hängematte mit dem Namen Ehe kannten weder Sophia noch Daniela.

Über mehr als zwei Generationen war ein weibliches Selbstbewusstsein gewachsen, das man so vorher nicht kannte. Dennoch hatte all das Grenzen. Nur zu genau erinnerte sich Daniela daran, wie die Männerriege sich beruflich organisiert und wie sie dafür gesorgt hatte, einen nahtlosen Übergang zu vollziehen. Unter Männern wohlgemerkt.

Tatsächlich waren sie nur ein kleines Stück eines langen Weges vorangekommen.

„Weiß Alex, dass du gelauscht hast?“

„Ich war wirklich zufällig in der Nähe. Das musst du mir glauben.“ Sophia schaute sie an. „Ja, ich habe es ihm erzählt. Er sagte, ich solle mir keine Gedanken machen. Sie würde sich nicht mehr ändern.“

Das war gestern Abend gewesen. Daniela ließ ihr Gespräch mit Sophia noch einmal Revue passieren. Wie hatte Sophia es genannt? Rolle rückwärts.

Daniela sah auf die Uhr. Ihr blieb noch eine Stunde Zeit.

Sie schaute sich um. Es gab nichts mehr zu tun. Auf Papierkram hatte sie keine Lust. In der Küche war alles vorbereitet. Vielleicht sollte sie ein paar Schritte vor die Tür gehen. Daniela griff nach dem Schlüssel. In diesem Moment hörte sie die Klingel.

Sie erwartete niemanden. Nicht jetzt.

Als sie die Tür öffnete, stand Thomas vor ihr.

„Du bist zu früh“, war alles, was ihr in dieser Sekunde zu sagen einfiel.

„Dann kann ich ja wieder gehen.“

Daniela schüttelte den Kopf. „Komm rein. Wo die Garderobe ist, weißt du. Leg ab. Ich hole uns etwas zu trinken.“

Thomas hatte sein Jackett abgestreift. Er war ihr in die Küche gefolgt und machte es sich auf einem der Küchenhocker bequem. Er schaute sie an und schwieg.

Daniela setzte sich zu ihm und sah ihm in die Augen.

Thomas sagte: „Ich würde gern wissen, was du denkst.“

Daniela lief ein Schauer über den Rücken. Thomas hatte die dienstliche Tonlage abgestreift. Er sprach den Satz aus, den sie aus ihrer gemeinsamen Zeit nicht vergessen hatte. Wenn auch in abgewandelter Form. Damals lautete er: „Sag mir, was du denkst.“ Dann hatten sie geredet.

In ihrem letzten gemeinsamen Jahr schien er den Satz vergessen zu haben. Sie hatten sich getrennt. Nun saß er hier. Ihr gegenüber. Und sagte den Satz.

„Ich denke, dass wir uns verändert haben. Zumindest äußerlich. Thomas, wir kennen uns seit zehn Jahren. Das ist eine kleine Ewigkeit. Ich sehe Fältchen um deine Augen. Ich denke an Prag und daran, wie verdammt schnell die Zeit vergangen ist. Mein Lieber, wir haben eine Vier vorn im Alter. Ich sage dir, wir werden alt. Ob auch klüger, das weiß ich nicht.“ Daniela wusste, dass sie ein wenig übertrieben, im Grunde aber die Wahrheit gesagt hatte.

„Du siehst gut aus für dein Alter“, antwortete Thomas mit einem spöttischen Unterton. Daniela nahm ihm die Neckerei nicht übel. Den kleinen Raum füllte in diesem Moment eine Atmosphäre aus, der die Zeit nichts anhaben konnte: Sympathie, Harmonie, Charme. Danielas Gefühlswelt geriet ins Taumeln.

„Wir haben schnell gelebt. Die Umstände der letzten zehn Jahre haben es uns nicht einfach gemacht." Daniela hing ihren Worten nach.

„Ich bin am Gelände des Kälteanlagenbauers vorbeigefahren. Das Unkraut ist auf dem besten Weg, die Oberhand zu gewinnen. Das geht zu Ende, oder?" Thomas sah sie an. „Es sieht nicht nur außen scheußlich aus. Ich war ein letztes Mal im Casino. Dort hat Lichtenhain alte Akten abgelegt. Unordnung überall. Wenn du mittags auf Deck 8 gehst, bekommst du Einsamkeitsgefühle. Solltest du zwanzig Leute treffen, sind es viele. Bevor ich gegangen bin, hat Claire einen ziemlich großen Betrag überwiesen. Die Amerikaner haben sich freigekauft."

Lichtenhain war nun tatsächlich der neue Eigentümer des Kälteanlagenbauers. Der Betrag war die Mitgift.

Thomas sagte nachdenklich: „Wenn der Kältespezialist verschwindet, und das wird er, ist in der Stadt kein produzierendes Gewerbe mehr angesiedelt, das es vor 1990 gab. Alle von der Treuhand verwalteten Unternehmen sind gestorben. Ihr macht alles richtig, Daniela. Setzt auf Tourismus und Dienstleistung."

Daniela spielte mit ihrem Glas. „Erzähl mir was von dir", sagte sie leise.

Thomas hatte sich arrangiert. Leipzig gefiel ihm. Er lebte allein, sah seine Söhne in regelmäßigen Abständen und erwirtschaftete Rendite. Letzteres wurde immer schwieriger. „Daniela, ich hätte nicht hierbleiben können. Nicht für die Bank. Das wirtschaftliche Umfeld in dieser Region ist schwierig. Hier werden auf absehbare Zeit nur kleine Brötchen gebacken. Ich wollte mehr."

Daniela nickte und sagte: „Ich weiß und du weißt, dass ich es verstehen konnte."

Thomas sah ihr in die Augen, als er sagte: „Ich habe einen hohen Preis gezahlt."

„Bist du mit Beate liiert?“, fragte sie unvermittelt.

Thomas runzelte die Stirn. Seine Überraschung war nicht gespielt. Er antwortete: „Nein, wie kommst du darauf? Nein.“ Thomas schüttelte den Kopf.

„Wo ist sie überhaupt?“

Beate sollte längst da sein. Sie hatte noch einmal zum Hotelmanager fahren wollen, um letzte Absprachen zu treffen. Der Auftrag der Softwareherstellerin würde ihr Gesellenstück werden. Einhundert Mitarbeiter und deren Partner würden sie am kommenden Wochenende im Seebad begrüßen. Es erwartete sie ein Programm, dem es an nichts fehlte. Der Brief, den Sophia ihnen mitgebracht hatte, enthielt ein Auftragsschreiben der Geschäftsfuhrerin. Es war ihr erster Auftrag. Nichts durfte fehlschlagen.

Alex, Sophia und die Kinder mussten gleich da sein. Stephan und Michael sowieso. Daniela rechnete auch mit dem Sportlehrer.

Wo blieb Beate?

Daniela ließ sich vom Hocker gleiten und streckte ihre Hand nach Thomas' Glas aus. „Gib her, ich fange an, das Buffet aufzubauen. Wenn du Lust hast, kannst Du mir helfen. Es ist alles schon vorbereitet.“

Daniela betätigte den Türöffner, nachdem sie das Klingeln gehört hatte. Sie öffnete. Michael war bereits oben angekommen. Sie begrüßten sich mit einem Kuss. Daniela genoss und war erleichtert darüber, dass sie genießen konnte. Thomas hatte sie wenige Minuten zuvor beinahe aus der Fassung gebracht.

„Oh, ich bin nicht der erste Gast“, sagte Michael und ging auf Thomas zu, um ihm die Hand zu reichen. „Ihr seid allein?“ Daniela hatte den Unterton gehört. Sie sah Michael an und verdrehte die Augen.

Sie waren vollzählig. Beate war nach den Gästen eingetroffen. Ein wenig abgehetzt, dennoch zufrieden. „Das läuft“, hatte sie Daniela zugeraunt. Die war in diesem Augenblick damit beschäftigt, einen gigantischen Blumenstrauß in eine Vase zu befördern. „Der ist übrigens von deinem Mann“, sagte sie und schaut Beate an.

Die antwortete: „Donnerwetter!“

Stephan hatte ein feierliches Gesicht aufgesetzt. Vorsichtig schlug er mit dem Messer gegen sein Champagnerglas. Er bat um Aufmerksamkeit und setzte zur Rede an. Daniela bemerkte, wie sich Gänsehaut auf ihrem Körper ausbreitete. Sie schaute zu Beate, die augenscheinlich gegen ihre Rührung ankämpfte.

„Es ist leider nicht euer erster Auftrag, den Thomas und ich euch mitgebracht haben. Dennoch wissen wir natürlich, wie wichtig es ist, dass ihr bereits in der nächsten Woche zum ersten Mal in Aktion tretet. Schon deshalb sind wir gern die Zweiten.“ Stephan grinste, als er weitersprach. „Wie ihr wisst, haben wir die Köpfe zusammengesteckt und über euch Mädels geredet. Mehr noch, wir haben beschlossen, Thomas als stillen Teilhaber in mein Unternehmen aufzunehmen. Mein Vorgänger wird in den Ruhestand gehen. Aus diesem Anlass haben wir uns gedacht, dass ihr seine Abschiedsparty ausrichten sollt.“ Stephan strahlte, als er bemerkte, dass ihm die Überraschung gelungen war.

Beate hatte als Erste die Fassung wiedergefunden. Sie war Stephan bereits um den Hals gefallen.

Danielas Blick ging zu Thomas. „Stiller Teilhaber“, dachte sie und bemerkte, dass Michael sie nicht aus den Augen ließ.

Beate hatte Stephan freigegeben. Auch Daniela bedankte sich. Peinlich genau achtete sie darauf, Stephan und Thomas gleichmäßig herzlich und mit gebührendem Abstand zu behandeln. Sie spürte Sophias Blicke.

„Ich habe auch noch etwas zu sagen.“ Daniela verschaffte sich Gehör.

„Es gibt einen dritten Auftrag. Ich konnte den ängstlichen Alleskönner überzeugen. Er gibt sich spendabel. Ich bin gespannt, wie sein Team das aufnehmen wird.“

Beate war die Einzige, die verstand, was Daniela gesagt hatte. Sie küsste sie auf die Wange, während alle anderen skeptisch schauten.

„Das ist eine längere Geschichte“, meinte Beate. „Die erzählen wir euch später. Lasst uns essen. Ich habe Hunger.“

„Gib es zu, du hast ihn verhext“, raunte sie Daniela ins Ohr. Dann lachte sie und sagte: „Ich wusste, dass du es kannst.“

20. Kapitel
2005

Daniela täuschte sich nicht. Obwohl sie ihn nur von hinten sah. Der Mann dort am Tisch war Thomas. Sie ging auf ihn zu.

„Ich bin auch hungrig. Darf ich mich setzen?“, fragte sie und sah in ein überrasches Gesicht. Thomas war aufgestanden. Er rückte ihr den Stuhl zurecht, als er antwortete: „Nichts lieber als das.“

Thomas kam einmal im Monat aus Leipzig hierher. Das hatte er mit Stephan so vereinbart. Es gab keinen exakten Rhythmus. Meistens reichte die Zeit nicht aus, um bei Beate und ihr vorbeischauen zu können. Umso größer war Danielas Freude, ihn hier zu treffen.

„Wie laufen eure Geschäfte?“, fragte Thomas, während Daniela in der Speisekarte stöberte. „Wir wollten arm und glücklich sein. Arm sind wir, keine Frage, dafür reich an Arbeit. Glücklich? Irgendwie schon.“ Der Laden brummte. Freizeit war Mangelware.

Daniela entschied sich für Fisch. Sie klappte die Karte zu und sah ihn an.

„Gratulation. Ich habe es gewusst“, sagte Thomas.

„Was hast du gewusst?“

„Dass ihr Erfolg haben würdet.“

Daniela genoss das Essen. Es schmeckte. Thomas plauderte zwanglos.

Sie wusste nicht, ob er im Seebad übernachten würde. Wenn ja, dann hätte er Zeit. Wenn nein, dann müsste er sicher gleich nach Leipzig aufbrechen. Daniela überlegte noch, ob sie ihn fragen sollte, als er sein Besteck beiseite legte und sie ansah. „Ich hätte Lust, ein paar Schritte zu gehen. Kommst du mit?“

Daniela lächelte und nickte. Er war ihr zuvorgekommen.

Am Strand war es deutlich kühler als auf der Promenade. Daniela fröstelte. Thomas bemerkte es. Er zog seinen Pullover aus.

Sie hatte das Bild vor Augen, als er zum ersten Mal bei ihr zu Hause gewesen war. Es war Winter. Sie hatte gut geheizt und sich am Anblick des muskulösen Oberkörpers erfreut.

Thomas trieb immer noch Sport. Sie konnte es auf den ersten Blick sehen.

Er reichte ihr das Kleidungsstück. Daniela sah auf seine Hände. Er sagte: „Es ist kühl.“

Sie zögerte. Daniela fragte sich, ob sie den Pullover einfach nur über ihre Schultern legen sollte. Letztendlich entschloss sie sich, ihn über den Kopf zu ziehen.

Für einen kurzen Moment schloss sie die Augen und atmete tief.

„Können wir gehen?“, fragte Thomas.

Sie liefen los. Daniela drehte ihren Kopf und nahm es schon wieder wahr: Der Pullover hatte seinen Geruch angenommen.

„Sag, was ist mit meinem Pullover? Kratzt er?“ Thomas schaute sie an.

Daniela schüttelte den Kopf und antwortete: „Er riecht nach dir. Ich hatte beinahe vergessen, wie sehr ich das mag.“

Thomas blieb stehen. Daniela auch. Er stellte sich vor sie, nahm ihren Kopf zwischen seine Hände und zog sie zu sich. Sein Gesicht war ganz nahe. Daniela ließ es geschehen. Als sie sich zum ersten Mal küssten, hatte sie gedacht, dass sich ein Drogenrausch genau so anfühlen musste. In diesem Augenblick war nichts anders.

„Glaubst du, wir hätten eine zweite Chance verdient?“, fragte er, als sie sich in die Augen sahen. Seine Direktheit erwischte Daniela eiskalt. Sie brauchte einen Moment, um sich zu sortieren. Dann antwortete sie: „Wir haben dreihundert Kilometer nicht verkraftet. Meinst du, fünfhundert sind einfacher zu bewältigen?“

„Ich weiß nicht, wie wir das Problem lösen könnten. Stattdessen weiß ich sehr genau, dass du mir fehlst. Es vergeht kein Tag, an dem ich nicht an dich denke.“ Thomas ließ sie nicht aus den Augen.

Daniela wandte ihren Blick ab.

Es hatte geklingelt. Daniela erwartete niemanden. Michael besaß einen Schlüssel. Der klingelte nicht. Erschrocken dachte sie: Thomas? Dann öffnete sie die Tür.

Dort stand Luise. Völlig überrascht sagte Daniela: „Wo kommst du her?“ Sie schaute ihr über die Schulter: „Bist du allein?“ Luise rannen Tränen über ihr Gesicht.

„Komm rein“, sagte Daniela und zog sie am Arm in den Flur. „Was ist los? Bist du abgehauen?“ Daniela ahnte nichts Gutes.

Sophia und Alex wussten tatsächlich nicht, dass Luise hier war. „Zieh die Jacke aus und wasch’ dir die Hände. Wir können essen. Ich rufe deine Mutter an und sage ihr, dass sie sich keine Sorgen machen soll.“ Luise gehorchte ohne Widerrede.

Als sie aus dem Badezimmer kam und sich neben Daniela gestellt hatte, roch sie es. „Komm mal näher. Hast du geraucht?“

Luise musste diese Frage nicht beantworten. Daniela kannte die Antwort bereits.

„Tante Dani, du bist wie Mama, nur meckern.“

„Ich habe nicht gemeckert. Und: Solltest du noch einmal Tante Dani zu mir sagen, bringe ich dich höchstpersönlich auf der Stelle nach Hamburg zurück.“ Daniela konnte sich ein Schmunzeln nicht verkneifen.

Dann sagte sie: „Luise, erzähl’. Wer meckert und weshalb?“

Sophia meckerte. Alex meckerte. Niemand hörte ihr zu. Luise war gefrustet.

Ohne Nachzudenken hatte sie ihren Rucksack gepackt und war zum Bahnhof gefahren.

Daniela hatte, während Luise im Bad war, mit Sophia vereinbart, dass Luise über das Wochenende bei ihr bleiben würde. Am Sonntagnachmittag würde Daniela Luise nach Hamburg fahren.

„Luise, wir haben viel Zeit. Lass uns essen. Vorher rufe ich Michael an und sage ihm, dass wir den heutigen Abend für uns brauchen. Wir können morgen gemeinsam etwas unternehmen. Ich glaube, Michael wird sich freuen, dich zu sehen. Einverstanden?"

Luise schien erleichtert zu sein. Sie nickte. Ihre Traurigkeit war vergessen. Daniela studierte ihr Gesicht. Das Kind würde demnächst sechzehn Jahre alt.

„Das Kind". Daniela belächelte ihre eigene Wortwahl.

Nachdem sie die Küche aufgeräumt hatten, machten sie es sich auf dem Balkon bequem. Es war eigentlich zu kühl, um draußen zu sitzen. In eine Decke gewickelt würden sie es aushalten.

„Daniela, Mama sagt, du kannst dich zwischen Michael und Thomas nicht entscheiden." Daniela stutzte. „So, sagt sie das. Bist du meinetwegen oder deinetwegen von zu Hause ausgebüchst?"

„Kannst du oder kannst du nicht?", fragte Luise provokant. Daniela schwieg.

Sie lebte seit acht Jahren an der Seite von Michael. Als sie das Wort „Seite" dachte, bemerkte sie, dass es klang wie „neben ihm".

Sie lebten nicht gemeinsam. Nicht miteinander. Ihre Wohnungen waren zwar nur einen Steinwurf voneinander entfernt. Dennoch waren es zwei. Über ein gemeinsames Zuhause hatten sie nie nachgedacht. Alles schien gut, so wie es war.

„Was willst du mir wirklich sagen, Luise?“

Sie hießen Philipp und Marcel. Die zwei gingen in die 11a ihres Gymnasiums. Beide fand Luise süß. Sie konnte sich nicht für einen von beiden entscheiden.

Sophia hatte Luises Sorgen mit pubertärem Gehabe abgetan. Mit Alex wollte sie nicht sprechen. Wochentags durfte sie nicht ausgehen. Ihre Mutter verbot es mit dem Hinweis auf die Schule. Wenn sich Luise heimlich davonschlich, gab es Ärger. Sophia flippte regelmäßig aus, wenn Luise nach Rauch roch.

Daniela grinste.

„Das ist nicht lustig, Daniela.“ Luises Blick war tadelnd.

„Sag mal, wo hast du die Zigaretten versteckt? Ich finde, es ist an der Zeit, dass wir genüsslich eine davon rauchen sollten.“ Daniela schaute Luise an.

„Tante Dani!“, Luise schüttelte vorwurfsvoll den Kopf. Dann rannte sie zu ihrem Rucksack.

„Du weißt, dass deine Mutter so nicht handeln kann.“ Daniela blies den Rauch zum Himmel. „Das dürfen tatsächlich nur Tanten. Die haben nämlich nicht so viel Verantwortung. Und: Diese Zigaretten sind und bleiben die einzigen an diesem Wochenende.“

Daniela wollte wissen, wie die Dinge um Philipp und Marcel standen. Sie ahnte, dass Luise viel weiter dachte, als sie bisher zugegeben hatte.

Daniela sah Luise an. „Lass dir Zeit. Überlege dir genau, wer von beiden der Richtige ist. Die Betonung liegt auf ‚der Richtige‘. Es gibt keine zweite Chance auf das erste Mal und glaube mir, man vergisst es nicht.“ Luise schwieg.

„Was danach kommt, verblasst in deiner Erinnerung irgendwann. Frag’ mich bitte nicht, ob und wann der Mann auftaucht, mit dem du für immer zusammensein willst. Ich kann diese Frage beim besten Willen nicht beantworten. Wie du weißt, habe ich da so meine ganz eigenen Schwierigkeiten. In jedem Fall sollte er es sein, der den Ersten übertrifft.“ In diesem Moment fragte sich Daniela, auf wen dies in ihrem Fall zutraf. Sie hatte die Gesichter von Michael und Thomas vor Augen.

Sogleich ging ihr die Frage durch den Kopf, ob man so mit einer Sechzehnjährigen sprach. Zu spät. Gesagt war gesagt. Sie schaute Luise an. Die blickte nachdenklich und sehr erwachsen, als sie anmerkte: „Mama sagt, Liebe ist nicht rational."

Da hat sie recht, dachte Daniela. In ihrer Erinnerung war sie diejenige, die diesen Satz geprägt hatte.

„Ich bringe euch euer Kind zurück." Sophia fiel ihr um den Hals. Daniela sah die Tränen, die sie zu verstecken versuchte. „Beruhige dich. Wir hatten ein super Wochenende. Wenn ihr nichts dagegen einzuwenden habt, kann sie öfter zu uns kommen. Luise ist uns immer willkommen. Michael ist vernarrt in sie. Luise auch in ihn, glaube ich."

Daniela und Sophia waren allein im Zimmer, als Daniela sagte: „Du weißt, dass du nicht verhindern kannst, was du so gern verhindern würdest. Erinnere dich an uns."

Sophia stöhnte. Daniela nahm sie in den Arm. „Dein Kind wird erwachsen. Gewöhn dich an den Gedanken. Sei nicht allzu streng. Luise ist verantwortungsbewusst. Sie hat mit mir das Gespräch gesucht, das ihr verweigert habt. Ich finde, dazu sind Tanten da."

Sophia runzelte die Stirn. „Luise hat tatsächlich Tante Dani zu mir gesagt." Daniela winkte ab. Sophia wusste, wie sie zu diesem Kosenamen stand.

„Stell dir mal vor, sie hätte aus Trotz im Kurzschluss gehandelt. Ich will es mir nicht vorstellen." Sophia schaute Daniela an. Die antwortete: „Sage ich doch. Aber sie hat nicht. Allein das zählt."

Alex war zu ihnen gekommen. Wortlos nahm er Daniela in den Arm und sagte: „Danke."

Er brauchte sich nicht zu bedanken. Daniela hatte die Zeit mit Luise genossen. Das Mädchen erinnerte sie mehr denn je an ihre eigene Jugend: stets in Aktion, wissbegierig, ein wenig ungestüm, dennoch verantwortungsbewusst. Sie brauchte einfach ein wenig mehr Gehör. Dennoch war Daniela weit davon entfernt, Sophia und Alex Ratschläge erteilen zu wollen.

„Wir haben ein bisschen wenig Zeit für sie. Sebastian verbraucht zu viel von unserer Energie. Das müssen wir ändern." Alex war wirklich zerknirscht.

„Macht das, aber bewertet ihren Ausbruch nicht über. Wir haben alle diese Zeit durch- und überlebt. Alex, ich weiß nicht, wie es bei dir war. Ich kann dir sagen, dass du nicht wissen möchtest, auf welche Weise ich es geschafft habe, die erste Nacht meines Lebens mit meinem Freund zu verbringen."

Sophia hatte ihr Lachen wiedergefunden. Wahrscheinlich erinnerte sie sich daran, wie sie Danielas Geschichte gelauscht hatte.

Einigermaßen beruhigt ließ Alex die beiden Frauen im Wohnzimmer zurück, wobei er sich noch einmal umdrehte und sie ansah. Daniela hatte das Gefühl, er würde doch gern wissen, wie es damals gewesen war.

Daniela wandte sich Sophia zu und sagte: „Luise erzählt, du meinst, ich könne mich nicht zwischen Michael und Thomas entscheiden."

„Stimmt doch, oder? Michael und du, ihr haltet krampfhaft an euren getrennten Wohnungen fest. Thomas leidet, weil er nicht mit dir zusammen leben kann. Du bist die Einzige, die diesen Knoten entwirren könnte. Machst du aber nicht. Ich gehe davon aus, dass du nicht weißt, was du willst."

„Aber ihr wisst, was gut für mich ist?" In Danielas Frage schwang Trotz mit.

Michael übte einen kreativen Beruf aus. Von einem geregelten Tagesablauf war er weit entfernt. Es gab Phasen, in denen bekam ihn Daniela tagelang nicht zu Gesicht. Er entwarf, verwarf, modellierte, schmiss alles in den Papierkorb oder gewann Preise. Dann wieder nahm er sich viel Zeit für sie. Jeder von ihnen hatte seinen Rückzugsort.

Daniela mahnte sich zum Aufbruch. Viele Kilometer Autobahn lagen noch vor ihr. Als sie sich verabschiedete, erwähnte Alex beiläufig, sie würden sich in vierzehn Tagen im Seebad sehen. Er hatte mit Michael bereits gesprochen.

Daniela wunderte sich. Sie wusste nichts davon. Auch Sophia schien überrascht. Sie hob fragend die Schultern.

Michael war in geheimer Mission unterwegs. Zumindest sagte er das, als Daniela ihn fragte, mit wem er die Abende verbrachte. Sie wusste, dass er im Moment nicht an einem Wettbewerb teilnahm. Seit geschlagenen zwei Stunden wartete sie auf ihn. Sein Abendessen war längst kalt geworden.

Alex und Sophia würden auf Besuch kommen. Soviel war klar. Alex hatte Michael einige Dinge zur Erledigung aufgetragen, die Danielas Neugier weckten.

Michael aber schwieg eisern. Kein Sterbenswörtchen bekam sie aus ihm heraus. Allein die Ankündigung, dass sie am Samstagabend in dem Lokal essen würden, in dem sich Sophia und Alex zum ersten Mal begegnet waren, pulte sie aus ihm heraus.

Alex und Sophia wollten allein anreisen. Alex hatte darauf bestanden, die Kinder zu Hause zu lassen. Das Angebot, in Michaels Gästezimmer zu übernachten, hatte er abgelehnt. Stattdessen hatte er eine Suite im nobelsten Hotel des Ortes gebucht. Daniela befiel eine Ahnung.

Michael hatte sich um die Tischbestellung gekümmert. Daniela war der Meinung, man solle die beiden lieber allein lassen.

Alex bestand jedoch darauf, dass sie zu viert gingen. Daniela fühlte sich hin- und hergerissen. Sie wurde aus Alex nicht schlau. Inständig hoffte sie, dass es Sophia nicht genauso erging.

Daniela und Michael betraten als Erste das Lokal. Sie schaute sich um. Alle Tische waren gleich gedeckt. Nichts deutete auf einen besonderen Anlass hin. Ein wenig traurig dachte sie, dass sie sich wohl geirrt hatte.

Gegen Viertel vor zwölf hätten sie aufbrechen können. Das Essen war hervorragend gewesen. Das letzte Glas hatten sie geleert. Michael griff unter dem Tisch nach Danielas Hand. Seine Augen sagten, dass jetzt gleich etwas passieren würde.

Alex und Michael baten die Frauen darum, ihnen auf die Terrasse zu folgen. Michael bekam vom Kellner eine Flasche Champagner und Gläser gereicht. Punkt zwölf wurde ein Feuerwerk über dem Strand gezündet. Daniela wusste, wer es organisiert hatte.

Die letzte Rakete am nächtlichen Himmel war soeben erloschen. Alex kniete vor Sophia nieder und stellte die Frage, auf die sie so lange schon gewartet hatte.

Danielas Augen hatten sich längst mit Tränen gefüllt. Sie konnte Sophia nur verschwommen wahrnehmen. Aber hören konnte sie. Ein leises Schluchzen.

Alex und Sophia hatten sich verabschiedet. Michael und Daniela waren auf dem Heimweg, als Daniela bemerkte, wie emotional mitgenommen sie sich fühlte.

Als Alex kniete, hatte Michael nach ihrer Hand gegriffen. Intuitiv hatte sie in diesem Augenblick an Thomas gedacht.

Sie sah Michael aus dem Augenwinkel an. Sie dachte zurück an den Tag, als sie ausgerissen und zu ihm geflüchtet war.

Was hatte Sophia gesagt?

Sie konnte sich nicht entscheiden.

Konnte Michael?

Daniela hatte das Gefühl, er hatte sich eingerichtet. Sie waren ein Paar. Konnten dennoch allein sein, wenn ihnen danach zumute war. Finanziell waren sie unabhängig voneinander. Sie stritten selten und unternahmen viel, gemessen an ihren jeweiligen Zeitbudgets. Michael mochte Luise. Jedoch hatte er niemals über einen eigenen Kinderwunsch gesprochen. Wie würde das weitergehen?

Michael riss sie aus ihren Gedanken. „Zu dir oder zu mir?" Er schaute sie an.

„Zu dir", antwortete Daniela.

Daniela schob die schwere Terrassentür auf. Sie trat hinaus und atmete tief ein. Michael hatte kürzlich zwei Hängematten aufbauen lassen. Daniela streifte ihre Schuhe von den Füßen und schwang sich auf eine der Matten.

Michael war in der Küche verschwunden. Er wollte mit zwei Gläsern Wasser nachkommen. Daniela schaute in den Himmel und lauschte. Sie konnte die Brandung hören, obwohl es windstill war.

Michael war neben sie getreten und hielt ihr ein Glas hin. Dann legte er sich in die andere Matte. Sie schwiegen.

Plötzlich fragte er: „Haben wir ein gutes Leben?" Er drehte sich zu ihr. Beinahe hätte er sich den Inhalt des Glases übergegossen. Die Hängematte schaukelte.

„Haben wir", sagte Daniela und nickte.

„Freust du dich für Sophia?"

„Ja, ich freue mich. Sophia hat sich diesen Antrag seit langer Zeit gewünscht. Für sie ist heute ein Herzenswunsch in Erfüllung gegangen."

„Und du? Was wünschst du dir?" Daniela drehte den Kopf und sah ihn an. Sie zögerte. Dann sagte sie: „Ich bin wunschlos glücklich."

„Dachte ich es mir."

„Michael, worauf willst du hinaus?", fragte Daniela in leicht genervtem Tonfall. Der Abend war schön gewesen. Die Nacht war lau. Wollte Michael streiten?

„Kann es sein, dass du Thomas nicht aus deinem Kopf bekommen hast? All die Jahre?"

Daniela erschrak. Konnte Michael Gedanken lesen?

„Wie kommst du darauf? Ich habe ihn seit einer Ewigkeit nicht gesehen. Stephan hat seit langer Zeit nichts von ihm erzählt. Ich weiß nicht, was er macht, wie es ihm geht, ob er liiert ist. Also?"

„Nichts von ihm zu wissen, ist etwas anderes, als ihn nicht aus dem Kopf zu bekommen." Daniela setzte sich mit einem Ruck auf. Sie sah Michael an und antwortete: „Was willst du hören?"

„Ich will gar nichts hören. Ich frage mich lediglich, welche Antwort ich heute bekommen hätte, hätte ich dir einen Antrag gemacht."

Daniela legte sich wieder hin. Der Schwung, mit dem sie es tat, brachte die Hängematte zum Schaukeln. Sie sah in den Himmel. Und schwieg. Sie wusste, dass sie „nein" gesagt hätte.

Sie würde mit Michael reden müssen. Aber nicht jetzt.

„Beate, Sophia und Alex werden heiraten! Sein Antrag war der Hammer!"

Daniela strahlte, als sie das sagte. „Sie wollen es hier im Seebad tun. Man kann neuerdings am Strand ‚Ja' sagen". Du und ich, wir sollen alles organisieren. Wir haben zwar keine Erfahrung als Hochzeitsplaner. Ich denke jedoch, das müsste zu machen sein. Was meinst du?"

Alex hatte ein langes Gespräch mit Daniela geführt, bevor er ihr sagte, dass sie die Hochzeit vorbereiten sollten.

Die Nachricht von der Trauung hatte seine Mutter überrascht. Ihre Pläne zur Gestaltung des Festes erzürnten sie.

Seine Mutter wollte ein hanseatisches Fest. Alex lächelte süffisant, als er dieses Attribut verwendete. Sophia hingegen konnte sich nichts anderes vorstellen, als barfuß am Strand den Bund der Ehe eingehen. Das hatten Alex und sie seiner Mutter nicht verraten. Sie bestanden darauf, im Seebad feiern zu wollen und die Mutter aus den Vorbereitungen herauszuhalten.

Alex besaß eine riesige Verwandtschaft. Die stellte Ansprüche an eine Hochzeit. So hatte seine Mutter formuliert.

Sophia hatte erwidert, dass sie nicht der Verwandtschaft wegen heiratete.

Zum wiederholten Mal stand Alex zwischen den Fronten.

Beate fragte sich, weshalb Menschen überhaupt heirateten. Ehrlich gesagt, hatte Daniela sich diese Frage auch gestellt. Sie konnte sich an Sophias Antwort erinnern: „Weshalb nicht? Wir haben einen gemeinsamen Sohn."

„Du haderst immer noch mit deinem Mann?", fragte Daniela und sah Beate an.

Beate haderte nicht mit dem Sportlehrer. Sie analysierte völlig unromantisch.

Beate meinte, sie habe zu einer Zeit geheiratet, als alle heirateten.

Daniela konnte sich gut an den allgemeinen Taumel erinnern. Wer mit fünfundzwanzig nicht unter der Haube war, galt als schwer vermittelbar. In jedem Fall musste er mit einem gebrauchten Partner vorlieb nehmen. Die ersten Ehen wurden in diesem Alter bereits wieder geschieden. Sie dachte an Thomas. Obwohl der damals ein paar Jahre älter war.

Kinder hatte Beate nicht bekommen. Anfangs hatte es nicht geklappt. Dann war die Wendezeit gekommen. Sie hatte nicht mehr gewollt. Ihrem Mann war es egal.

Später war er gänzlich in seinem Körperkult aufgegangen.

Daniela dachte an Michael und ihr nächtliches Gespräch. Michael hatte gesagt, dass er davon überzeugt sei, Daniela hätte Thomas nie aus ihrem Kopf bekommen. Sie hatte nicht weiterreden wollen. Aber Michael ließ nicht locker.

Er sagte: „Du hast dich gezwungen, ihn zu ignorieren, wenn er hier war. Deine Körpersprache war eindeutig. Anfangs habe ich gedacht, die Zeit würde für uns arbeiten. Hat sie aber nicht."

Was sollte sie sagen? Sie hatte Thomas selten getroffen. Dennoch war sie jedes Mal aufgewühlt, wenn sie miteinander sprachen. Thomas hatte nicht mehr die Nähe zu ihr gesucht, nachdem sie sich am Strand geküsst und über die Entfernung zwischen Leipzig und hier geredet hatten.

Daniela wusste, dass es nicht sein konnte. Michael konnte nicht wissen, dass sie an Thomas gedacht hatte, als Alex kniete und Michael ihre Hand hielt. Dennoch schien er es gespürt zu haben.

Sie hatte gesagt, sie sei müde. Dann waren sie zu Bett gegangen. Daniela konnte jedoch keinen erholsamen Schlaf finden.

Beate riss sie aus ihren Gedanken. „Schwierigkeiten mit dem begehrtesten aller Junggesellen?" Sie sah Daniela an.

„Woher weißt du das?"

„Ich kenn' dich schon eine Weile. Du bist bedrückt. Auch wenn dich die Hochzeit begeistert." Daniela nickte. „Ich glaube, es ist zu Ende."

„Willst du reden?"

Daniela schüttelte den Kopf. „Lass uns zur Arbeit zurückkommen. Wir haben eine Hochzeit vorzubereiten. Ich schlage vor, die Weinauswahl zu übernehmen. Wie du weißt, kann ich gut mit Sommeliers."

„Typisch", antwortete Beate „und ich kümmere mich um den Blumenschmuck."

Das ist eine akzeptable Arbeitsteilung, dachte Daniela und feixte.

Tatsächlich sollten sie schleunigst einen detaillierten Plan aufstellen, was zu tun war. Die Zeit drängte. Sie erwarteten einhundert Gäste. Am liebsten wollte Daniela den Standesbeamten auf einen Nachmittagstermin festlegen. Sie könnten morgens länger schlafen und hätten ausreichend Zeit, die Braut und sich herauszuputzen. Um Mitternacht sollte das Feuerwerk wiederholt werden. Sophia hatte angewiesen, das komplette Programm aufzufahren. Daniela war sogleich davon überzeugt, dass dieser Gegenschlag in die Richtung der Schwiegermutter ging.

Die größte Herausforderung erwartete sie bei der Festlegung der Sitzordnung. Sophia hatte ihr eine Liste mitgegeben, die Daniela umgehend beiseitelegte.

Mithilfe gestrichelter Linien hatte Sophia Verbindungen zwischen Personen aufgezeigt, die auf keinen Fall zusammensitzen durften. Durchgezogene Linien markierten den Personenkreis, der gut miteinander harmonierte. Einen Augenblick lang war Daniela der Versuchung nahe, dieses wilde Geflecht näher untersuchen zu wollen. Vorerst jedoch hatte sie die Finger davon gelassen. Später las sie auch Thomas' Namen auf der Liste. Sofort suchte sie nach ihrem Eintrag und stellte fest, dass Sophia ihn und sie nicht durch eine gestrichelte Linie gekennzeichnet hatte.

Nun saß sie wieder vor diesem Gebilde und stöhnte.

„Beate, schau dir das an." Sie zeigte auf das Papier. „Wir können davon ausgehen, dass wir in gewisser Weise einen Ost-West-Gipfel organisieren sollen. Ich sage Dir, was bin ich auf die Schwiegermutter gespannt!"

Luise fiel Daniela um den Hals. „Mama heiratet! Ist das cool?"

Daniela hatte Luise auf ein Wochenende eingeladen. Zu schön fand sie die gemeinsame Zeit mit ihr. Außerdem war sie neugierig, zu hören, wie sich die Dinge mit Philipp und Marcel entwickelt hatten.

„Das ist cool. Aber sag', kennst du die Verwandtschaft, die eingeladen wird?"

Luise kannte nur den geringeren Teil. „Mama wollte viel kleiner feiern. Aber die Oma hat gemeckert. Ich glaube, dass die vielen Leute Mamas Kompromiss sind."

Daniela grinste. Die Oma hatte gemeckert. Daniela fragte sich, ob sie damals auch so gedacht hatten. Das Wort „meckern" kam in Luises Sätzen häufig vor.

„Was gibt es Neues? Wie geht es Philipp und Marcel?"

Daniela blickte in ein ausdrucksloses Gesicht.

Es gab keinen Favoriten. Realistisch betrachtet waren beide aus dem Rennen. Luise meinte, weder der eine noch der andere erfüllte die Kriterien für das Richtigsein. Sie hatte sich entschieden, weiterhin Ausschau zu halten. Daniela war beeindruckt.

„Wann kommt Michael?", fragte Luise.

Daniela hatte mit dieser Frage gerechnet. Dennoch hatte sie keine schnelle Antwort parat. Sie zögerte. Dann sagte sie: „Er kommt nicht."

Luise schaute sie fragend an.

Daniela hatte nach dieser Nacht nicht mehr gezögert. Sie hatte Michael gesagt, dass sie seinen Antrag nicht angenommen hätte. Er hatte genickt und geantwortet: „Das konnte ich mir denken."

„Luise, die Entscheidung, die ich lange Zeit nicht treffen konnte, ist nun gefallen. Ich bin nicht stolz darauf, das kannst du mir glauben. Ich habe Michael wehgetan und letztlich ihn und Thomas verloren."

„Dann müssen wir zusammen Ausschau halten, Tante Dani." Luise hatte vorsorglich den Kopf eingezogen.

„Weißt du, ich mochte Michael sehr. Er ist lockerer als Thomas", fügte Luise an. Daniela wusste, was Luise meinte.

Michael wirkte nach außen weniger ernsthaft.

Dennoch wusste sie, dass dieser Schein trog. Michael musste hart arbeiten für seinen Erfolg. Insofern unterschied er sich nicht von Thomas.

Luise brannte darauf, zu erfahren, wie das Fest ablaufen würde.

Daniela sah sie an: „Ich darf dir nichts sagen. Auch wenn ich es gern möchte. Deine Mutter hat absolutes Stillschweigen gefordert. Ich muss mich daran halten. Auch dir gegenüber."

Luise verzog ihr Gesicht zu einer Grimasse. „Es ist wegen der Oma, richtig?" Daniela nickte. „Ich glaube schon."

„Das ist alles so gemein. Nur weil die Oma sich immer in alles einmischen muss. Ständig hat sie etwas an Mama rumzunörgeln. Daniela, echt, die Oma nervt."

Daniela konnte ein Grinsen kaum unterdrücken. „Luise, die Oma ist einfach anders."

Sie sah dem Mädchen ins Gesicht. Luise verdrehte die Augen. „Wieso ist die anders und wieso darf die anders sein? Ständig steht sie zwischen Alex und Mama. Nur Sebastian macht immer alles richtig."

Daniela dachte nach. Das, was Luise gerade gesagt hatte, deckte sich absolut mit dem, was Sophia berichtet hatte. Luise hatte einen schweren Stand. Was sollte sie dazu sagen?

„Luise, bei Gelegenheit erzähle ich dir die Geschichte von meiner Großmutter. Der Frau, die deine Urgroßmutter sein könnte. Und dann vergleichen wir deren Geschichte mit der deiner Oma. Du wirst sehen, dabei klärt sich einiges auf."

Luise sah Daniela an. „Warum kannst du mir die Geschichte nicht gleich erzählen?", fragte sie.

Sie antwortete: „Es ist eine lange Geschichte."

21. Kapitel
Sommer 2005

Danielas Nerven waren zum Zerreißen gespannt. Die komplette Hochzeitsgesellschaft würde im Laufe des heutigen Abends anreisen. Beate und Daniela hatten ein Hotel komplett gebucht. Für den Tag der Anreise würde im Restaurant ein Buffet aufgestellt werden. Morgen würden sie anders organisiert sein. Daniela hatte lange Telefonate mit Alex geführt, um herauszufinden, was seine Mutter als hanseatisch bezeichnete.

Dezent hielten Beate und sie sich im Hintergrund. Daniela studierte die ankommenden Gäste. Es gab keine äußerlichen Unterschiede. Fünfzehn Jahre zuvor hatte sie einen Blick dafür entwickelt, wer woher kam. Das funktionierte jetzt nicht mehr.

Das Brautpaar schüttelte Hände.

Die Schwiegermutter war noch nicht eingetroffen. Daniela hoffte, sie möge sie erkennen. Alex hatte ihr Fotos gezeigt.

Sophia sah umwerfend aus. Daniela fragte sich, wie sie das morgen noch toppen sollten. Man sah ihr die zwei Kinder nicht an. Sophia war gut in Form. Es gab jedoch noch etwas anderes, das nicht mit gesunder Ernährung und Bewegung in Verbindung zu bringen war: Sophia strahlte. Und dieses Strahlen schien von innen zu kommen.

„Alles entspannt, oder?“ Beate war neben sie getreten.

„Noch ist die Schwiegermutter ja nicht da.“ Daniela lachte. Sie war entschlossen, diese Klippe zu umschiffen und alles dafür zu tun, dass Sophia und Alex ihr Fest genießen konnten.

Die Trauung war auf fünfzehn Uhr festgesetzt. Am Vormittag würden die Gäste an einer Führung durch den Ort teilnehmen können. Sie hatten den kompetentesten Gästeführer des Seebades vertraglich binden können. Daniela kannte seine Route und die Geschichten, die er zu erzählen hatte.

Mittags würde es einen Lunch im Garten des Hotels geben. Das Restaurant konnte zu diesem Zeitpunkt nicht mehr genutzt werden. Es sollte entsprechend ausstaffiert werden. Der Fisch mit den großen Augen, den Daniela gerettet hatte, freute sich auf die Gästeschar.

„Denkst du manchmal an Michael?" Beate schaute sie an. „Er ist der Architekt dieses Hauses."

„Ich finde es schade, dass er morgen nicht dabei sein wird", sagte Daniela und signalisierte, dass sie nicht über Michael reden wollte.

„Da ist sie." Daniela schubste Beate in die Seite. Alex war bereits auf dem Weg zu seiner Mutter, um sie zu begrüßen. Nur Sophia ließ sich Zeit. Viel Zeit.

„Jetzt mach schon", sagte Daniela zu sich selbst. Ihre Blicke trafen sich. Danielas Kopfbewegung war eindeutig. Sophia setzte sich dennoch nur zögerlich in Bewegung. In gebührendem Abstand folgte Daniela ihr. Sie würde sich vorstellen und tun, was sie und Sophia abgesprochen hatten.

„Ah, Sie sind Daniela. Sehr erfreut. Die Prokuristin und Unternehmerin. Sehr charmant", sagte die Schweigermutter. Daniela lächelte.

„Die Freude ist ganz auf meiner Seite. Es ist mir eine Ehre, Sie begrüßen zu dürfen. Wenn Sie erlauben, würde ich mich gern um Sie kümmern", antwortete sie und hoffte, ausreichend hanseatisch gewirkt zu haben.

Daniela hatte sie keine Minute lang aus den Augen gelassen und immer wieder auch den Blickkontakt zu Sophia gesucht. Nun war der heutige Tag überstanden.

„Das wäre geschafft.“ Beate streckte die Füße von sich. Die Gäste hatten sich auf ihre Zimmer verabschiedet. „Lass uns schlafen gehen. Morgen wird ein anstrengender Tag. Ich nehme an der Führung teil. Du kümmerst dich um die Braut. Wir sehen uns kurz beim Lunch und dann gilt es!“ Daniela nickte. Sie war froh, endlich ins Bett gehen zu können.

Sophias Kleid war schlicht. Dennoch sehr elegant. Ein Traum in champagnerfarbener Seide. Bodenlang. Körpereng. Nach unten schwingend auslaufend. Ein wenig Meerjungfrau. Der Blick auf Arme und Schultern der Braut blieb frei. Die obere Kante des Kleides zierten schimmernde Perlen. Auf Haarschmuck hatte sie verzichtet.

Alex trug einen schwarzen Cut. Darunter zeigten sich eine ebenfalls champagnerfarbene Weste und auf dem weißen Hemd ein champagnerfarbenes Plastron.

Daniela blickte zu Boden. Sophias Schuhe waren weiß. Alexanders Füße steckten in handgefertigten schwarzen Lederschuhen. Daniela musste unwillkürlich an den Sand denken. Er würde die Bewährungsprobe für dieses edle Schuhwerk werden.

Sophia und ihr zukünftiger Mann gaben einen Augenschmaus ab. Alex konnte problemlos jedes Cover zieren. Angezogen wohlgemerkt. Was er darunter trug, konnte Daniela nicht sehen. Sophia gehörte in ihrem Aufzug auf den Titel der „Vogue“.

Noch hatten die Gäste die zwei nicht gesehen. Sie warteten im Foyer. Auch wussten sie nicht, was sie erwartete. In wenigen Augenblicken würde Beate die Gruppe zum Strand begleiten. Dort war alles vorbereitet. Die Zeremonie konnte ohne Pavillon vollzogen werden. Der Wettergott stand auf ihrer Seite.

Laufen im Sand mit Pumps war allerdings unmöglich. Daniela hatte es vorhin getestet. Die weiblichen Gäste würden ihre Schuhe ausziehen müssen. Die Männer waren in diesem Punkt im Vorteil.

Wenn alle gegangen waren, würde Daniela mit dem Brautpaar folgen. Für Sophias Schuhe hatte sie bereits ein Plätzchen reserviert. Irgendwie hatte sie in diesem Moment das Gefühl, dass sie auch Alexanders Schuhe in Sicherheit bringen sollte. Aber: Barfuß im Cut?

Beate und sie wechselten einen kurzen Blick, als Daniela und das Brautpaar am Strand eintrafen. Alles schien reibungslos verlaufen zu sein. Daniela registrierte die nackten Füße und feixte.

Stephan und sie waren Trauzeugen. Ihn hatte sie heute kurz beim Lunch begrüßt und ihm gesagt, dass sie sehr aufgeregt sei.

In diesem Moment winkte er ihr zu.

Stephan schien die Ruhe in Person. Als sie bei ihm eintraf, nahm er sie in den Arm und flüsterte: „Keine Sorge, das wird schon."

Er behielt recht.

Sie standen mit dem Blick zum Meer. Während der feierlichen Worte des Standesbeamten konnten sie im Hintergrund das Rauschen des Meeres hören. Ab und zu schrie eine Möwe. Das Brautpaar strahlte mit der Sonne um die Wette. Und sagte „Ja".

Daniela war davon überzeugt, dass sie ihr komplettes Make-up erneuern musste. Sie vergoss von allen Anwesenden wohl die meisten Tränen. Dann war die Trauung beendet.

„Komm, wir müssen uns beeilen. Wir sollten vor den anderen im Hotel sein", mahnte Beate. Daniela blickte auf die Schar der Gratulanten. Wie damals, nach der Promotion, schoss ihr durch den Kopf. Dann folgte sie Beate mit schnellen Schritten barfuß durch den Sand. Auf der Promenade streiften sie ihre Pumps über. Die Sandkörner an ihren Füßen rieben. Das mussten sie jetzt aushalten. Im Hotel würden sie Gelegenheit haben, ihre Füße kurz unter laufendem Wasser abzuspülen.

Die Dekoration sah fabelhaft aus. Die dominierende Farbe war blau. Sie hatten das Meer ins Haus geholt. Daniela war beeindruckt.

Beate und sie positionierten sich am Eingang. Dort warteten sie auf die Gäste. Wenige Augenblicke später erblickten sie die Festgesellschaft. Allen voran das Brautpaar.

Daniela hielt Ausschau nach der Schwiegermutter. Sie lief hinter Alex am Arm eines sehr elegant gekleideten Herrn, den er als seinen Onkel vorgestellt hatte. Daniela blickte in ihre Gesichter. Noch konnten sie den Saal nicht sehen. Aber jetzt: Der Schwiegermutter blieb beinahe der Mund offen stehen. Beate hatte es ebenfalls registriert. Sie hob für eine Sekunde den Daumen.

Es dauerte eine Weile, bis alle ihre Plätze eingenommen hatten. Die Kellner schenkten Champagner ein.

Daniela war sicher, dass die Schwiegermutter auf ihren Sohn schaute und ihn als Redner erwartete. Allein Sophia, Daniela und Beate wussten, dass er nicht der Erste wäre, der sprechen würde.

In diesem Moment stand Sophia auf und klopfte gegen ihr Glas. Alex' Mutter rang um Fassung. Daniela konnte es deutlich sehen.

„Liebe Familie, liebe Gäste, einige von euch werden verwundert sein, dass ich als Erste das Wort an euch richte."

Daniela schmunzelte. Sie wusste genau, dass nur der Alex-Anhang verwundert war.

„Wir haben uns entschlossen, euch in meiner Heimat zu empfangen und mit euch gemeinsam unsere Hochzeit zu feiern. Wir freuen uns außerordentlich, dass ihr unserer Einladung gefolgt seid und hoffen sehr, dass euch unsere Trauung gefallen hat."

Daniela überlegte. Kamen nun die üblichen Lobgesänge und Dankesworte?

Sie kannte ihre Freundin und rechnete mit allem. Dennoch war sie überrascht. Das, was sie jetzt hörte, war nicht abgesprochen. Daniela hatte es auch nicht erwartet.

„Ich will euch meine Geschichte erzählen. Aber: Keine Angst, ich fasse mich kurz.“ Sie schaute einmal quer durch den Saal. In diesem Augenblick erhöhte Daniela ihre Aufmerksamkeit noch einmal.

„Ich bin hier in dieser wundervollen Gegend geboren, aufgewachsen, habe hier studiert und promoviert. Ich konnte nicht wissen, welche Veränderungen ich hier erleben würde. Als sie dann passierten, die Veränderungen, war ich in großer Sorge um meine Zukunft. Immer an meiner Seite war meine Freundin Daniela, die ihr bereits kennengelernt habt.“ Daniela kämpfte schon wieder mit den Tränen.

„Wir haben damals ein Synonym bemüht. Wir sprachen von einer Riesenwelle, die es zu meistern galt. Und sei es noch so hart am Wind. Ich kann euch heute sagen, es war eine Monsterwelle, die uns heimgesucht hat. Dennoch: Wir haben sie besiegt! Jede von uns auf ihre Weise.“

Daniela ließ den Tränen freien Lauf.

„Diese Welle war es jedoch auch, die mir einen Mann an Land gespült hat, dem ich heute versprochen habe, gute und schlechte Zeiten gemeinsam mit ihm zu teilen.“ Sophia machte eine Pause.

„Alex, mit uns sind zwei Menschen aus verschiedenen Welten aufeinandergetroffen, die ihren gemeinsamen Weg sich auch erkämpfen mussten.“

Daniela schaute zur Schwiegermutter.

„Wir haben lange gebraucht bis hierher. Du hast mich heute sehr glücklich gemacht. Ich liebe dich.“

In diesem Moment füllten Tränen die Augen der Schwiegermutter.

Daniela hatte sich den Platz neben Thomas zugeteilt. Er hatte vorhin nach ihrer Hand gegriffen und drückte sie jetzt ganz fest.

Sophias Umarmung wollte nicht enden. „Das habt ihr so toll gemacht. Danke.“ Daniela fand, dass sie für heute genug geweint hatten. Sie flüsterte Sophia ins Ohr: „Ob sie wirklich gedacht hat, wir feiern an der Würstchenbude?“

Beate und Thomas sagten wie aus einem Mund: „Das haben wir gehört.“

Sophia führte den Zeigefinger ihrer rechten Hand zu ihren Lippen und setzte einen verschwörerischen Blick auf.

In diesem Moment kam Stephan auf sie zu. Er blieb neben Beate stehen. Seinen Arm legte er um ihre Schultern und meinte an Daniela und Beate gerichtet: „Mädels, eure Events sind inzwischen legendär geworden. Aber heute habt ihr euch übertroffen.“ Er strahlte und hatte Beate fest umfasst.

Die Szene war auch dem Sportlehrer nicht verborgen geblieben. Bis eben hatte er mit einer Gruppe männlicher Gäste gesprochen. Daniela erfasste mit einem Blick, dass er den Unterhalter gab. Alle Augen waren auf ihn gerichtet. Mit Bewunderung schien sein Publikum seinen Ausführungen zu lauschen. In diesem Moment eilte er jedoch zu ihnen und stellte sich auf die andere Seite seiner Frau.

Daniela hatte Beates Mann nicht grundlos eine Zeit lang beobachtet. Sie wusste inzwischen, er bewegte sich oft unter Männern. Immer führte er das Wort und immer schien er die Zuhörer zu fesseln. In seinen Gesprächen ließ er Frauen, so sie anwesend waren, außen vor. Ausschließlich Männern ließ er eine Chance, etwas zum Gespräch beizutragen.

Beate ignorierte gerade beide. Stephan links. Ihren Mann rechts. Sie schaute Thomas an und sagte: „Du hast uns niemals verraten, welchen Beruf du ausgeübt hast, bevor du Banker wurdest. Es ist an der Zeit, uns zu sagen, wer du wirklich bist.“

Daniela lächelte. Wenngleich sie nicht mitbekommen hatte, wie Beate auf dieses Thema gekommen war. Zu sehr war sie mit dem Sportlehrer beschäftigt gewesen.

Daniela wusste, Beate würde sich gleich sehr wundern, sollte Thomas ihre Frage beantworten. Alle Blicke waren inzwischen auf ihn gerichtet.

Er sagte in dieser Sekunde: „Ich habe in Leipzig Sport studiert und als Sportlehrer gearbeitet."

Beates Blick erstarrte.

Daniela dachte: „Meine Liebe, du warst auf dem besten Weg den Sportlehrer gegen einen Sportlehrer tauschen zu wollen."

Dann sah sie in sein Gesicht. Und wunderte sich, dass sie wie selbstverständlich in der Vergangenheitsform gedacht hatte.

22. Kapitel
Nach der Hochzeit

Daniela saß noch immer auf einem ihrer Küchenstühle, während Thomas den Frühstückstisch vervollständigte. Frühstück um fünf Uhr nachmittags. Daniela gähnte. „Bist du immer noch müde?“, fragte Thomas.

„Ich wundere mich, wie du so wach sein kannst.“

„Was geht dir durch den Kopf? Ich kenne diesen Gesichtsausdruck.“ Thomas sah sie an. Daniela dachte an gestern. An Beates Mann. Daran, wie der sich in Gesellschaft bewegte. „Der Sportlehrer geht mir nicht aus dem Sinn. Ich frage mich, wie lange es zwischen Beate und ihm noch funktionieren wird. Langsam nervt er mich. Ich habe große Lust, ihm zu sagen, dass wenn vier Leute im Raum stehen, auch vier Leute ein Recht darauf haben, zu sprechen und gehört zu werden.“ Thomas schwieg und sah sie an.

Daniela erinnerte sich an ihre Begrüßung gestern Mittag beim Lunch. „Wo hast du Michael versteckt?“, hatte Thomas sie gefragt und Daniela ihm geantwortet, dass er eingeladen war, aber abgesagt hatte.

„Muss ich das verstehen?“, bohrte Thomas nach.

Sie hatte ihm dann erzählt, dass sie sich vor drei Monaten getrennt hatten. Allerdings war sie überzeugt davon, dass Thomas längst im Bilde war. Stephan hatte die Neuigkeit garantiert nicht für sich behalten können.

Daniela hatte die Sitzordnung ausgearbeitet. Und Thomas neben sich platziert.

Gemeinsam feierten sie ein fröhliches Fest. Im Morgengrauen begleitete er sie nach Hause. Sie war es, die ihn bat, mit nach oben zu kommen. Eigentlich war im Hotel ein Zimmer für ihn reserviert. Nun saßen sie sich gegenüber und Daniela sprach über Beates Mann. Dabei sollte sie mit ihm über sich und ihn reden.

Thomas schluckte seinen Bissen hinunter. Er sah sie an und sagte: „Daniela, ich wollte nie hier sein. Nicht in dieser Wohnung."

„Was hast du gegen diese Wohnung?"

„Es ist der Ort, an den du gegangen bist, nachdem du mich verlassen hast."

„Du bist aber hier. Letztlich war es dein Wille, meine Einladung anzunehmen. Du hättest nicht mit nach oben kommen müssen. Übrigens: Hättest du im Hotel übernachtet, darf ich daran erinnern, dass das Hotel nach Michaels Plänen gebaut wurde. Wir leben hier wie in einem Dorf. Man verwischt die Spuren nicht so leicht."

Daniela dachte nach. Hatte sie ihn verlassen?

Physisch ja. Mental hatten sie einander verlassen, schon einige Zeit vor ihrem Auszug.

„Ich habe es nicht verkraftet. Weder die Trennung von meiner Frau. Schon gar nicht die von meinen Kindern. Letzteres war das Schlimmste von allem." Thomas sah sie an. „Sie hat die zwei mitgenommen, ohne mich zu fragen. Sie sind auch mein Fleisch und Blut."

Daniela wusste, dass sie schnell eine neue Beziehung eingegangen war. Als sie Thomas zum ersten Mal traf, wohnte seine Frau bereits mehrere hundert Kilometer entfernt.

„Ich hatte keine Chance. Sie hatte einen neuen Mann. Jeder Streit ging zulasten unserer Kinder. Das konnte ich nicht verantworten. Ich habe mich gefügt. Davon einmal abgesehen, dass in Sorgerechtsangelegenheiten beinahe immer die Mutter gewinnt."

Um seinen Gram abzutöten, hatte sich Thomas in das Abenteuer Bank gestürzt. Sein Erfolg tat ihm gut. Mit dem Erfolg kam der Wunsch nach mehr. Das wusste sie nur zu gut.

„Daniela, wir sind uns zu einem Zeitpunkt begegnet, als ich noch lange nicht abgeschlossen hatte mit dem, was mir wiederfahren war. Dennoch konnte ich mir vorstellen, mit dir einen Neuanfang zu wagen."

Sie hatte lange gezögert. Obwohl sie am liebsten am ersten Abend bei ihm geblieben wäre. Irgendwie fand sie die gesamte Situation um seine Familienangelegenheiten suspekt.

„Daniela, du hast mir vorgelebt, wie du dich zu orientieren gedachtest. Ich habe ziemlich schnell erkannt, in welcher Weise du dich von anderen Frauen unterscheidest. Ich fand es spannend, mit dir zusammenzusein. Und finde es immer noch. Zu keiner Zeit wollte ich dich an etwas hindern, dich einschränken oder verbiegen. Es ist mir nicht gelungen. Oft habe ich mich gefragt, was man hätte anders machen können. Wir waren beide auf einem Trip, der wenig Spielraum für eine Familie zuließ. Nach Berlin bin ich gegangen, weil hier meine Karriereleiter zu Ende war."

Daniela hatte sehr genau zugehört. Sie hörte, wie er sagte: „Beide", als er von einer Familie sprach.

Daniela sah ihm in die Augen. Thomas senkte den Kopf. Daniela griff nach seinem Kinn. Sie ließ nicht zu, dass er ihrem Blick auswich. Dann sagte sie: „Das hast du bisher anders dargestellt."

Thomas nickte und sagte: „Ich weiß."

„Ich war glücklich, als einer meiner Söhne Kontakt zu mir aufnahm. Er war in einem Alter, in dem seine Mutter es ihm nicht mehr verbieten konnte. Sie wusste, dass sie Gefahr laufen würde, ihn zu verlieren, wenn sie sich gegen seinen Wunsch stellen würde."

Thomas war traurig, die Entwicklung seiner Kinder nicht erleben zu dürfen.

Daniela hatte Luise vor Augen. Beinahe jeden Monat veränderte sich das Mädchen. Sie war in einem Tempo aufgewachsen, das Daniela immer wieder verblüffte. Daniela konnte verstehen, was Thomas ausdrücken wollte.

„Ich weiß, ich hätte mit dir reden sollen. Wir hätten gemeinsam entscheiden müssen, wie wir mit der neuen Situation umgehen wollen. Ehrlich gesagt, ich wusste es aber erst in dem Moment, in dem du den Koffer gepackt hast."

Daniela sah die Träne.

„Es hat mir sehr wehgetan, begreifen zu müssen, dass du Michael zu diesem Zeitpunkt bereits sehr nahe warst. Ohne Vorwarnung musste ich erkennen, dass du dich gegen mich entschieden hattest."

Daniela schaute ihn an. Sie fragte sich, ob es stimmte, was er sagte.

Hatte sie sich gegen ihn entschieden?

Es war ihr mehr als schwergefallen, zu gehen.

„Kannst du dich an unser Gespräch vor der Büroeinweihung erinnern? Wir haben festgestellt, dass wir in den letzten zehn Jahren schnell gelebt haben. Inzwischen sind es fünfzehn. Ich weiß nicht, ob es geholfen hätte, das heutige Gespräch schon damals zu führen." Thomas hatte die Fassung wiedererlangt. Er sah sie an.

„Das, was wir beruflich erreicht haben, wollten wir. In eine Position wie die unsere purzelt man nicht einfach so hinein. Wir haben gezielt und mit vollem Einsatz gearbeitet. Wir wollten uns beweisen. Komme, was wolle."

Daniela hielt inne. Dann sagte sie: „Wer von uns beiden hatte eine Ahnung davon, wie die Dinge sich entwickeln würden? Dass der Kälteanlagenbauer keine Überlebenschance hatte und du hier am Ort keine Aufstiegschancen haben würdest, das haben wir doch anfangs nicht wissen können. Zu keinem Zeitpunkt konnten wir wirklich agieren. Uns blieb nie Zeit, zu planen. Wir haben immer nur reagiert."

Ihre Karrieren passten in die Zeit. Sie waren außergewöhnlich.

„Was wäre passiert, wenn wir beruflich zurückgesteckt hätten? Vielleicht sogar beide? Ich sage es dir, Thomas: Uns hätte etwas gefehlt. Wir wären unzufrieden gewesen. Die Mutter-Vater-Kind-Geschichte hätte uns nicht glücklich gemacht. Nicht dich. Und nicht mich."

Daniela fragte sich in diesem Augenblick, was aus dem Mann mit Sport-Diplom geworden wäre, wäre er nicht Bankdirektor geworden.

„Das war eine irre Zeit, oder?" Thomas sah sie an.

„Ja. Stell dir vor, du wärst Sportlehrer geblieben. Was hättest du erlebt?"

Thomas ersparte sich die Antwort.

„Das Leben ist keine Gerade. Es ist eine Sinuskurve. Da geht es mal auf und mal ab. Was mich betrifft: Ich möchte keine Sekunde missen." Daniela schaute ihn an. „Das mit uns ist ja möglicherweise zu korrigieren." Dann stand sie auf.

Thomas erhob sich ebenfalls.

Bevor er beginnen konnte, das Geschirr abzuräumen, ging sie auf ihn zu.

Daniela küsste ihn. Ihre Hände arbeiteten an der Knopfleiste seines Hemdes. Stück für Stück legte sie seinen nackten Oberkörper frei. Sie schmiegte sich an ihn. Thomas flüsterte: „Daniela, ich wollte nie hier von dir verführt werden. Nicht in dieser Wohnung."

Sie schaute ihn an und wandte sich abrupt ab. Daniela war sicher, dass er diese Sätze umgehend revidieren würde. Längst hatte sie seine körperliche Reaktion auf ihre Zärtlichkeit bemerkt.

Daniela lächelte. Thomas liebkoste ihren Nacken.

Sie drehte sich zu ihm um und sagte: „In dieser Wohnung kann man vom Bett aus das Meer sehen." In diesem Augenblick spürte sie ihre Müdigkeit nicht mehr.

Danielas Atem ging immer noch schnell. Ihr Herz raste. Sie sah ihn an und sagte: „Wie zwei Ertrinkende. Sag, wie haben wir es so lange Zeit ohne einander ausgehalten?“ Thomas hielt sie fest umschlugen und antwortete: „Ich für meinen Teil sehr schlecht.“

Daniela spielte mit seinen Fingern. „Das war richtig gut.“ Daniela lächelte ihn an. Welchem Mann gefiel es nicht, wenn man ihm sagte, dass er gut war.

„Kann ich das nachher noch einmal haben? Ein wenig geduldiger?“, fügte sie an.

Thomas küsste sie.

„Du wusstest, dass Michael und ich nicht mehr zusammen sind.“

Thomas nickte und verließ das Bett. Sie schaute ihm nach.

Irgendetwas versteckte er hinter seinem Rücken, als er ins Zimmer zurückkam. „Was hast du in der Hand?“, fragte sie neugierig.

„Ein Geschenk. Obwohl: Ich weiß, dass du dir materielle Wünsche selbst erfüllen kannst. Dennoch habe ich es gewagt.“ Er schmunzelte. Daniela hatte die Botschaft verstanden. „Jetzt gib schon her“, sagte sie und griff um ihn herum. Es war ein Briefumschlag. Daniela dachte an ihre Aktion Prag.

„Öffne ihn.“

Daniela wusste nicht, was sie sagen sollte. Sie war sicher, ihm niemals davon erzählt zu haben. „Woher weißt du?“, fragte sie und wedelte mit dem Papier.

Thomas zwinkerte ihr zu.

Daniela hielt zwei Kreuzfahrttickets in den Händen.

Sophia hatte Thomas von ihrem Wunsch erzählt. Und Beate hatte ihm versprochen, ihr Unternehmen eine Woche lang allein bewältigen zu wollen.

„Sag mal, die waren irgendwie alle beteiligt am Kuppeln, oder?“ Daniela freute sich. Sie kuschelte sich an ihn. Ihre Berührung blieb nicht ohne Folgen.

„Ich hätte eine Anmerkung zu machen", sagte Thomas mit gespieltem Ernst. Daniela stutzte.

„Was kommt jetzt?" Sie schaute ihn an.

„Ich denke an ‚geduldig'. Dafür bestimme ich die Position. Nicht du, wie vorhin."

Daniela lachte und zwickte ihm ins Ohr: „Einverstanden, ausnahmsweise, Herr Direktor."

„Wie lange bleibst du?"

„Sieben Tage. Ich habe kommende Woche Urlaub." „Wollen wir am Freitag gemeinsam nach Leipzig fahren? Zeigst du mir die Stadt?"

Thomas lächelte, als er sagte: „Nichts lieber als das."

Thomas war in Ostberlin geboren. In der Sportstadt Leipzig hatte er studiert.

Auf Danielas Frage, welche Stadt Thomas lieber mochte, antwortete er: „Leipzig. Die Stadt ist groß genug, dennoch nicht zu groß. Berlin ist mir eine Nummer zu hektisch geworden. Zehn Jahre zuvor hätte ich deine Frage anders beantwortet. Vielleicht liegt es am Alter, dass man ständigen Trubel und Lärm nicht mehr so gut verkraftet." Thomas vollführte eine zittrige Geste.

„Du armer alter Mann." Daniela streichelte ihn. „Wobei ich sagen muss, dass ich heute dein hohes Alter gar nicht gespürt habe."

„Gehen wir spazieren? Es ist stiller geworden. Die Leute sind zum Abendessen gegangen." Daniela nickte und stand auf, um duschen zu gehen. Thomas folgte ihr.

Während Daniela sich ankleidete, fragte Thomas: „Was macht eigentlich euer Netzwerk? Ihr habt nicht wieder davon erzählt. Gestern hatte ich keine Lust, Beate darauf anzusprechen."

Beate und Daniela nahmen regelmäßig an den Veranstaltungen der Netzwerkerinnen teil. Wenn sie es einrichten konnten, fuhren sie gemeinsam zu den Treffen. In jedem Fall aber war eine von ihnen präsent.

Daniela und Thomas waren zum Strand gegangen. Die Schuhe in den Händen haltend, liefen sie durch das wadenhohe Wasser. Die Kälte des Wassers erfrischte.

„Trefft ihr euch jedes Mal in Hamburg?“, fragte Thomas. Daniela nickte.

In Hamburg hatte das Netzwerk seinen Anfang genommen. Später hatte es sich ergeben, dass man sich immer dort traf. Der Ort war logistisch gesehen für alle gut erreichbar. Die Frauen kamen aus dem gesamten Bundesgebiet. Die meisten von ihnen reisten mit der Bahn oder dem Flugzeug an.

Beim letzten Mal war Daniela auf Judith aus München getroffen. Sie waren sich bis zu diesem Zeitpunkt noch nicht begegnet. Es war dem Zufall geschuldet, dass sie an einem Tisch saßen und sich miteinander bekannt machten.

Judith führte den ehemals väterlichen Betrieb fort. Ein Unternehmen des Mittelstandes in der Baubranche.

Daniela war das Gespräch mit Judith lange nicht aus dem Kopf gegangen. Judith hatte sie gefragt, was mit der ostdeutschen Wirtschaft passiert war. Sie hörte immer wieder von Betriebsschließungen.

Daraufhin hatte Daniela ihr von den Werften und vom Kälteanlagenbauer berichtet. Daniela hatte das Gefühl, dass Judith und sie einander verstanden.

Dieser Montag hatte es in sich. Daniela musste sich im Büro zur Arbeit zwingen. Das Hochzeitswochenende steckte ihr noch verdammt bleiern in den Knochen.

Sie freute sich jetzt schon auf den Abend. Auch weil sie wusste, dass sie dort nicht allein sein würde.

Beate war soeben eingetroffen.

Statt „Guten Morgen“ sagte sie: „Du siehst fertig aus.“ Beate schaute sie an.

„Danke, ebenso“, antwortete Daniela. Beate nickte. „Irgendwie feiert es sich nicht mehr folgenlos in unserem Alter.“ Daniela lachte. Sie hatte genau diesen Satz gedacht, als sie am späten Sonntagnachmittag erwacht war.

„Du bist aber nicht nur wegen des Feierns müde. Habe ich recht?“ Beate hatte mit dem Zeigefinger ihrer rechten Hand unter Danielas Kinn gegriffen und sah ihr in die Augen. „Ich habe gesehen, dass du mit Thomas nach Hause gegangen bist.“

„Und ich weiß, dass du weißt, dass wir nach Sankt Petersburg reisen werden.“ Daniela war aufgestanden und umarmte Beate. Sie flüsterte: „Danke.“

Beate erwiderte: „Bin ich froh.“

Thomas hatte den Hausmann gegeben. Daniela war beeindruckt. Er hatte nicht nur aufgeräumt. Auch der Einkauf war erledigt und der Tisch bereits gedeckt.

„Darf ich dich etwas fragen?“ Er sah sie an und sagte zugleich: „Obwohl du geschafft bist.“ „Du darfst.“

„Hättet ihr Lust, das Netzwerk hierher einzuladen? Es wäre doch eine schöne Geste von euch. Schließlich haben sie euch geholfen, euren Start zu vereinfachen. Alle, die es bisher noch nicht geschafft haben, diese Region zu besuchen, hätten die Gelegenheit, es nachzuholen.“

Daniela war erstaunt. Wie kam Thomas auf diese Idee? Sie schaute ihn fragend an.

„Ich habe mit Stephan gesprochen. Die Damen könnten an einem Donnerstag anreisen, am Freitag bieten wir ein Programm und am Samstag ist Abreise.“

Daniela stutzte. „*Wir* bieten ein Programm an? Heißt das, Stephan und du, ihr seid dabei?“, fragte sie.

Thomas schmunzelte und meinte, dass er nicht wusste, ob Männer zugelassen werden.

Einen Augenblick lang befürchtete Daniela, Stephan und Thomas wollten die Gelegenheit nutzen und ihr Netzwerk unterwandern. Dann musste sie über ihren Gedanken selbst lachen.

„Weshalb lachst du? Ist der Gedanke, dass wir euch unterstützen, so abwegig?“

„Nein, nein“, antwortete sie und winkte ab.

„Vielleicht sollten wir zu viert darüber sprechen. Noch bin ich hier. Was meinst du?“

Daniela fand die Idee grandios. Ihre Mitstreiterinnen hatten ein knappes Zeitbudget. Selbstständig sein hieß, selbst und ständig zu arbeiten. Es entzog sich ihrer Kenntnis, wie viele der Netzwerkerinnen bereits einen Urlaub bei ihnen verbracht hatten. Allgemein mangelte es inzwischen nicht mehr an Touristen. Vor allem die Süddeutschen hatten den Reiz dieser Gegend für sich entdeckt. Die Netzwerkerinnen hierher holen zu wollen, würde bestimmt auf Gegenliebe stoßen.

„Wie ich euch kenne, habt ihr bereits einen Plan für das Freitagsprogramm?“ Sie sah Thomas an.

„Haben wir nicht. Oder vielleicht doch.“ Thomas schmunzelte.

„Darf ich dich noch etwas anderes fragen?“

Daniela kaute und nickte, als Thomas sie darum bat, darüber nachzudenken, seine Söhne kennenzulernen. Seine Körperhaltung verriet Anspannung. Es gelang ihm schlecht, es zu verbergen.

„Sehr gern würde ich das“, sagte sie und spürte, wie er sich erleichtert entspannte. Dann dachte sie, dass er einen Deal geplant hatte. Aber den brauchte es nicht. Sie würde seine Söhne auch so gern treffen.

Thomas war nach Rostock zum Einkaufen gefahren. Er hatte dort ein paar Lieblingsgeschäfte. Deshalb war sie nicht überrascht. Dann sagte er, dass er am Firmengelände des Kälteanlagenbauers angehalten hatte. Allerdings kam man dort auf dem Weg zur Innenstadt nicht vorbei.

„Du bist bewusst hingefahren?“

Thomas meinte, er sei erschüttert.

Daniela wusste, was er dort gesehen hatte. Die Tore der Firma hatten sich für immer geschlossen. Daniela hatte die Nachricht aus der Zeitung erfahren. Eine winzige Pressenotiz im Lokalteil. Daniela hätte sie beinahe übersehen.

Sie hatte Stephan angerufen, um herauszufinden, ob er weitere Informationen besaß. Von ihm wusste sie, dass allen Mitarbeitern wegen Betriebsschließung gekündigt worden war. Lichtenhain hatte sich vorher aus dem Staub gemacht. Den kompletten Abwicklungsprozess übernahmen Externe. Daniela fragte sich, wie lange er das schon geplant hatte.

Über Holgers Verbleib wusste Stephan nichts zu berichten. Jedoch hatte er ihn kürzlich in Begleitung einer Frau samt Kinderwagen im Seebad beim Spazierengehen gesehen. Stephan war nicht stehen geblieben. Er wollte nicht mit Holger reden. So hatte er es dabei belassen, ihn im Vorübergehen zu grüßen.

„Der hat Frau und Kind?“ Thomas war verblüfft.

Daniela sagte: „Ich frage mich jedes Mal aufs Neue, wie der zu seinen Frauen kommt. Er ist noch zwei Jahre älter als ich. Das heißt, er geht mit großen Schritten auf die Fünfzig zu. Zeugt man in dem Alter noch Kinder?“ Daniela schüttelte den Kopf.

Irgendwann war sie vom Büro aus zu Fuß hingelaufen. Hatte selbst das verschlossene Tor in Augenschein genommen. Daniela hatte einige Zeit unbeweglich am Eingang gestanden. Sie war davon überzeugt, dass sich in kurzer Zeit Verfall breit machen würde. Bilder der Vergangenheit waren ihr in den Sinn gekommen.

Beate und sie waren nur einen Steinwurf entfernt im nahegelegenen Gewerbepark ansässig. Hier war alles gepflegt und belebt.

Sie hatte sich gefragt, wie nahe Aufschwung, Niedergang und Aufschwung beieinander lagen.

Sie lebten tatsächlich schnell.

„Das sollte möglich sein“, sagte Beate, „schließlich sind wir eine Tourismus- und Event-Agentur. Aber: Jungs, ehrlich, was habt ihr von eurem Engagement?“

Stephan antwortete nicht auf Beates Frage, sondern verdrehte lediglich die Augen. Daniela dachte an Thomas und daran, dass sie geglaubt hatte, er wollte dealen. Sie blieb stumm.

Schließlich waren sie sich schnell einig geworden. Daniela und Beate waren geübt darin, Programme zu entwerfen und die Organisation umzusetzen. Kommende Woche würde eine von ihnen nach Hamburg zum regulären Treffen des Netzwerkes fahren und die Einladung nach Mecklenburg-Vorpommern aussprechen.

Daniela dachte nach. Sie würde schon einmal wegen des Schiffes anfragen. Sie kannte den Kapitän. Pitt. Er war der Kindertrainer im Sportverein. Während der Saison war sein Kahn gut gebucht. Besser, sie würde reservieren. Ein Programm in Warnemünde ohne Schiff war ausgeschlossen.

„Sei nicht traurig.“ Thomas streichelte sie und hielt sie fest im Arm. „Ich verspreche dir, dieses Mal wird alles gut. Vertrau' mir.“

Daniela hatte die Autoschlüssel gegriffen. Sie waren auf dem Weg zu ihrem Wagen. Vor ihr lagen fünfhundert Kilometer Strecke, immer geradeaus nach Norden. Sie verspürte keine Lust auf Autobahn und Alleinsein.

Die Woche mit Thomas hatte sie in vollen Zügen genossen. Am Freitag waren sie gemeinsam nach Leipzig gefahren. Heute war Sonntag. Morgen würden Thomas und sie an ihren Schreibtischen sitzen. Er in Leipzig. Sie in Rostock.

Daniela hatte die Scheibe heruntergefahren. „Ich bin am Freitag gegen achtzehn Uhr da. Ich freue mich auf dich“, sagte Thomas.

Daniela musste endlich den Motor starten, ansonsten endete dieser Abschied niemals.

„Wie war Leipzig?“ Beate balancierte zwei Tassen Kaffee. „Du siehst aus, als könntest du ihn brauchen“, sagte sie und stellte eine der Tassen vor Daniela ab.

Leipzig war ein Traum. Die Stadt hatte ihren alten Glanz zurückerobert. Die alte Messe-, Handels- und Bankenstadt versprühte Flair und Lebendigkeit.

„Ich kann dir sagen, würde ich nicht so sehr an diesem Ort hängen, würde ich dort leben wollen.“ Beate runzelte die Stirn. Daniela wusste, was in diesem Moment in ihrem Kopf vor sich ging. Sie sagte: „Mach' dir keine Sorgen. Thomas und ich müssen das anders lösen.“ Während sie den letzten Satz aussprach, wurde ihr klar, dass sie nicht den geringsten Lösungsansatz parat hatte.

„Soll ich nach Hamburg fahren?“, fragte Beate.

Daniela war dankbar dafür, dass sie ihr dieses Angebot unterbreitete. Sie verspürte keine Lust auf Autobahn oder Zug. Sie ahnte, wie ihr Pendeln zwischen hier und Leipzig sie noch in Anspruch nehmen würde. Sie erwartete von Thomas nicht, dass er immer derjenige war, der sich auf den Weg machte.

Daniela konnte den Freitag kaum erwarten. Niemals zuvor waren für sie die Tage von Montag bis Donnerstag so schleppend vergangen. Im Normalfall hatte sie das Gefühl, die Zeit rann ihr durch die Finger. Diesmal vergingen die Stunden im Schneckentempo.

Umso überraschter war sie, als plötzlich Thomas ihr Büro betrat.

„Wo kommst du denn her?", fragte sie und fiel ihm bereits um den Hals. „Es ist erst zwei."

„Ich habe den Freitag mit einem Termin in Berlin verbunden", sagte er. „Und auf ein Mittagessen verzichtet."

Daniela überlegte, ob sie diesen Berlintermin hinterfragen sollte.

„Sagst du mir, was du in Berlin gemacht hast?" Thomas schüttelte den Kopf. Er meinte, sie solle sich gedulden. Er würde ihr heute beim Abendessen ausführlich davon berichten.

Thomas wusste genau, dass er ihre Neugier geweckt hatte. Daniela glaubte, ein gewisses Vergnügen in seinem Gesicht zu sehen. Somit konnte es sich nicht um eine schlechte Nachricht handeln.

„Das ist gemein", sagte sie und umklammerte ihn schon wieder.

Sie würde sich gedulden müssen und wusste nur zu genau, dass Geduld nicht zu ihren Stärken gehörte.

„Ich fahre noch kurz bei Stephan vorbei. Wir sehen uns zu Hause. Ist das für dich in Ordnung?" Daniela nickte und dachte: Er hat „zu Hause" gesagt.

Sie würde sich sputen müssen. Ein paar Dinge hatte sie heute noch zu erledigen. Beate war in Hamburg. Sie fehlte hier im Büro. Daniela stürzte sich in die Arbeit. Auf diese Weise überstand sie die nächsten Stunden, ohne ständig an den Berlintermin denken zu müssen.

Daniela bereitete das Abendessen zu, als sie das Türschloss hörte. Thomas kam herein. Er trug einen riesigen Blumenstrauß vor sich her. Thomas schaute sie an. „Die sind für dich. Wo finde ich in diesem Haushalt eine Vase?"

Daniela zeigte auf einen der Schränke.

„Kannst du den Tisch decken? Ich bin gleich soweit. Wir können essen."

Daniela sah auf die Blumen und erinnerte sich an den festlich gedeckten Tisch mit seinem teuren Porzellan und dem Manufakturbesteck. Sie würden heute mit weniger Eleganz vorlieb nehmen müssen. Daniela hatte niemals darüber nachgedacht, sich diese Sachen selbst zu kaufen.

„Vor oder nach dem Essen die Neuigkeiten?“, fragte Thomas. Daniela antwortete: „Wie wäre es mit während?“

Sie hatten sich gesetzt und zum Besteck gegriffen.

„Ich habe dich, glaube ich, lange genug auf die Folter gespannt. Eigentlich wollte ich es dir noch nicht sagen und dich später damit überraschen.“ Thomas machte ein feierliches Gesicht. Daniela hielt inne. Er würde ihr jetzt nicht verkünden, dass er nach München gehen wollte?

Stephan und Thomas hatten vor einiger Zeit eine unternehmerische Entscheidung getroffen. Sie wollten expandieren. Ganz in ihrer Nähe stand eine Firma zum Verkauf, die in ihr Profil passte. Trotz intensiver Suche fand sich kein Nachfolger. Stephan dachte über einen Erwerb nach, wusste jedoch sehr genau, dass er auf Dauer ein Unternehmen dieser Größe nicht allein führen können würde. Darüber hinaus benötigte er Kapital für diesen Kauf. Er suchte das Gespräch mit seinem stillen Teilhaber.

Thomas und er waren zügig übereingekommen, sich diese Chance nicht entgehen lassen zu wollen. Thomas war heute in Berlin, um den Kreditvertrag zu unterzeichnen.

Daniela staunte. „Da habt ihr euch ja etwas vorgenommen. Wie groß ist der Laden denn?“ „Der Laden“ war genauso groß wie die bestehende Firma. Daniela hätte sich beinahe verschluckt. „Wie wollt ihr das handhaben?“

„Das ist die zweite Neuigkeit“, sagte Thomas.

Daniela bemerkte sofort den veränderten Klang seiner Stimme. Er schaute sie zärtlich an. „Ich habe, als ich nach Leipzig wechselte, einen Vertrag mit einer festen Laufzeit unterschrieben. Die Zeit ist um. Ich habe nicht verlängert.“

Daniela hatte das Essen eingestellt. Sie lehnte sich zurück und durchdachte, was sie soeben gehört hatte.

„Du beendest deine Tätigkeit in Leipzig?"

„Ja, und nicht nur das. Ich verlasse die Bank."

Daniela war sprachlos. Sie schaute ihn an. „Sicher?" Daniela konnte nicht glauben, was sie hörte.

„Ganz sicher. Ich tausche meine stille gegen eine aktive Teilhaberschaft. Stephan und ich werden als gleichberechtigte Geschäftsführer arbeiten."

Thomas kam zurück. Keine Wochenendbeziehung. Daniela war gerührt und aufgewühlt zugleich. „Wie lange schon habt ihr das geplant?", fragte sie.

„Ein Vierteljahr. Stephans kleine Indiskretion hat mir meine Entscheidung leichter gemacht."

Daniela dachte nach. Was meinte er? Dann dämmerte es. Stephan hatte ihm von ihrer Trennung von Michael erzählt.

Daniela lächelte. „Du warst dir sicher?" Sie sah ihn an. Viel später fragte sie: „Wo willst du wohnen? Doch nicht in dieser Wohnung? Hier wolltest du nie sein." Sie konnte kein ernstes Gesicht machen.

„Na ja, das Zimmer mit dem Bett mit Blick zum Meer ..." Thomas sah sie an.

Daniela dachte an das Porzellan aus der Königlichen Porzellanmanufaktur und an das Besteck mit den Lilien. Gut, dass sie es nicht selbst gekauft hatte.

„Wann erledigst du deinen Umzug?"

„Wenn ich hier einziehen darf, in acht Wochen. Vorher absolvieren wir das Treffen eurer Netzwerkfrauen. Falls die sich dazu entschließen, herkommen zu wollen. Stephan und ich werden bis dahin unseren Zukauf integriert haben. Wenn ihr wollt, können wir als Programmpunkt eine Besichtigung beider Teile anbieten. Was meinst du?"

Beate und Daniela warteten auf Stephan. Daniela saß auf ihrem Stuhl und schwieg. In ihrem Kopf liefen die Bilder der Vergangenheit ab. Beate klapperte in der Küche mit Geschirr.

Daniela hatte Stephan viel zu verdanken. Auf seine Initiative hin war Thomas zu ihrer Bürobesichtigung erschienen. Dann hatte er sich bereiterklärt, beim Einräumen zu helfen. Daniela war sauer gewesen, weil Stephan sie überrumpelt hatte. Er war es jedoch, der Thomas die Teilhaberschaft angeboten und insofern wenigstens indirekt dafür gesorgt hatte, dass Thomas' Bindung an diesen Ort nicht verloren ging. Sophia und Alex wählten ihn als Trauzeugen aus. Irgendwie war er immer mit ihnen gewesen.

Es klingelte. Daniela ging zur Tür. Als Stephan über die Schwelle trat, sah sie ihn an. Er bemerkte ihren Blick und strich sich über seinen Bauch. „Sieben Kilo weniger. Man sieht es, oder?" Daniela nickte. Ohne ein weiteres Wort umarmte sie ihn und küsste ihn auf die Wange. „Du weißt, wofür das ist. Und dass es nicht wegen der verlorenen Pfunde ist."

In diesem Moment kam Beate aus der Küche. „Was soll das denn? Habe ich etwas verpasst?"

„Hast du nicht. Aber das hier war längst überfällig."

Stephan zwinkerte ihr zu und meinte: „Dafür hat man Freunde." Dann begrüßte er Beate. Daniela betrachtete die beiden. In diesem Moment beschlich sie eine Ahnung.

Sie hatten sich an den großen Besprechungstisch gesetzt und berieten, wie der Tag mit den Netzwerkerinnen ablaufen sollte. Die Frauen hatten begeistert auf die Einladung ins Seebad reagiert.

Übernachten würden die Gäste in Warnemünde. Zum Werk müssten sie nach Rostock transportiert werden. Anschließend ins Seebad zurück. Eine Stadtführung war unerlässlich. Zwischendurch mussten sie eine Kleinigkeit essen. Dann benötigten sie eine Pause zum Umziehen. Abends planten sie eine Party auf dem Schiff.

Daniela und Beate waren sich einig: Außer im Werk hätten Männer keinen Zutritt. Stephan schaute enttäuscht. Beate erklärte ihm gerade, dass ein Frauennetzwerk nun einmal nur für Frauen zugänglich war, als Daniela schon wieder ein komischer Gedanke durch den Kopf ging.

Sie schüttelte den Kopf und versuchte, sich zu konzentrieren. Sie sollten auch Sophia einladen. Alex könnte sie begleiten. Stephan, Thomas und ihm würde für den Abend etwas einfallen. Daniela war ohne Sorge. Sie wusste: Den dreien würde es nicht langweilig.

Dann geriet der Zeitplan durcheinander.

Ursprünglich wollten sie den Umzug nach dem Treffen der Netzwerkerinnen erledigen. Nun aber würden sie vorher nach Leipzig fahren, um zu packen. Die Spedition hatte keinen anderen Termin anbieten können.

Luise wollte mitfahren. Ihre ostdeutsche Heimat kennenlernen.

Daniela war nicht begeistert. Sie würden keine Zeit für Stadtbesichtigung und Geschichtsstunde haben. Dennoch war Daniela Luises Wunsch nicht aus dem Kopf gegangen. Sie hatte Thomas davon erzählt. Der sah kein Problem. Sie solle Luise ruhig mitbringen. Seine Söhne würden auch kommen. Sie wären zu fünft beim Kistenpacken. Da bliebe Zeit für einen Stadtbummel.

Daniela konnte ihre Aufregung kaum unterdrücken. Sie fragte sich, weshalb ihr Körper so reagierte.

Sie würde die Söhne lediglich treffen. Nicht adoptieren. Das Kennenlernen fand auf neutralem Grund statt. Woher also die Unruhe?

Vielleicht war die Idee, Luise mitzunehmen, gar nicht so schlecht. Ihre Anwesenheit würde die Situation möglicherweise entspannen. Daniela mahnte sich zu Gelassenheit.

Luise hatte bald Geburtstag. Den siebzehnten. Im Alter von acht Jahren war sie nach Hamburg gezogen. Ihre Erinnerungen an die Zeit zuvor waren mager. Verständlich, dass sie den Wunsch verspürte nachzuforschen, woher sie kam.

In Leipzig hatte seinerzeit der Widerstand Gestalt angenommen, nachdem Ungarn die Grenzen geöffnet hatte. Die Prager Botschaft von Ausreisewilligen besetzt worden war.

Von dieser Stadt war der Ruf ausgegangen: „Wir sind das Volk!", und: „Wir bleiben hier!" Dieser Ruf hatte sich auch bis in den Norden herumgesprochen. Dann war ihr der Vater abhandengekommen.

Sie konnten Luise die Nikolaikirche zeigen. Dazu den Ring, auf dem die Demonstranten protestiert hatten.

Thomas' Söhne wollten sich sein Mobiliar teilen. Je zur Hälfte würde es in studentischen Wohngemeinschaften verschwinden. Daniela hatte in ihrer Wohnung ohnehin keinen Platz. Ein bisschen beneidete sie die Jungen. Gern dachte sie an ihre eigene Studienzeit zurück. Immer wieder wunderte sie sich, wie rasend schnell die Zeit vergangen war.

Luise hatte noch ein Jahr bis zum Abitur. Die Söhne waren bereits einen Schritt weiter. Der Ältere studierte im dritten Semester, der Jüngere wollte in diesen Tagen beginnen.

Luise war gestern aus Hamburg angereist. Nun saß sie neben Daniela im Auto und plapperte pausenlos. Verdächtig oft stellte sie Fragen, die Daniela nicht beantworten konnte. „Luise, ich treffe die beiden auch zum ersten Mal. Ich kann dir nichts erzählen."

Luise hatte wohl endgültig ihre Gedanken an Philipp und Marcel aufgegeben. Verdächtig oft lenkte sie während der letzten Stunde das Gespräch auf die beiden Jungen. Dann wechselte sie plötzlich das Thema. „Daniela, du wolltest mir von deiner Oma erzählen. Du weißt schon, die lange Geschichte. Jetzt haben wir Zeit."

Daniela überlegte. Dann sagte sie: „Ich muss mich auf den Verkehr konzentrieren." Sie wusste, wie emotional diese Geschichte war. Die erzählte man nicht auf der Autobahn.

Luise bettelte. „Bitte, wenigstens ein bisschen. Ich bin so neugierig. Das gehört doch auch zu dem Land, in dem meine Wurzeln sind."

Daniela ließ sich erweichen. „Die Kurzform, okay?", sagte sie und schaute zur Seite. Luise nickte.

„Die Geschichte meiner Oma ist ganz anders verlaufen als die deiner Oma in Hamburg", begann sie. „Eigentlich müssten wir ja die Geschichte meiner Mutter mit der deiner Oma vergleichen. Dann würden wir über Frauen derselben Jahrgänge reden. Aber die Geschichte meiner Mutter beginnt mit der meiner Oma." Daniela begann zu erzählen.

Danielas Großmutter wurde in der Mark Brandenburg geboren. Ein Landstrich, der in den Grenzen vor 1945 östlich über die Oder reichte. Sie war das letzte Kind ihrer Eltern. Nummer Sieben. Eine Nachzüglerin. Als junge Frau war sie auf den Erben eines landwirtschaftlichen Betriebes getroffen. Danielas Großvater. Sie hatte ihn nie kennengelernt. Er war als Soldat im Zweiten Weltkrieg. 1945 geriet er in Gefangenschaft. Die überlebte er nicht. Zurück ließ er seine Frau und zwei Töchter. Die jüngere war Danielas Mutter. Als die russischen Truppen nach Deutschland marschierten, packte die Familie der Großmutter das Nötigste zusammen, um die Heimat noch vor Ankunft der Russen zu verlassen. Das schafften sie aber nicht mehr.

„Luise, meine Großmutter hat erlebt, was keine Frau erleben sollte." Daniela sah aus dem Augenwinkel, wie Luise mit den Lippen das Wort „Vergewaltigung" formte. Daniela nickte. Irgendwie war ihnen die Flucht doch noch gelungen. Sie endete vorerst in Berlin.

Berlin war eine zerstörte Stadt. Es gab keine Wohnungen und nichts zu essen. Der Flüchtlingstreck zog weiter. Und endete irgendwann in Rostock. „Dort hat meine Mutter meinen Vater getroffen. Dort bin ich geboren." Daniela dachte nach. „Sie haben ihren kompletten Besitz zurücklassen müssen. Nur mit dem Nötigsten am Leib waren sie gezwungen, ganz von vorn anzufangen."

Daniela hörte, wie Luise tief durchatmete. Dann sagte das Mädchen: „Von solchen Problemen hat meine Oma in Hamburg noch nie gehört. Sie hat die Stadt nie verlassen. Ihre Vorfahren auch nicht. Daniela, ehrlich, die weiß gar nicht, wie es hätte sein können. Der Opa war Unternehmer. Die Oma hat nie gearbeitet. Sie hat lediglich Alex großgezogen. Dafür weiß sie alles und alles besser."

Daniela schmunzelte. Luise hatte ziemlich krass formuliert. Dann sagte sie: „Weißt du, in Lebensumstände gerät man hinein. Nicht immer kann man alles planen. Und wo man geboren wird, schon gar nicht. Es ist nur so, dass man für sich entscheiden muss, wie man leben will. Und dann muss man es einfach machen. Dann gibt es da noch ein wichtiges Detail. Es heißt Bildung. Luise, lerne, studiere, mach' dich unabhängig. Bildung ist der Generalschlüssel zum Glück."

„Ich will die ganze Geschichte hören. Wann erzählst du sie mir?" Luise schaute zur Seite.

Daniela hatte in diesem Moment den Blinker betätigt. Die Ausfahrt Leipzig Mitte genommen. Rechts von ihnen konnten sie den Leipziger Uniriesen bereits sehen. Daniela wählte die Nummer. Wenige Sekunden später sagte sie Thomas, dass sie in der Stadt waren.

Er erwartete sie bereits vor dem Hauseingang.

Sie parkte das Auto und stieg aus. Daniela sah nicht nach rechts oder links. Sie ging auf Thomas zu und fiel ihm um den Hals. Als sie aufschaute, entdeckte sie zwei junge Männer. Sie standen im Hausflur und sahen sie an.

„Die beiden können nicht fassen, wie ihr alter Vater eine alte Frau so küsst", flüsterte Daniela. Thomas schaute sich vorsichtig um, blickte auf seine Söhne und sagte leise: „Die können sich auch nicht vorstellen, dass Leute in unserem Alter noch Sex haben."

Dann lachte er.

Luise war inzwischen neben Thomas getreten. Sie sagte provokant: „Hallo, Thomas, ich bin auch mitgekommen."

Thomas löste sich von Daniela und umarmte Luise. „Sei willkommen."

Inzwischen waren die Jungs auf den Gehweg getreten. Der Jüngere sagte: „Papa, das ist nicht deine Altersgruppe!" und zeigte lachend auf Luise.

Die Atmosphäre war entspannt, wie sie entspannter nicht sein konnte. Daniela musterte den Älteren. Sie war verzückt. Der sah seinem Vater mehr als ähnlich. Thomas zwinkerte ihr zu. Er hatte bemerkt, was Daniela festgestellt hatte. „Der ist tatsächlich ein wenig wie geklont, oder?", sagte er und legte seinen Arm um sie.

Sie hatten die Stadt durchstreift.

Luise meinte, sie könne sich vorstellen, hier zu studieren. Sie blickte in die Runde. Das könnte ich auch, dachte Daniela und wusste, dass es dafür fünfundzwanzig Jahre zu spät war.

Alle hatten sich auf ihre Matratzen am Fußboden zurückgezogen. Am Morgen wollten sie zeitig starten. Die Norddeutschen hatten den längsten Weg.

„Luise wird noch mehr Ostdeutschland kennenlernen", sagte Thomas. Daniela brauchte einen Moment, um zu begreifen, was er meinte. Dann antwortete sie: „Ich denke, ihr nächster Weg wird sie nach Weimar führen. Natürlich zum Sightseeing."

Thomas lächelte. Einen Teil seiner Möbel würde Luise dort wiedertreffen. Sein Jüngster würde demnächst an der dortigen Musikhochschule studieren.

Lass' sie leben, wie und wo sie wollen. Und mit wem, waren die Gedanken, die Daniela durch den Kopf gingen, bevor sie einschlief.

Sie waren zurück in Warnemünde. Daniela atmete tief ein. Sie stand auf ihrer Dachterrasse und genoss den Blick aufs Meer. Thomas hatte sich neben sie gestellt, als sie ihn fragte: „Angekommen?"

Er nickte und sagte: „Um zu bleiben."

Aus seiner Hosentasche fischte er ein kleines Etui, das er sogleich öffnete. Daniela schaute auf einen Ring.

Thomas sah ihr in die Augen, als er sagte: „Ich habe eine Idee."

Daniela schluckte. Sie hatte sich seinen Antrag ein bisschen anders vorgestellt.

Thomas griff nach ihrer Hand und steckte ihr den Ring an den Finger. Was er dann zu ihr sagte, entschädigte sie für den kurzen Augenblick der Enttäuschung.

23. Kapitel
Ende August 2005

Dreißig Netzwerkerinnen hatten den Weg ins Seebad gefunden. Auch Judith aus München nahm den weiten Weg auf sich. Daniela freute sich.

Sie stiegen gemeinsam aus dem Bus, der sie von der Werksbesichtigung ins Seebad zurückgebracht hatte.

„Ihr kennt euch schon lange, die Inhaber und ihr?“, fragte Judith.

Daniela erzählte in wenigen Sätzen, wie sie nach 1989 in Etappen zueinander gefunden hatten. Wie sich zwischen ihnen eine Freundschaft entwickelte. Und eine große Liebe.

„Thomas ist mein Lebensgefährte“, sagte sie und bemerkte, wie Stolz in ihrer Stimme mitschwang.

Der Betrieb, den sie heute gezeigt bekommen hatten, war modern ausgestattet. Stephan und Thomas waren im Stahlbau tätig. Sie produzierten Ausrüstungsteile für die Industrie.

„Stephan hat in Dresden studiert. Er ist Diplom-Ingenieur. Glaub’ mir, wer dieses Studium absolviert hat, weiß, was Sache ist.“ Judith schaute sie an.

„Wir hatten Materialprobleme, Transportsorgen und frag’ mich, was noch. Geld hatten wir natürlich auch keins. Technisch war jedoch klar, wie es funktionierte. Du kannst davon ausgehen, dass das Abwasser nicht im Rinnstein entsorgt worden ist. Wir haben bewährte Technik für Eiskanäle produziert. Du weißt, die Schlitten- und Bobbahnen, auf denen Olympiaden ausgetragen wurden.“

„Ihr wart eine ernstzunehmende Konkurrenz.“ Judith formulierte den Satz nicht als Frage.

Daniela schüttelte den Kopf. „Nein, das waren wir eben nicht."

Judith sah sie fragend an. „Uns fehlten zwei Dinge: Erfahrung und Kapital. Wir hatten zu keinem Zeitpunkt eine reale Chance gegenüber gesunden, gewachsenen Unternehmen."

Sie erreichten den Alten Strom und schlenderten in Richtung des Leuchtturms. Daniela dachte schmunzelnd an einen ihrer Spaziergänge mit Sophia. Die Strecke war belebt, wie immer um diese Zeit. Heute hatten sie jedoch Glück. Alle benahmen sich diszipliniert.

Warnemünde hatte sich für die Saison herausgeputzt. Den Netzwerkerinnen schien es zu gefallen. Auf ihre Frage, wie es hier früher ausgesehen hatte, sagte Daniela: „Hier steht bildhaft gesprochen kein Stein mehr auf dem anderen. Ganz im positiven Sinn. Ihr müsst euch das so vorstellen: Alles war grau, der Putz bröckelte und so manchem Haus drohte der Einsturz."

Der Strand war ein Traum, stellten die Damen fest und brauchten jetzt einen Cocktail. Den gab es direkt im Sand mit einem Blick auf die Fahrrinne, die fortwährend Schiffe passierten. Noch wussten die Gäste nicht, dass sie heute Abend diesen Weg nehmen würden. Für einen kurzen Moment dachte Daniela daran, wie vor fünfzehn Jahren lediglich eine Fährlinie hier entlang lief. Sie erinnerte sich an das große Schiff, das einem Geisterschiff geglichen hatte.

„Wir treffen uns um neunzehn Uhr. Seid bitte pünktlich. Unser Schiff legt dreißig Minuten später ab. Wer zu spät zum Treffpunkt kommt, muss schwimmen", sagte Daniela und lachte. Ein allgemeines Raunen ging durch die Gruppe. Die Ersten fragten sich, wie wohl der Seegang dort draußen sein würde.

Daniela hatte den Seewetterbericht studiert. Sie mussten sich keine Sorgen machen.

Angekommen waren sie schon einmal vollzählig. Daniela spürte die ausgelassene Stimmung. Die würde gleich noch um einiges besser werden. Prosecco wurde gereicht.

Beate und sie kannten das Programm des künstlerischen Duos, das sie engagiert hatten. Die lieferten eine Ost-West-Parodie zum Niederknien ab. Sie konnten entspannt dem Abend entgegensehen.

Erst einmal würden sie jedoch kulinarischen Genüssen frönen. Daniela hatte das Buffet bereits inspiziert. Auch hieran würde es nichts auszusetzen geben.

Daniela stand an der Reling. Judith war neben sie getreten und prostete ihr zu.

„Du lebst, wo andere Urlaub machen." Daniela nickte und antwortete: „So ist das. Ich kann mir nicht vorstellen, woanders meine Zelte aufzuschlagen. Manchmal glaube ich, meine Füße sind mit diesem Fleckchen Erde durch Schrauben verbunden." Dabei blickte sie an sich hinunter. Judith lachte, als sie sagte: „Das wäre aber blöd. Weißt du, man kann dann nur ein Paar Schuhe tragen. Die anderen tausend müssten im Schrank bleiben."

Judith legte eine Pause ein. Dann sprach sie weiter: „Auch wenn wir Unternehmerinnen sind, so wollen wir doch Weib bleiben, oder? Dein Thomas gefällt mir übrigens. Mir sind bisher nicht allzu viele Männer begegnet, die Frauen wie uns auf Dauer neben sich akzeptieren können."

Daniela schaute Judith an. Dabei runzelte sie die Stirn. „Bist du verheiratet?", fragte sie. „Nicht mehr", lautete die Antwort.

„Hast du Kinder?" Daniela sprach die Frage aus und hätte sich sogleich ohrfeigen können. Was hatte sie damals zu Michael gesagt? Diese Frage stellte man nur Frauen.

Judith schüttelte den Kopf, als sie antwortete: „Nein, keine Zeit."

Thomas wartete am Kai, als das Schiff anlegte. Daniela schüttelte Hände zum Abschied. Dann kam er auf sie zu und nahm sie in den Arm. „Habt ihr euch amüsiert? Bist du zufrieden?"

„Ja, sehr", antwortete sie und kuschelte sich an ihn.

„Die Truppe ist froh gelaunt. Verrätst du mir, auf welche Weise Frauen ganz unter sich eine Party feiern? Ich meine, was macht man da?"

„Das überlasse ich deiner Phantasie." Daniela lachte.

„Vielleicht sagst du mir trotzdem, wofür ihr das Geld ausgegeben habt, das wir euch gesponsert haben. Wir hatten ausgemacht, dass ihr es für Kultur einsetzt."

„Haben wir gemacht. Alles wie besprochen." Daniela lächelte süffisant und schaute Thomas ins Gesicht.

„Du glaubst jetzt nicht, was du denkst", fügte sie an.

Sie ließ ihn zappeln. Dann sagte sie: „Wir haben zwei Schauspieler engagiert. Die haben ein Stück vorgetragen, in dem es um die Wendezeit ging. Die Zeit, in der hier das Kapital eingeflogen ist. Du musst dir das Ganze ein bisschen wie Kabarett vorstellen. Die Künstler haben begeisterten Applaus bekommen. Insofern ist euer Geld gut angelegt." Daniela kuschelte sich noch enger an Thomas und dachte an ihr Gespräch mit Judith. Würde er aushalten, was Judiths Mann nicht aushalten konnte? Schließlich waren sie schon einmal gescheitert.

Daniela zwang sich, diesen Gedanken zu verscheuchen. Thomas und sie hatten ihre Erfahrungen gemacht und daraus gelernt.

Daniela musste raus aus den Federn. Obwohl sie liebend gern noch weitergeschlafen hätte. Sie hatte zu einem späten Frühstück geladen. Daniela rüttelte Thomas an der Schulter. „Wir müssen aufstehen. Den Tisch decken. Frühstück bereiten. In einer Stunde kommen die Gäste." Thomas kam nur langsam zu sich. Daniela stand bereits unter der Dusche, als er das Badezimmer betrat.

Inzwischen waren alle eingetroffen. Stephan, Sophia, Alex, Beate und ihr Mann. Auch er ließ es sich nicht nehmen, den Sonntagvormittag mit ihnen zu verbringen.

Beate und Daniela waren zufrieden mit dem Verlauf des gestrigen Tages. Die Netzwerkfrauen hatten sich voll des Lobes von ihnen verabschiedet. Heute würden sie die Heimreise antreten. Beate betrat die Küche und fragte, ob sie helfen könne. Dabei schaute sie mit einem Blick, den Daniela nicht sofort deuten konnte. „Was ist los?“, fragte sie.

„Er geht mir auf die Nerven.“ Während sie sprach, deutete sie mit dem Kopf in Richtung der Dachterrasse.

„Wer, dein Mann?“, fragte Daniela. Beate nickte. „Geh mal da raus. Er unterhält Alex und Stephan. Ganz so, als wäre Sophia nicht anwesend. Stephan kämpft dagegen an. Aber er kann ihn nicht bremsen. Ich bin sicher, dass das, was er erzählt, alle schon einmal irgendwann von ihm gehört haben.“

„Dann lass uns mal rausgehen und den Spuk beenden“, antwortete Daniela und war fest entschlossen. Thomas hatte von ihnen unbemerkt die Küche betreten und zugehört. Er nickte und folgte den Frauen.

Alex und Sophia wollten früh nach Hamburg zurückfahren. Sie hatten Sebastian in die Obhut seiner Oma gegeben. Deren Kräfte sollten nicht überstrapaziert werden.

Als sich die beiden verabschiedet hatten, sagte Stephan: „Die junge Frau ist übrigens nicht Holgers Frau und das Kind im Kinderwagen nicht sein Kind. Meine Quelle ist zuverlässig.“

Daniela wusste, dass er niemals auf Holger zu sprechen gekommen wäre, hätte Sophia noch am Tisch gesessen.

Daniela nickte aus Überzeugung. Sie meinte: „Das konnte ich mir denken.“

Beate erwiderte: „Unmöglich ist nichts.“

„Da hast du recht. Jedoch fehlen Holger die Voraussetzungen für diese Konstellation.“

Alle Gesichter schauten sie fragend an.

„Er hat nichts von dem, was ein alternder Mann braucht, um eine junge Frau für sich zu gewinnen“, sagte Daniela.

„Und das wäre?“, platzte Beate heraus.

„Macht und Geld“, antwortete Daniela und bemerkte den bissigen Blick des Sportlehrers.

„Du weißt schon, dass du Beates Mann geärgert hast“, sagte Thomas während sie aufräumten. Er sah ihr ins Gesicht.

„Nur ein bisschen“, antwortete Daniela todernst. „Im Übrigen sage ich in meiner Wohnung, was ich will“, schob sie nach. Dann korrigierte sie: „In unserer Wohnung.“

Thomas grinste, als er sagte: „Ich bin sicher, du hättest dich an jedem anderen Ort dieser Welt nicht anders verhalten.“

„Mit Beate und dir haben sich zwei Gleichgesinnte gefunden.“ Thomas schüttelte den Kopf. Daniela wusste nicht, was sie von diesem Satz halten sollte. Und vom Kopfschütteln. „Wie darf ich denn das verstehen?“ Sie sah ihn an.

„Ihr geht durch diese Welt, ganz so, als gäbe es keinen Unterschied zwischen den Geschlechtern.“

„Meinst du, es gibt ihn?“, spottete Daniela.

„Ja, aber nicht für euch.“

Daniela schwieg einen Augenblick lang. Dann sagte sie: „Gut, wenn du meinst, das ist so, dann hätte ich einen Vorschlag zu machen. Wir leben im 21. Jahrhundert. Wir schaffen den Unterschied jetzt ab. Dann muss niemand mehr darüber streiten, ob es ihn gibt oder nicht. Weil: Was nicht da ist, kann nicht strittig sein.“

Thomas schüttelte schon wieder den Kopf. Dann sagte er: „Dafür liebe ich dich. Unter anderem.“

„Weißt du, an wen ich gerade denken muss?“, fügte Thomas an. „An Robert.“

Daniela fragte sich, wie Thomas jetzt auf Robert kam. Er hatte sie im Umgang mit ihm lediglich in einigen Meetings erlebt.

Robert hatte sie ein Stück ihres Weges begleitet. Er war um einiges älter als sie. Sie hatte von seinen Erfahrungen profitiert. Robert war derjenige, der sie Schwerdtfeger empfohlen hatte. Wehmütig hatte sie manchmal an die Zeit mit ihm zurückgedacht, als sie bemerkte, wie schwierig die Zusammenarbeit zwischen ihr und Claire sich gestaltete. Robert war der Mann zwischen Treuhand und Neueigentümer gewesen. Ein Kollege. Ein kompetenter, sachlicher Zeitgenosse.

„Robert hat dich gemocht. Vielleicht war er sogar ein bisschen verliebt. In jedem Fall war er aber verwundert, wie du mit ihm umgegangen bist.“

„Thomas, du spinnst“, sagte Daniela und fasste sich an den Kopf. „Ich habe gearbeitet, nicht mehr und nicht weniger. Robert war für mich ein Coach. Wie bin ich denn mit ihm umgegangen? Doch sehr respektvoll.“

„Sag’ ich doch, du nimmst es nicht wahr.“ Thomas sah sie an. „Natürlich hatte er erkannt, welches Potential in dir steckt. Natürlich hat er registriert, wie sachlich, höflich du ihm begegnet bist. Er ist aber auch ein Mann. Er hat dich umworben. Sich mehr Nähe gewünscht. Du hast ihn auf Abstand und Augenhöhe gehalten. Der arme Kerl hat gelitten. Ich habe mich damals gefragt, wie ich es in deiner Gunst überhaupt soweit nach oben schaffen konnte. Obwohl: Du hast mich immerhin drei Jahre lang schmoren lassen.“

Daniela schaute Thomas an und sagte: „Wir hatten heute keinen Alkohol zum Frühstück. Was redest du da? Geht es dir gut?“

Thomas lachte, als er sagte: „Auch wenn du es nicht wahrhaben willst: Glaub' es mir endlich, ich war froh, nicht mit Robert konkurrieren zu müssen."

Daniela schwieg. Sie dachte nach. Tatsächlich hatte sie nicht bemerkt, was Thomas ihr gerade weismachen wollte. Daniela wusste nur eins: Männer hatten Schwierigkeiten damit, wenn Frauen davon ausgingen, man könne sich auf Augenhöhe verständigen.

„Thomas, wann wird das endlich besser?" Daniela sah ihn an.

„Stephan und ich haben verstanden. Und mit uns einige andere. Sogar schon eine ganze Menge. Aber nicht der große Rest. Leider. Euer Weg ist noch lang. Und ihr müsst die Fehler, die ihr macht, beseitigen."

Thomas nahm sie in den Arm. „Ich habe nie geglaubt, dass deine Sicht auf die Dinge falsch ist. Ganz im Gegenteil. Nur ist die Realität eine andere."

Von welchen Fehlern sprach Thomas? Daniela dachte nach. Was hatte Beate nach ihrem letzten Messebesuch gesagt? Männer netzwerken. Schließen die Reihen, auch wenn sie sich nicht mögen, sobald Gefahr droht. Frauen zicken.

Beate und sie verhielten sich anders. Und Judith. Die anderen im Netzwerk. Thomas riss sie aus ihren Gedanken.

„Ich muss noch mal auf den Sportlehrer zurückkommen. Daniela, ich weiß nicht, ob du es inzwischen weißt, aber: Er hat ein Problem. Eins, das seiner Eitelkeit geschuldet ist und der Tatsache, dass er die Sache mit der Augenhöhe nicht verstanden hat." Daniela wusste nicht, worauf Thomas hinaus wollte. Sie blickte fragend.

„Beate hat sich anderweitig orientiert. Ich weiß es. Von dem Mann, mit dem sie zusammen ist."

In diesem Moment wurde Daniela klar, dass sie sich nicht getäuscht hatte. Damals im Büro. Als sie über das Treffen der Netzwerkerinnen sprachen. Stephan.

Epilog

Es war soweit. Das Kreuzfahrtschiff lag am Kai. Daniela war nervös. Bisher war sie über eine Fahrt mit der Fähre nach Schweden nicht hinausgekommen. Vor Thomas und ihr lag eine Woche Ostsee mit dem Ziel ihrer Träume.

„Weshalb eigentlich Sankt Petersburg?", hatte Thomas sie gefragt. Daniela antwortete: „Der alten Steine und der Kunstschätze wegen. Nicht zuletzt einer toughen Frau wegen."

Thomas hatte gelacht und gesagt: „Dachte ich es mir doch."

Auch Anhalt hatte starke Frauen hervorgebracht. Katharina. Katharina, die Große.

In den zwei Tagen ihres Hierseins konnten sie nur einen Bruchteil von Sankt Petersburg sehen. Ein Grund mehr, wiederzukommen.

Mitnehmen würden sie die strahlenden Farben der alten Paläste, die goldenen Kuppeln und die Erinnerung an herzliche Menschen. Daniela hatte russisch mit ihnen gesprochen und sich gefreut, nicht alle Vokabeln vergessen zu haben.

Hier im Hafen zeigte die Stadt ihr modernes Gesicht. Das Panorama allein reichte aus, um zu schwärmen.

Daniela blickte zum Ufer. Es war vollbracht. Thomas hielt sie fest umschlungen. Daniela rannen die Tränen über die Wangen.

„Ich frage mich, wie wir unseren Familien und Freunden beibringen werden, was wir soeben getan haben", sagte er und streichelte sie. Daniela musste schmunzeln. Es gelang ihm immer wieder, sie in ihr seelisches Gleichgewicht zu bringen.

„Dir kann geholfen werden“, sagte sie und fügte an: „Wir haben im Büro Druckvorlagen für Dankschreiben. Eine davon suchen wir aus und machen eine Einladung daraus. Eine Einladung zu einem Fest mit der Überschrift: Wir haben uns im Anblick von Sankt Petersburg getraut.“

„Gute Idee“, antwortete Thomas.

„Was hältst du davon, ab sofort langsamer zu leben?“ Sein Blick ging zum Horizont, während Daniela sofort Zweifel überkamen: Wo sie sich aufhielten, war Stillstand ausgeschlossen.

Danksagung

Dieses Buch haben fleißige Mitstreiter zu dem gemacht, was es geworden ist.

An erster Stelle mein Mann Andreas, der in jeder Phase des Manuskriptes ein geduldiger und aufmerksamer Leser war.

Stefan Schwendtner hat in einem fortgeschrittenen Stadium des Schreibens mit mir am Stil gearbeitet. Dafür herzlichen Dank.

In kalten Augusttagen des Jahres 2014 war es Heike Dockhorn, die, im Garten sitzend und lesend, sich Stunde um Stunde in mein Manuskript vertiefte und nicht bemerkte, wie sie sich dabei eine Erkältung einfing. Ihr Urteil über den Text war für mich sehr wichtig. Auch an sie meinen Dank.

Im Herbst 2014 hat meine Lektorin, Birgitta Bolte, den Text begutachtet und mir den Mut verliehen, ihn zu veröffentlichen.

Mein Verleger, Peter Junkermann, den ich mit vielen beschriebenen Seiten Papier überrascht habe, hat keinen Tag lang gezögert: Dann wurde das Buch zum Buch.

Danke auch an Mareile Alferi, die zum Schluss noch einmal alles gelesen hat.

Eine Anmerkung ist mir noch wichtig: Wir alle haben unsere Wurzeln in verschiedenen Regionen Deutschlands. Wir kommen aus Halle a.d.Saale, Spremberg, Nürnberg, Rheine im Münsterland und Hannover. So gesehen ist das Projekt ein gesamtdeutsches Unterfangen geworden. Mit den Worten meines Verlegers gesagt: Das finde ich gut!